北京古籍叢書

[清]于敏中　主編
瞿宣穎　左笑鴻　于杰　點校

日下舊聞考

第一册

圖書在版編目（CIP）數據

日下舊聞考．第一册 /（清）于敏中主編；瞿宣穎，左笑鴻，于杰點校．— 北京：北京出版社，2018. 2

（北京古籍叢書）

ISBN 978-7-200-13585-5

Ⅰ．①日… Ⅱ．①于… ②瞿… ③左… ④于… Ⅲ．①北京—地方史—史料 Ⅳ．① K291

中國版本圖書館 CIP 數據核字（2017）第 282822 號

項目策劃：安　東　　項目統籌：許　可

責任編輯：喬天一　張　帥　　責任印製：宋　超

裝幀設計：郭　宇

北京古籍叢書

日下舊聞考

第一册

[清]于敏中　主編

瞿宣穎　左笑鴻　于杰　點校

出　版　北京出版集團公司

北京出版社

地　址　北京北三環中路六號

郵　編　一〇〇一二〇

網　址　www.bph.com.cn

總發行　北京出版集團公司

經　銷　新華書店

印　刷　北京虎彩文化傳播有限公司

開　本　八八〇毫米×一二三〇毫米　三十二

印　張　九點六二五

字　數　一七四千字

版　次　二〇一八年二月第一版

印　次　二〇二三年五月第二次印刷

書號　ISBN 978-7-200-13585-5

定價　78.00 圓

出版説明

《日下舊聞考》是乾隆三十九年，乾隆帝弘曆叫竇光鼐、朱筠等根據《日下舊聞》加以增補、考證而成的。由于敏中、英廉任總裁，所以書前有「欽定」字樣。到乾隆五十年至五十二年刻版出書，是過去最大最完全關於北京歷史、地理、城坊、宫殿、名勝等的資料選輯。

日下，就是京都，這裏專指北京。王勃《滕王閣序》：「望長安於日下」，以後就把日下比作長安，比作京都。

《日下舊聞》是康熙二十五年朱彝尊編輯的。他從一千六百多種古籍中選録歷代有關北京的記載和資料，共分十三門①，四十二卷。

朱彝尊在《日下舊聞》序言中記敍了北京建都悠久的歷史。軒轅黄帝邑於涿鹿（今北京西北），周初始封於薊，遂爲燕都，慕容氏又嘗都燕，遼稱南京，金改中都，元建大都，明曰北京，清朝因襲下來。他認爲北京宫殿井邑那樣繁麗，倉廩府庫那樣充實，《詩經》所説四方之極的地方。作爲歷代京都而又富有名迹，是需要記敍歷史，考訂故實的。但是，北京宫室城市的位置變了好幾回，琳宫廟宇更换名額的十分之九。歷代城址、建置不斷更改，變遷不小，而且「故老淪亡，遺書散佚，歷年愈久，陳跡愈不可得而尋矣」。所以他注意北京的歷史資料，從康熙二十五年收録，第二年抄寫完②，冬天由刑部尚書徐乾學出錢雕版，到二十七年九月出書。

康熙年間的名士徐元文、徐乾學、姜宸英、張鵬、馮溥、唐夢賚、陳廷敬、高士奇爲《日下舊聞》寫了序言。他們説到，北京建都七百年，聲教文物很盛，但是缺乏典籍，朱彝尊「精心搜討，所至訪求」，是很好的。説他白天到郊野去訪摩殘碣古碑，訪問山僧野老，晚上點起燈，對照古籍，馳騁古今，必定要使訪問的和書上的對照，没有遺憾才愜意。可見，這本書不僅摘録古書，而且對照實際情況，加以考核才編寫成。無怪姜宸英的序説這本書：「詳覈而典贍……」，又間以己意，辨論其是非，援據精確，辭雅義暢，前此未有此書也」。

朱彝尊，號竹垞，浙江秀水人。《清史稿》上説他博學多識，凡天下之書，無不披覽。少年時比較窮困，以饑驅奔走四方。康熙十八年開博學鴻儒科以布衣入選，授檢討。二十年充日講起居注官，入值南書房，很得康熙帝的賞識。康熙稱朱彝尊、姜宸英、嚴繩孫爲「海内三布衣」。他著有《經籍考》，又編輯了《詞綜》。會作詩，和查慎行等齊名。

又工詞，和顧貞觀、陳維崧合稱詞家三絶。在清初，他是個很有名的文人，和《紅樓夢》作者曹雪芹的祖父曹寅很要好，是江寧織造署楝亭的座上客，互相唱和。竹坨的《曝書亭集》就是曹寅捐錢刊刻的，而曹寅的《楝亭詩鈔》則是竹坨寫的序言。

《日下舊聞》刊刻以後，清廷在北京開始大興土木——尤其大規模地興建園林。康熙四十八年開始建圓明園。雍正年間修圓明園和雍和宫。乾隆十年修静宜園，十三年修碧雲寺，十六年修清漪園，建大報恩延壽寺於瓮山，又拓瓮山泊，定名萬壽山、昆明湖（今天的頤和園），十八年重修静明園（今天玉泉山），在城内又大修三海（北海、中海、南海），修景山五亭……興建工程在乾隆時達到了高峰，皇家内務府年年興建工程。乾隆三十多年上距《日下舊聞》的成書將近百年，北京城池、宫殿，尤其是皇家園苑已有很大變化。朱彝尊所選録的，已遠遠不够了。而且朱彝尊以「布衣」著述，除遼、金、元、明的舊跡外，很少著録宫殿御苑的建置設施，這些在弘曆看來是很不够的。弘曆在題詞書緣起的詩中就説：「百年熙皡繁文物，似勝三都及兩京」。近百年中改置添建的，着實不少，尤其弘曆對宫殿壇宇、名勝古跡……題過不少詩，作過一些考證，需要著録下來，於是命臣下收録康熙、雍正寫的詩文，加上弘曆的一些詩文，成爲《日下舊聞考》。

《日下舊聞考》一百六十卷，比起《日下舊聞》四十二卷，增加了三倍。内容、篇幅大大增加了。《日下舊聞考》雖仍沿用《日下舊聞》的編次目録。但是其中二十卷的國朝宫室（第九卷到二十八卷）、兩卷的京城總記（第三十七卷和三十八卷）、四卷的皇城（第三十九卷到四十二卷）、十四卷的國朝苑囿（第七十四卷到八十七卷）都是新增加的。官署十二卷，原在城市門内，獨立了出來。郊坰原六卷增爲二十卷。京畿也從十卷增加到三十七卷。書内有〔原〕、〔補〕、〔增〕字樣。〔原〕是朱彝尊原有的，〔補〕指朱彝尊兒子朱崑田補的，〔增〕指乾隆時增加的。

整個講來，這本書内容是豐富的。首先它收集保存了許多史料，由於輯録古碑殘碣，許多文獻可資考證。如周秦的石鼓文，唐代憫忠寺的蘇靈芝行書寶塔頌碑，遼御史大夫李内貞的墓誌，宣和七年燕山府清勝寺慈慧大師碑，金大定中禮部令史題名記略碑等等，都是少見的珍貴資料。另外，不少古籍殘失，也賴此書保留了史實。

其次，可以看到乾隆初、中期北京建築的情況和康熙中葉以來北京城市的變化，其中主要有城内宫殿、三海、景山、城外圓明園、清漪園、静宜園等等。它記述了這些園苑的建築名稱，建造年代，懸什麽扁額，掛什麽對聯，什麽人居住，詩文中題詠這些建築表現了什麽思想，對我們了解這些園苑是有用的。這些皇家園林現在大都開放爲人民公園，成爲旅遊的好場所。這樣，《日下舊聞考》就爲旅遊者、文物工作者提供了很多有用的知識。

例如八十至八十二卷都是講圓明園的，比較詳細地介紹了整個園子的布局、建置、大宫門前後的府、部、司、院、軍機處等衙門，而且記載園内十八門、四十景等等，提供了第一手資料。另外如西花園、泉宗廟等卷記録了西郊海淀的地形、水系、園林等等，也是難得的材料。

由於本書是對《日下舊聞》的考證，所以書中很注重歷史的變遷。如永定河，弘曆在乾隆二十年寫詩：「北黄下口屢遷就，慚愧終無永逸方」，可見多次決口。弘曆更説「小黄河劇大黄河」，永定河的災害勝過了黄河。而現在盧溝橋南長辛店的名字也是由於河道變遷而得名的「長新店」演變來的。一百二十六卷《東安縣》還記載了永安河七十年中六次遷徙。從這裏可以了解歷史地理的變遷。

書中的按語是值得注意的。它使我們了解一些宫殿壇廟的興廢始末。如今天北京動物園西邊的白石橋北，明末有駙馬萬都尉的白石莊，近郊園亭以這裏爲第一。按語：「白石莊今廢」。白石橋前後還有鎮國寺、延壽庵均廢。按語還對一些有疑難的問題，歷史上有争議的論點，這本書這樣説，那本書那樣説的説法，作出判斷，寫明緣由。按語大都是中肯的。

《四庫全書總目提要》評論這本書：「因朱彝尊《日下舊聞》删繁補闕，援古證今……詳爲考覈。……履勘遺跡，訂妄以存真，千古輿圖，當以此本爲準繩矣。」清末的李慈銘在《越縵堂讀書記》中説，這本書「去取既精，摭實而談，因視原書遠勝。

對《日下舊聞考》這些評論都較高。我們以爲它繼承《日下舊聞》收集史料，核對實際情况是有功績的，不少考證也是比較確切的，有一定的參考價值。缺點是偏重皇家的宫殿、官署、壇廟、園林，並大量刊用乾隆的詩文。不用説一般的勞動人民和知識分子活動場所没有記述，甚至連大學士、貴族的甲第也缺乏記録。很明顯它是爲皇家歌功頌德的。

書中有大量祭祀天地、社稷、宗廟等等的詩文，不僅反映了作者唯心主義的觀點，而且表現了封建的欺騙性。但我們仍可從其中了解一些宗法制度及其意識形態。如《乾隆九年御制仲春上戊恭祭社稷壇詩》：「物備九州貢，土分五色方」。社稷壇的五色土，是從外地獻來的土，正是象徵九州各處進貢物品。其他對待廣大勞動者，對待少數民族，也都有不少錯誤觀點和一些封建、反動的論述，這些是應請讀者注意的。

這本書於乾隆三十九年開始編輯，書中有乾隆五十年的詩，出書應不早於乾隆五十年。《光緒順天府志》記敍乾隆五十三年此書已刊行。由大學士于敏中、英廉等領銜編著，實際編輯應是竇光鼐、朱筠、潘曾起、吴錫麟等。《清史稿》寫到朱筠編此書的事。

我們根據内府刻本排印。原刻有兩個印本。一個字樣較清楚，較少斷綫壞字，我們稱爲初印本。一個字樣較模糊，有斷綫壞字，我們稱爲後印本。書前乾隆題詞初印本作「名因日下荀文若」，後印本作「名因日下荀鳴鶴」。我們是根據後印本排印的。個別地方根據初印本校訂。本書原名「欽定日下舊聞考」，現在圖書館等處均署名「日下舊聞考」，我們也沿用了。書内排印則照刻本，没有删動。

這本書收集了一、兩千種書，這次排印，没有核校收録的原書。一是有些書已經失傳，無法核對了。二是不同的版本，根據不同，記述各異。三是此書引文有的往往是摘録，和原文不大一樣。這樣，我們只好忠實於本書。如卷一《星土》：尾、箕，析木之次也。（見第七頁）這一段引用《舊唐書·天文志》，和今本有很大差異，我們未作更動。類似的例子很多。讀者如要引用，希望核對原書。只是對一些明顯的失誤，作了改正。如二十九卷《宫室》：「大定三年十二月，大軍攻南順門。」大定應爲大安。大定是金世宗的年號，當時比較安定，大安時蒙古軍才攻入中部。我們作了改動。（見四二四頁）同卷載「道宗統和五年八月，命有司撰太宗神功碑，立於南京」。據《遼史》，應爲「道宗大康五年八月」。（見四〇七頁）一百五十五卷仁宗「皇慶五年十月，建帝師帕克斯巴殿於大興教寺」。（見二五〇三頁）查元仁宗皇慶只有兩年，皇慶五年應爲延祐五年。一百五十六卷載劉秉忠「詔以翰林侍讀學士竇默之女妻之。」（見二五一八頁）據《元史》應爲竇默之女。我們都據以改正。還有一些刻印的錯字，作了改正。書中有些異體字、通用字如刱同創，𦒿同聞等，儘量求得統一。

這是一本清政府動員大量人力編輯、卷帙浩繁的著作，這次排印，在標點、校對等方面難免有不少疏忽錯失的地方，希望讀者指正。

①分星土、世紀、形勝、宫室、城市、郊坰、京畿、僑治、邊障、户版、風俗、物産、雜綴十三門。

②序言中説康熙二十五年收録，第二年抄寫完，從一千六百多種書中收録衆多文獻資料，不會這樣快。可能開始收録的日子要早得多。

御製日下舊聞考題詞二首

第一章書緣起

第二章書自儆

重考彝尊書以成，七言權當序而行。名因日下荀鳴鶴，蹟逮春明孫北平。朱彝尊所編日下舊聞，捃拾載籍及金石遺文，分爲十三門、四十二卷，頗爲綜核。與北平孫承澤所著春明夢餘録七十卷，均有裨於帝都考證。但其書不免掛漏淆訛，因命館臣重加訂正，其春明夢餘録内所載，亦間採輯。掛漏豈無補所闕？淆訛時有校從精。百年熙皞繁文物，朱彝尊書成於康熙二十七年，今又及百年，太平熙皞，民物繁昌。自宮殿城市改置添建，復編增爲十五門，成書一百六十卷，名曰日下舊聞考。似勝三都及兩京。

曾賦皇都與帝都，癸酉年曾賦皇都、帝都詩兩篇。帝都詩言自古建都之地，莫過燕京之據形勝；皇都詩言今燕京體大物博，户口繁滋。若兹形勝古今無。金遷元復其久矣，自金天德中遷都燕城，號中都。元至元間改名大都，明自金陵遷於北京，我朝因之。然其城郭宮殿凡數遷移，率非金源之舊矣。明築清修滋盛乎。御苑法宫誠富此，予臨御四十餘年，凡京師壇廟、宮殿、城郭、河渠、苑囿、衙署，莫不修整。皆物給價，工給值。然究以頻興工作引爲己過。辛丑歲曾著知過論以自箴。返淳還樸益殷吾。論成知過淵衷寫，更勵聰聽奕葉圖。

臣董　誥奉勑敬書

總裁

原任經筵講官太子太保文華殿大學士翰林院掌院學士兼管户部事務世襲一等輕車都尉 臣于敏中

經筵講官太子太保東閣大學士兼刑部尚書 臣英廉

經筵講官太子太保户部尚書兼管步軍統領事務世襲三等輕車都尉 臣和珅

經筵講官太子少保户部尚書 臣梁國治

經筵講官禮部尚書 臣德保

内閣學士兼禮部侍郎今任工部尚書 臣劉墉

原任刑部侍郎 臣錢汝誠

督辦

太子太保文淵閣提舉閣事兵部尚書額駙公 臣福隆安

刑部尚書兼管順天府府尹事 臣胡季堂

户部侍郎兼管順天府府尹事今任總督倉場户部右侍郎世襲一等輕車都尉 臣蔣賜棨

原任順天府府尹改授光禄寺卿 臣劉純煒

總纂

宗人府府丞今提督浙江學政 臣竇光鼐

原任編修 臣朱筠

日講起居注官文淵閣校理翰林院侍讀 臣張燾

監察御史 臣許寶善

編修 臣蔡廷衡

纂修

編修提督貴州學政 臣潘曾起

編修 臣吴錫麒

編修 臣關槐

編修 臣陸伯焜

監察御史今任工科掌印給事中 臣戈源

户部主事 臣孔繼涵
原任户部員外郎陞貴州糧驛道 臣德　隆
原任刑部郎中 臣宋調元

校録

候選州同 臣任兆鯨
進士候選知縣 臣趙大溎
進士候選知縣 臣單可堪
進士候選知縣 臣趙　雯
舉人候選内閣中書 臣葉元符
舉人候選知縣 臣李傳燮

謄録兼校録

舉人候選知縣 臣顧　超

謄録

中書科中書 臣丁　嘉
候選布政司經歷 臣陸光洙
候選鹽大使 臣唐懋修
候選布政司經歷 臣鄭振南
候選縣丞 臣吴曙雲
候選縣丞 臣秦　泰
候選州同 臣池大經
候選州同 臣陶聞溥
候選州同 臣汪人瑞
舉人候選知縣 臣葉庭和
候選縣丞 臣陸昌曾
候選縣丞 臣黄　珩
候選縣丞 臣董光驥

欽定日下舊聞考

凡例

一，朱彝尊原本分星土、世紀、形勝、宫室、城市、郊坰、京畿、僑治、邊障、户版、風俗、物産、雜綴十三門，掌列眉分，頗稱詳贍。應各仍舊目。惟城市門首標京城總紀、皇城各卷，又各官衙署原本載入城市門。國朝官府建置視前代更昭美備，又八旗内務府各衙門均屬創設，謹別立官署一門，以原有各條移入新分門目，而以現在體制增載於後。又城西玉泉、香山等處，原本俱列入郊坰門，今西郊爲御園勝地，謹別立苑囿一門，用崇規制。

一，神京古蹟紛羅，流傳多舛。恭讀御製詩文，凡訂訛紀實諸篇，無不折衷至當，炳若日星。今遵旨，凡原文并增載及三擡、雙擡、單擡寫者俱頂格，原按及新增按語俱低二格。凡有聖祖仁皇帝御製詩文、世宗憲皇帝御製詩文、我皇上御製詩文，内有因地作記，因事立碑，因物成詠者，謹分門録載。

一，朱彝尊原本援引該洽，而徵採既多，難免遺漏。今將原本所引各仍其舊，而以現在援據補入者續編於後。凡朱彝尊原引則加一「原」字於上，朱昆田補遺者則加一「補」字於上，其新行添入者則加一「增」字於上，逐條標識，以期一目了然。

一，凡朱彝尊原有按語，以「朱彝尊原按」五字標首，其現加考證按語，則用「臣等謹按」四字別之。

一，原本各門内有編次參錯，體例不符，如明代坊巷俱入城市門，而遼、金、元坊巷名目乃載入宫室門之類，殊未畫一，俱應詳核改正。其他應行移改之處尚多。謹擬凡自他門移入者，俱於各條下用小字註明原在某門今移改字樣，庶彼此參核，較爲詳密。

一，宫室一門，惟遼、金故宫在今都城西南，故蹟已湮，祇應臚列舊名以備考證。其元明宫室，實本朝營建所因，自應分晰縷載。謹照宫史，將今制逐一載入，仍加按證明。

一，原本城市門内所列坊巷街衢，俱據明張爵所編五城坊巷衚衕集敍次。但現在五城界址隸屬已各不同，而坊舖之制亦多更改。謹將城市一門悉以現今五城界册爲準。如原本在中城而今應歸入東城、原本在南城而今應歸入中城者，卽將原引各條移入現隸本城之下，庶考訂咸歸確實。

一，原本所引各條内，如有原書舛誤及考據失實、應行駁正者，謹將現在考證各書增入，仍别加按語。如本無舊書可據者，則將現在情形據實詳識。

一，古蹟内凡昔有今無，如慈仁寺雙松之類，俱加按註明。其有舊在他處今經移置，如承光殿玉甕、覺生寺大鐘之類，則將原引之書載入新移之地。其物雖移置而寺廟尚仍其舊者，則於寺廟本條内註明今移某處，詳見某門字樣。令前後詳略互見，以資參考。

一，原本寺觀現存、已廢、改建、重建者，均於各本條下註明，俾今昔瞭如指掌。

一，京畿一門原本係按順天府所屬州縣次第編排，自當各仍其舊。惟地方沿革隨時異宜，其增損分析之處，均應考訂增入。今擬以現今順天府屬地方爲準，其名山、河道有與昔日情形異者，俱加按詳考。至遵化、玉田、豐潤三屬今已别爲遵化直隸州，不隸順天，謹附編京畿卷後。

一，金石碑碣有原本未載者，今俱爲增輯。

一，原書之末附石鼓考三卷，專敍獵碣源流。今石鼓現列成均，似不應專爲標目，謹移入官署門國子監條下，以歸畫一。

一，原書取材欲博，不無泛濫。如因敍兵部官署而兼及於當時諺語，因敍國子監而兼及於許衡教法，因敍憫忠寺而兼及於謝枋得賜謚本末。今擬似此類者俱改用雙行小字，附存各條之後，以爲區别，庶不致混淆。

一，原本所引昔人詩賦序記之屬，頗傷繁亢，謹擬擇其中無用者酌加删汰。其有名人著作可資考證而未經採擇者，亦間爲酌增，俱用雙行小字附入各條之下。

一，書内遼、金、元人地官名，除詩詞限於平仄不改外，餘俱恭照欽定三史語解改正。仍依例於初見處註明音義及原作某某今譯改字樣，并於卷末列譯語總目，用資考證。

一，朱昆田所撰補遺，原本俱附於各卷之後。謹擬各按門類散入本條之下，庶幾編次有倫，而檢閲亦便。其有原按語者，亦加朱昆田原按以别之。

一，朱彝尊原書有姜宸英、徐元文、高士奇、張鵬、馮溥五人序及朱彝尊自序，今俱移載卷末。其王原書後語，原本誤置卷首，謹一體録次於後。

經筵講官太子太保東閣大學士兼管刑部尚書事署翰林院掌院學士臣英廉等奉敕編纂日下舊聞考成書，謹奉表上進者。伏以辰居星拱，經天曜帝座之垣；皇極疇敷，括地誌神畿之府。考山川而陳風俗，承平統一車書；彰文物而紀聲明，首善先詳輦轂。蓋九州赤縣，盡聖朝無外之規模；而三輔黄圖，爲王者宅中之都會。正體裁於竹素，博聞資廣見重研；考掌故於芸緗，舊帙待新編益焕。瞻雲就日，近光紬石室之書；索獻徵文，數典壯金臺之色。賡輪式廓，載籍增輝。臣等誠歡誠忭，稽首頓首上言：竊惟星分析木，垣市開躔；地訪空桐，戴匡映極。涿鹿陳雲師之戰，指南而軒帝成都；燭龍曜日御之鄉，宅朔則陶唐命職。禹乘四載，首冀方而畿甸宜尊；商宅五邦，近亳邑而幽并遂合。周室下車之始，封錫薊邱；姬宗列爵以來，强推燕國。召棠勿剪以分藩，鄒黍生温而吹律。上谷列三邊之郡，創始嬴秦；廣陽築萬載之宫，蹟荒炎漢。幕南庭啓，僭名銅馬之門；代北兵精，威壯盧龍之塞。九萬人唐軍瀛莫，節鎮沿隋；十六州晉割燕雲，版章隘宋。耶律會同之世，始建城隍；金源天德之時，增修宫室。迨元大都之設，尚尊總管之名；迄明繼世以還，遂正京師之號。蓋其神臯形勝，天府膏腴；扼四塞以居中，處上游而馭遠。鬱鍾王氣，龍盤鳳舞之祥；俯視侯封，棋布星羅之勢。萬斛轉東南之粟，財賦遥輸；九關控西北之邊，威稜遠讋。右太行而左碣石，前滄海而後居庸。固已雄視秦州，基恢洛邑。千百國朝宗之盛，簡編宜有成書；億萬年祚世之長，紀載端資博考。然而叢編少確，古籍多湮。燕國春秋，第傳名於墨子；幽都圖誌，空著目於隋書。管詎窺天，轉滋疑於耳食；錐寧指地，徒自牖於面牆。從未有功成巍焕，識大而識小無遺；治洽蕩平，同軌與同文並盛，如今日者也。欽惟皇帝陛下，天亶乾行，日升離照。平泰階而光宅，星雲河岳之珍符；正鼎位以凝基，風雨陰陽之和會。紹衣纘緒，擴締構於龍興；握紐恢紘，奠綱維於鼇紀。雁臣絶塞，款關而覲展來庭；象譯殊方，闢地而屯開列障。禮樂際百年之會，民物阜昌；圖書集四庫之成，聖明述作。志籍重修一統，山莊更上塞成編；輿經詳定九畿，鎬邑則留都備輯。惟嚮明首出，天中之景命方新；而典學餘閒，日下之傳聞訂舊。史臣手録，彝尊著有專書；家學踵成，昆田補其賸簡。謂其功勤摭拾，如膠百衲之琴；嘉其力費爬梳，似集千狐之腋。別一十三門之鱗次，思茹古以涵今；採千六百種於毫端，快枕經而葄史。雄關絶嶂，策屐登臨；名刹高臺，按圖指索。認籀文於甫草，最詳同馬攻車；剔碑版於荒苔，盡訪吉金貞石。道古瀛洲之暇，藤屋紬芸；曝書長水之鄉，笛漁削稿。然而稱名失實，不無誤寶康瓠；愛博難專，未免見遺荆璞。語洪纖之條貫，罣漏滋多；況方位之遷移，參差互出。景物載劉侗之略，歲月都非；街衢仍張爵之編，闤闠已改。千鈞玉甃，久歸別殿之儲；萬石金鐘，屢易精藍之制。每舊存而新軼，慈仁則寺少雙松；或昔晦而今彰，希憲則堂尋萬柳。成均獵碣，何容別立專門？武庫星謡，詎足登諸大雅？況復羲文軒籙，宜揚糺縵之天章；松棟雲窗，應載輝煌之睿藻。游豫園林之勝，不宜列以郊坰；清嚴府寺之曹，未可廁諸城市。此則拘墟多陋，握鉛槧而難工；臚採雖繁，究瑜瑕之不掩者也。我皇上特命廷臣，重釐舊誌。俾蒐羅於故實，用審定夫囊篇。體製須嚴，在先明其條例；折衷至當，悉仰荷夫綸言。發山經水誌以考詳，合晷景星圖而細勘。九重輪奐，全登宮史之編；三館研摩，譯準國書之字。誌壺天於上苑，文沼靈臺；詳廨宇於諸司，槐廳棘院。通都九市十三門，則轂擊星街；神策五營廿四旗，則翼分卦位。若夫郊壇廟社，學校農桑。敬天法祖之念，欽若常昭；體國經野之謨，釐然具在。一代之典章制度，揚景鑠而頌文明；兆民之舊德先疇，樂清寧而浴膏澤。彼葛洪之雜記，未有聞焉；即應劭之舊儀，方斯蔑矣。而且萬幾游藝，疑事必稽；乙覽披函，讜言務正。訪遺蹤於瓊島，何關塞外之山；闢迂論於金河，試證井華之水。名更八景，泉豈垂虹；派演萬源，河知號鳳。音隨誤讀，辨傳疑於裂帛之湖；地襲佳名，笑附會於釣璜之渚。鷹臺呼處，荒基莫指仁虞；鷲嶺飛來，示像誰聞天竺？凡此千秋傳信，訂訛悉秉夫聖裁；更以萬象陶鎔，即事多形於睿詠。敷陳據典，敬登首見之篇；考核研精，許附下方之案。臣等識慚測海，才愧研京。朶殿雲霞，幸趨蹌於禁近；斗城霄漢，瞻壯麗於宸居。承詔命而兢惶，愧見聞之固陋。發篋浩如烟海，難期竟委窮源；操觚寬以歲時，敢曰事增文減？州居部次，半仍舊貫之辭；類別區分，兩補新題之目。尾躔龍而宿曜，榮光上動星文；骨市駿而風雄，古蹟遠追世紀。河山襟帶，金湯之形勢長留；軒陛堂皇，棟宇之經營畢具。分九衢而雄萬雉，駢闐百貨之場；遠六遂而近四郊，環擁五雲之氣。千里封圻斥衍，惟民樂止於京畿；一時官守羈縻，在昔沿名於僑治。邊障則險由天設，榆塞松關；版圖則齒驗生繁，歌衢舞巷。風仍淳樸，漸摩被德化之成；物自蕃昌，華實擅上腴之利。至若瑣文軼事，終雜綴而別附存疑；加以創例新裁，增苑囿而更添官署。總其成數，十五類囊括斯全；視彼原書，卌二卷帙贏過半。浸葘時而澤豯養，職方之紀地加詳；環裨海而首神州，騶衍之談天孰據。燦羅胸之典故，應資作賦之才；勝指掌之輿圖，用備洽聞之助。春滿皇州景象，天上恩多；人依帝里光華，長安日近。建銅圭而紀盛，思總括乎九經九緯之全；仰軒鏡以高懸，備多識於一物一名之細。伏願奎照權衡，天言弁冕。頒垂秘閣，採風陳誦訓之書；嘉惠藝林，潤色佐論都之筆。從此拱神京之百二，自合梯航玉帛以偕徠；弼成服者五千，直統侯甸要荒而莫外。太平寰宇，金甌增白阜之圖；廣内承明，玉府焕丹函之秘。臣等無任瞻天仰聖感激屏營之至。謹奉日下舊聞考一百六十卷目録一卷，隨表恭進以聞。

欽定日下舊聞考目録

欽定日下舊聞考卷一

星土

〔臣等謹按〕自周禮保章氏以星土辨九州之地，而後世之言分野者，或以中宮斗杓，或以二十八宿，或以天市垣，或以五星。至唐一行則又創爲山河兩戒之説。衆議紛繁，立論各殊。按唐杜佑分野議，謂以國之分野，上酌天象，始於周季。然其可疑者，如周敬王、魯哀公之時，吴爲越所滅。其後六十九年，始命韓、趙、魏爲諸侯。又十七年，三國始分晉地。又五十六年，越爲楚滅。當吴未亡時，列國尚有數十，韓、魏、趙又未爲諸侯。自吴滅至分晉，凡八十八年。時既不同，何以預分十二國之躔次？乃班固漢書地理志、皇甫謐帝王世紀則分區域以配星躔，取不同時之十二國强配之，實所未審。又如房星爲宋分野，東平、須昌、壽張屬焉。然其地在濟東屬魯，本非宋分。又如星紀躔次爲吴越分野，然星紀在於東北，而吴越實在東南。至其地分則或多或少。鶉首極多，鶉火極狹。蓋甘石之書本由假托，後人附會，益屬支離。鄭康成有言：九州分野之書既亡，後世堪輿所言，易涉於誕。是以星分域，漢時已疑之矣。朱彝尊原書宗志書之例，廣爲引據，列星士於卷首，亦沿襲前人之說。今仍存其舊本，而於徵引脱略之處，更採諸書以廣其未備焉。

原 北斗七星，是謂帝車。運乎中央，而臨制四方。六曰開陽，亦曰應星，主木，主燕。大象列星圖

〔臣等謹按〕史記、隋書及通志亦作開陽。星經及宋天文志作闓陽。又按博雅：旋爲冀州，開陽爲梁州。

〔臣等又按〕朱彝尊原書所載，如斗宮、天市垣、二十八宿、山河兩戒、五緯諸家之説，徵引既多，敍次未免舛雜。今詳加釐正，分門類敍，其靈徵則附於卷末云。

增 北斗七星，石氏云：五主燕。隋志：六主燕。辰象考

增 劉昭後漢書補注：璇璣者，北極星也，玉衡者，斗九星也，八爲幽州。按春秋緯：二冀州。同上

增 中宮七星，五主土，主燕。羣書考索

原 玉衡第八星主幽州，常以五寅日候之。史記天官書

原 壬，燕、趙；亥，燕、代。漢書天文志

增戌，趙；亥，燕。（淮南子）

〔臣等謹按〕淮南子及博雅載戌趙，亥燕，與漢天文志互異。或以其犬牙相錯相近之土兼言之也。

原天市垣二十二星，東西列各十一星，其東垣南第三星曰燕。（宋兩朝天文志）

增天市垣古歌曰：燕連南海盡屬宋。西歌曰：南海與燕爲雁行。（中西星經同異考）

〔臣等謹按〕星經天市圖第二星爲燕，與宋兩朝天文志互異。

增天市垣二十二星，左藩燕。（鄒淮曆書）

原楚南一星曰燕，有變動，以其國占之。（宋史天文志）

增十二國十六星在須女南。隋志：楚南一星曰燕。按今監中圖，韓東南一星曰燕。（辰象考）

增天市垣燕一星在楚星南。（通占大象列星經）

原蒼龍七宿，有尾有箕，氐胸房腹，箕所糞也。（星經）

原尾九星，如鈎蒼龍尾。箕四星，形狀如簸箕。（丹元子步天歌）

增西歌曰：接心是尾九點曲，卓如衣角飄風前。箕星有四明相等，大口如箕正向西。（中西星經同異考）

增尾亦爲九子星。箕亦曰天津，一曰天雞。（晉書天文志）

補尾爲九子。箕爲敖客。史記天官書

補尾有七星，形如蠍尾。箕有四星，形如牛角。法苑珠林

補箕尾之間謂之九江口。觀象玩占

增宋均云：尾屬後宮場，故得兼子。子必九者，取尾有九星也。元命苞云：尾九星，箕四星，爲後宮之場也。史記索隱

增宋均云：箕以簸揚調弄爲象，又受物，有去之來之之象也。詩云：維南有箕，載翕其舌。又詩緯云：箕爲天口，主出氣，是箕有舌，象讒言。故詩曰：哆兮侈兮，成是南箕。爲敖客行請謁也。同上

增尾箕：尾爲析木之津，於辰在寅，燕之分野。尾九星爲後宮，亦爲九子星，近心。第一星爲后妃，次三星並爲次三嬪，末二星爲妾。箕主八風，亦后妃之府也。史記正義

原箕星散爲幽州，分爲燕國。春秋元命苞

原箕尾爲燕。春秋說題辭

增星部地名，尾箕燕。淮南子

增尾箕幽州。史記天官書

增燕故治，今上漁陽、右北平、遼東、莫郡、幽州也。越絶書

增燕星得尾、箕。山河兩戒考註

原漢永元銅儀尾十八度，開元游儀、景祐測驗同。永元銅儀箕十度，景祐測驗同。開元游儀十一度。宋史天文志

原尾，漢太初曆洛下閎所測十八度，宋皇祐所測十九度，崇寧所測十九度少，元授時曆郭守敬所測十九度十分。箕，太初曆十一度，皇祐所測十度，元豐所測十一度，崇寧所測十度半，授時曆所測十度四十分。古今律曆考

原分度，尾十八，箕十一四分一。淮南子

增尾十八度。箕十一度。天象志

增尾十星，十八度。箕四星，九度。廣雅

增尾宿一，黄道經度十一宫一十度五十四分，黄道緯度南一十五度等四。箕宿一，黄道經度十一宫二十六度五十分，黄道緯度南六度五十六分等三。曆象考成

增尾宿一，赤道經度十一宫六度四十二分，赤道緯度南三十六度五十七分。箕宿一，赤道經度十一宫二十六度二十一分，赤道緯度南三十度二十三分。同上

〔臣等謹按〕歷代以來測量恒星分度，但就本宿所離推刻，未有以黄道赤道爲之析其經度之毫髮者。是以遠自漢太初曆，下至元、明司天諸家，互有闊狹多寡之殊異。我

朝聖祖仁皇帝御製曆象考成一書，用黄赤經緯互推，乃得二十八宿度分之準。兹載尾箕分星，具列其數於下。於以仰見天道至精，法益詳盡，蔑以加矣。

增尾、箕：康熙壬子年，赤道積度，尾一十九度九分，箕一十度三十六分。黄道積度，尾一十五度三十六分，箕九度二十分。恒星紀要

原劉向言：地分燕地，尾、箕之分野也。自尾四度至斗六度謂之析木之次，燕之分也。漢書地理志

原自尾十度至斗七度百三十五分而終，曰析木之次，於辰在寅，謂之攝提格，於律爲應鍾，斗建在亥，今燕分野。帝王世紀

〔臣等謹按〕帝王世紀作自尾十度至斗七度；漢書作危字，誤，今改正。

原陳卓謂尾、箕，燕幽也，自尾十至南斗十一。費直謂起尾九。蔡邕謂起尾四。玉海

增尾九星去極一百二十七度半，箕四星距西北星，去極一百二十一度半。宋兩朝天文志

原自尾十度至南斗十一度爲析木，於辰在寅，燕之分野，屬幽州。陳卓、范蠡、鬼谷先生、張良、諸葛亮、譙周、京房、張衡並云尾、箕，燕幽州，上谷入尾一度，漁陽入尾三度，右北平入尾七度，涿郡入尾十六度，廣陽入箕九度。晉書天文志

增北京之北平府，尾、箕分。涿、通、薊三州，皆尾分。明史天文志

原尾、箕，析木津也。初尾七度，中箕五度，終南斗八度。新唐書天文志

原幽州星分尾、箕，涿州星分尾宿十六度，薊州星分尾宿三度，霸州星分箕、尾，燕州星分尾、斗。太平寰宇記

增尾、箕，析木之次也。寅初起尾七度二千七百五十二十一少，中箕星五度三百七十六十七，終斗八度。其分野，河間、涿郡、廣陽國及上谷、漁陽，古之北燕。舊唐書天文志

原宛平、大興、良鄉尾一度；通州、三河、武清，尾二度；昌平、順義、密雲、懷柔，尾三度；涿州、房山、霸州、文安，尾四度；豐潤、玉田、薊州、保定，尾五度；遵化、平谷，尾七度。清類天文分野之書

增漢書地理志：燕地，尾、箕分野也。今薊州、通州；南得涿郡之易，今州；容城，今縣；范陽在今易州；故安在今易州；涿州，今州；良鄉，今縣；及渤海之安次，今東安縣。辰象考

原尾、箕星曰析木，宫曰人馬，時曰寅，州曰幽。歷代地理指掌圖

原第五尾四足，箕四足，斗一足，在寅，歲星位焉，其神如弓，故曰人馬宫。文殊所説善惡宿曜經

增寅爲析木，燕之分，自尾十度至斗十一度。唐六典

原析木謂之津，箕斗之間漢津也。爾雅

原 析别水、木以箕、斗之間，是天漢之津也。爾雅孫炎注

原 析木之津，劉炫謂是天漢，即天河也，在箕、斗二星之間。箕在東方，木位；斗在北方，水位。分析水木，以箕星爲隔，隔河須津梁以渡，故謂此次爲析木之津也。爾雅疏

增 天漢起東方箕、尾之間，謂之天河，亦謂之漢津。通志

原 析木，燕之分星，幽州之星土也。周禮總義

原 天漢起東方，經尾、箕之間，謂之漢津。晉書天文志

原 析津本晉薊縣，改薊北縣，開泰元年更今名。以燕分野旅寅爲析木之津故。遼史地理志

〔臣等謹按〕分野旅寅本屬漢文。舊遼史國語解妄摘野旅寅三字爲國語，依字解釋，原書誤載，今删。

原 星度分野十二次，東西南北相反者四，疑似者七。所可據者其惟析木乎。其宿尾、箕，亦艮之维，燕可以言東北也。欒軒集

原 析木爲雲漢末派，山河極焉。故其分野自北河末派窮北紀之曲，東北負海爲析木。負海者以其雲漢之陰也。新唐書天文志

原 大梁析木以負北海，其神主於恒山，辰星位焉。同上

增 尾、箕，析木津也，初尾七度，中箕五度。自渤海九河之北，得漢河間、涿郡、廣陽

及上谷、漁陽。尾得雲漢之末派，龜魚麗焉。箕與南斗相近，爲遼水之陽。同上

增唐占經曰：尾，東方木宿之末；斗，北方水宿之初。次在其間，分析水木，故曰析木。山河兩戒考註

原古之人有以天河斷兩界者。天猶卵也，經星之次環其四周，銀河之所界者半，其餘則天市太微位焉。故二十八舍，其附於河者三之二，沿之河以分其勢，稽紫宮以定其餘，有條有次。故秦雖西而位坤維之鶉首，雲漢之升，兩戒之道也。吴雖東南而位坤維之星紀，雲漢之降，兩戒之終也。燕窮北紀之曲，故以末派之析木爲燕。蓋星河之流起於井，終於箕，則南者反北，北者反南矣。虞齋十一稿

原袁桷司天臺祭告尾宿文　析木天津，燕都所次。維昔初基，相攸塗塈。民用不頗，益遐以治。靈臺考占，庸啓震悸。善言惟從，式致芬祀。清容居士集

增尾九星，十八度，在天市垣下河西。箕四星，七度半。山河兩戒考註

增尾、箕，蒼龍之末也，直寅。同上

增析木之津一名大招，一曰漢津。同上

原辰星主幽州。星經

原辰星，水精也。尚書考靈曜

原北方黑色，其類水，其應上爲辰星。素問

補辰星北方之位，黑帝之子。天官星占

增辰星，宰相之祥也，經一百里，亦偏將廷尉象也。同上

增廣雅云，辰星謂之兔星。則辰星之別名。兔或作毚。史記索隱

增北方水，太陰之精，主冬，日壬、癸。刑失者，罰出辰星。史記天官書

增兔七命，曰小正、辰星、天毚、安周星、細爽、能星、鈎星。同上

增兔星凡有七名：命者，名也，小正，一也；辰星，二也；天毚，三也；安周星，四也；細爽，五也；能星，六也；鈎星，七也。史記索隱

增兔五色：青圜憂，白圜喪，赤圜中不平，黑圜吉。赤角犯我城，黄角地之争，白角號泣之聲。史記天官書

增辰星理四時。宋均云：辰星正四時之法，得與北辰同名也。春秋元命苞

增辰星，晉灼云：常以二月春分見奎、婁，五月夏至見東井，八月秋分見角、亢，十一月冬至見牽牛，出以辰、戌，入以丑、未，二旬而入。晨候之東方，夕候之西方也。史記正義

補辰星一曰能星，一曰鈎星，一曰毚星，一曰鼎星，一曰爨星，一曰伺星。北方黑帝叶光紀之神，玄武之宿，水之精也。觀象玩占

增 七政第五曰伐水，謂辰星也。史記索隱

增 辰星一曰細極，曰爨星，曰伺祠。天官星占

增 辰星色黑，比奎星大，小於歲星。宋中興天文志

增 辰星謂之鈎星、兔星。博雅

原 北方辰星，水生物布其紀。春秋元命苞

原 燕齊之疆候辰星，占虛危。漢書天文志

增 辰星曰北方冬水。通志天文略

增 各星之光如雲氣者，水星之性。尚書釋天註

增 辰星主正四時，當效於四仲。山河兩戒考註

原 建武十二年正月己未，小星流百枚以上，或西北，或正北，或東北，二夜止。六月戊戌晨，小流星百枚以上，四面行。小星者，庶民之類，流行者，移徙之象也。後三年，吴漢、馬武徙雁門、代郡、上谷關西縣吏民六萬餘口，置常關居庸關以東，以避寇。後漢書五行志

原 景初元年十月壬申，太白晝見，在尾，歷二百餘日。占曰：尾爲燕，有兵。時公孫淵自立爲燕王，置百官，發兵拒守，宣帝討滅之。文獻通考

〔朱彝尊原按〕陳氏魏志，書十月壬申太白晝見，乃在明帝青龍三年。至景初元年則書秋七月辛卯太白晝見，冬十月丁未月犯熒惑。以曆推之，十月既書丁未，不應復直壬申，當以志爲正也。

原晉惠帝永興元年七月庚申，太白犯角、亢，經房、心，歷尾、箕。是年九月，王浚殺幽州刺史和演。穆帝永和八年六月辛巳，日未入，有流星大如三斗魁，從辰巳上東南行，晷度推之，在箕、斗之間，燕分也。按占爲營首，營首之下流血滂沱。是後慕容儁僭稱大燕，攻伐無已。晉書天文志

原景星見箕、尾，而慕容德復燕，此分野之驗也。禮經會元

補天寶九載八月，五星聚於尾、箕，燕分也。占曰：有德則慶，無德則殃。新唐書天文志

欽定日下舊聞考卷二

世紀

〔臣等謹按〕朱彝尊原書世紀一門，徵引頗爲該博，而次序間有淆錯。謹詳加釐訂，各按時代，以類編次。其雜引注説詩文，各依類附列於下。原書義有未盡者，則爲旁採他書，備參考焉。

原 軒轅教熊羆貔貅貙虎以與炎帝戰於阪泉之野，蚩尤不用帝命。史記五帝本紀

增 黄帝乃徵師諸侯，與蚩尤戰於涿鹿之野，遂擒殺蚩尤。而諸侯咸尊軒轅爲天子，代神農氏。同上

原 黄帝與蚩尤戰於涿鹿之野，蚩尤作大霧，兵士皆迷。於是作指南車以示四方，遂擒蚩尤而即帝位，故後常建焉。古今注

原 黄帝氏平蚩尤，因大霧，作指南車，飾以文玉，其文作蚩尤形。車飾以黍尺度高一尺四寸二分，下長七寸四分，管立木口，圓徑三寸四分。琢玉爲人形，手常指南。足底通

圓竅作旋轉軸，踏於蚩尤之上。古玉圖考

原 黃帝用車戰，蚩尤用騎戰。蚩尤作霧，黃帝作指南車。廣博物志

原 黃帝執蚩尤，殺之於中冀，名之曰絕轡之野。汲蒙周書

原 蚩尤，庶人之貪者也。大戴禮記

原 涿鹿，竿人纇也。尚書刑德倣

原 帝既殺蚩尤，因立臺榭。黃帝內傳

原 李白北風行：燭龍棲寒門，光曜猶旦開。日月照之何不及此，惟有北風號怒天上來。燕山雪花大如席，片片吹落軒轅臺。李翰林集

補 蚩尤兄弟八十一人，並獸身人語，銅頭鐵額，食砂石子，造五兵仗刀戟大弩，威振天下。龍魚河圖

補 葛盧之山發而出水，金從之。蚩尤受而制之，以爲劍鎧矛戟，是歲相兼者諸侯九。雍狐之山發而出水，金從之。蚩尤受而制之，以爲雍狐之戟芮戈，是歲相兼者諸侯十二。管子

補 蚩尤作亂，逐帝而居於涿鹿。帝參盧弗能征，乃帥諸侯委命於有熊。於是暨力牧、神皇、風后、鄧伯温之徒，厲兵稱旅，熊羆貔貅以爲前行，鵰鶡雁鸇以爲旗幟，及尤嘬兵涿鹿之山。路史

補 九黎之君號曰蚩尤。孔氏尚書傳

補 蚩尤天符之神，狀類不常，三代遺器多著其象。漢孔氏謂是九黎之君。考黃帝滅蚩尤於涿鹿之野，乃在北鄙，九黎三苗皆南蠻。蚩尤、九黎，非一種也。說略

補 畫本以飛獸有肉翅者謂之蚩尤。古器圖

補 蚩尤氏頭有角，與黃帝鬬，以角觝人。今冀州有樂名蚩尤戲，其民兩兩戴牛角而相觝。樂書

補 炎帝者，黃帝同母異父兄弟也，各有天下之半。黃帝行道而炎帝不聽，故戰於涿鹿之野。新書

補 黃帝與炎帝爭鬬涿鹿之野。將戰，筮於巫咸。巫咸曰：果哉而有咎。歸藏

補蚩尤，炎帝之後，銅頭啖石，飛空走險。以馗牛皮爲鼓，九擊而止之。尤不能飛走，遂殺之。廣成子傳

補帝伐蚩尤，玄女爲帝製夔牛鼓八十面，一震五百里，連震三千八百里。又爲帝製司南車當其前，記里鼓車居其右。黃帝内傳

原帝令風后法斗機作指南車。志林

補黃帝出師涿鹿，以棡鼓爲警衞。其曲有十：一曰震雷驚，二曰猛虎駭，三曰鷙鳥擊，四曰龍媒礫，五曰靈夔吼，六曰鵰鶚争，七曰壯士奪志，八曰熊羆哮听，九曰石盪崖，十曰波盪壑。並皆有辭，今亡考矣。雲笈七籤

補蚩尤帥魍魎與黃帝戰於涿鹿，帝命吹角爲龍吟以禦之。通禮義纂

補蚩尤氏强，與榆罔争王於涿鹿之阿。黃帝使力牧、神皇直討蚩尤氏，擒於涿鹿之野，使應龍殺之於凶黎之谷。谷一作邱。帝王世紀

補蚩尤出自芊水，八肱八趾，疏首，登九淖以伐空桑。黃帝殺之於青邱。易坤靈圖

補蚩尤變幻多方，徵風召雨，吹烟歕霧，黃帝師衆大迷。王母乃命玄女授帝以三宫五音陰陽之略，太乙遁甲六壬步斗之術，陰符之機，靈寶五符五勝之文，遂克蚩尤於中冀。玄女兵法

補蚩尤者，炎帝之後。故祭蚩尤文云：將軍敢以牲牢祭爾炎帝之裔，蚩尤之神。陰遁甲

補蚩尤，人身牛蹄，四目六手。涿鹿間往往掘得髑髏如銅鐵，蚩尤骨也。述異記

補黃帝百戰。百戰之數，未盡聞也。與炎帝戰於阪泉之野三，與蚩尤戰於涿鹿之野七十二，其大略也。鶡冠子注

〔臣等謹按〕朱昆田原引鶡冠子注，黃帝百戰止七十五。考陸佃原注有百戰之數未盡聞及大略句，不可删，今依原注補入。

補赤帝爲火災，黃帝擒之。文子

補黃帝之時，中黄直爲將，破殺蚩尤。漢書列傳

補史記、逸周書、大戴禮、文子所云炎帝、赤帝，皆謂蚩尤，而書傳舉以爲榆罔，失之。路史

補按史記云：諸侯相侵伐，蚩尤最爲暴。則蚩尤非爲天子也。又管子曰：蚩尤受盧山之金而作五兵。明非庶人，蓋諸侯號也。史記索隱

補蚩尤，古之諸侯，其性酷毒，故作五虐之刑，謂車裂人及燒銅柱使人抱，或使人緣之之類也。唐律釋文

補蚩尤亂在幽州，其死在冀。路史注

補黃帝戮蚩尤，遷其民善者於鄒屠，惡者於有北。詩云：投畀有北。惡可知已。國名紀

增赤帝命蚩尤宇於少昊，以臨西方。蚩尤乃逐帝，爭於涿鹿之阿。逸周書

增涿鹿之野，常有五色雲氣，金枝玉葉，止於帝所，有葩華之象，因有華蓋。古今注

增山海經云：黃帝令應龍攻蚩尤，蚩尤請風伯雨師以從，大風雨。黃帝乃下天女曰：魃以止雨，遂殺蚩尤。史記正義

增帝征蚩尤，七十一戰不克，晝夢金人引領長頭元狐之裘，云天帝使授符。帝寤，問諸風伯。曰：天應也。乃於盛水之陽築壇，祭以太牢，有玄龜銜符至壇，非皮非綈，廣三尺，袤一尺。文曰：天乙在前，太乙在後。帝再拜受符，乃設九宮，置八門，布三奇六儀，制陰陽遁甲式，三門發，五將具，遂斬蚩尤焉。太白陰經

〔朱昆田原按〕說蚩尤者不一。孔子三朝記、大戴禮記以爲庶人，孔氏、小司馬氏以爲諸侯，應劭以爲古天子。或以爲炎帝之後，或以爲九黎之君。或謂殺之於中冀，或謂殺之於青邱，或謂殺之於凶黎之谷。傳聞異辭，並存焉可也。

〔臣等謹按〕朱昆田並存諸說以備考異，似矣。但考史記云：神農衰，諸侯相侵伐，神農氏弗能征，於是軒轅乃習用干戈以征不享，諸侯咸來賓從，而蚩尤最爲暴，莫

能伐。則謂蚩尤爲諸侯者近之。

原 黄帝都於涿鹿。帝王世紀

增 邑於涿鹿之阿。史記五帝本紀

增 輿地志云：涿鹿黄帝初都，遷有熊也。史記正義

增 黄帝都有熊，又遷涿鹿。通志都邑略

〔臣等謹按〕帝王世紀：黄帝都涿鹿。或以爲都涿鹿，遷有熊；或以爲都有熊，遷涿鹿。今考史記索隱、正義，皆以爲黄帝有熊國君。皇甫謐謂有熊今河南新鄭，路史謂有熊帝之開國。輿地廣記云：都非。據此則黄帝初國於有熊，而與蚩尤戰於涿鹿之野，爲天子後遷都於涿鹿之阿。通志都邑略與史記合，似爲可據。

原 高陽氏謂之幽陵。遼史地理志

增 顓頊都於帝邱，其地北至幽陵。通典

原 幽陵猶幽州也。楚辭注

原 帝堯申命和叔，宅朔方，曰幽都。尚書

原 虞舜以天德嗣堯，布功散德，制禮朔方，幽都來服。大戴禮記

原 北荒有幽都之山。山海經

補鴻烈解云：西北方不周之山曰幽都之門。又曰：北接幽都，南道交趾。揚雄甘泉賦云：西燿流沙，北爌幽都。卽朔方之幽都也。山海經廣注

補幽都一曰北幽。國名紀

原流共工於幽州。尚書

〔臣等謹按〕幽州之名，始見於此。

原舜以冀州南北廣大，分燕地北爲幽州，因幽都以爲名。晉地道記

增幽州因幽都山以爲名也。通典注

增舜卽位，以冀青地廣，始分冀東恒山之地爲并州，其東北醫無閭之地爲幽州。尚書集注

原幽州在北，幽昧之地也。釋名

原幽之爲言窈也，言風出入窈冥，敏勁易撓，故其氣躁也。春秋元命苞

原夏、殷省幽併冀。十道志

原殷人南都河南之亳，復舜幽州之名，周人又以幽州兼殷之營州。周禮總義

原職方氏掌天下之圖，辨九州之國，使同貫利，東北曰幽州。周禮

原燕曰幽州。爾雅

原燕，其氣深要，厥性慓疾，故曰幽。幽，要也。爾雅注

原燕，宛也。北方沙漠平廣，此地在涿鹿山南，宛宛然，以爲國都也。釋名

【原】職方九州無徐、梁而有幽、并。爾雅九州無青、梁而有幽、營。學林新編

【原】禹貢九州之名舊矣。爾雅九州，商之制也。職方九州，周之制也。職方之冀，小於禹貢，則一分而三也。既有冀而又有幽、并，故幽州多入禹貢之青、徐。其山醫無閭在遼東。光武時以遼東屬青州，後又屬幽州，非幽州入青乎！其澤貕養，在長廣，其浸菑時，菑出萊蕪。地理志以長廣屬徐州，琅琊有萊山，非幽之入徐乎？周禮釋疑

【原】冀在商離而爲二，故有冀而有幽。在周離而爲三，故有冀又有幽、并。周禮全解

【增】周之冀州小於禹貢時冀州，以其北有幽州、并州，故知也。周禮疏

【增】禹別九州，有青、徐、梁，而無幽、并、營，是夏制也。周禮有青、并、幽，而無徐、梁、營，是周制也。此有徐、幽、營，而無青、梁、并，疑是殷制也。爾雅疏

【原】武王克殷反商，未及下車而封黄帝之後於薊。禮記

【原】武王滅紂，封召公於北燕。史記世家

【原】薊故燕國召公所封。漢書地理志注

【原】燕，周之分子也。春秋穀梁傳

【原】召公奭與周同姓，姓姬氏。史記世家

【原】召公奭，周之支族。古史考

【原】召公，文王庶子。帝王世紀

【原】左傳，富辰言文王之子一十六國，無名奭者，則召公必非文王之子。尚書正義

【原】黄帝姓姬，君奭其後也。經典釋文

原 召公始封蓋在北平無終縣，以燕山爲名。後漸强盛，乃併薊徙居之。史記正義

原 召公奭始食於召，後王封之北燕，在今幽州，薊縣故城是也。史記索隱

原 輿地廣記云：武王封黄帝之後於薊，又封召公於北燕。或曰黄帝之後封於薊者已絶，成王更封召公奭於薊，爲燕。通鑑地理通釋

原 薊後改爲燕，猶唐之爲晉，荆之爲楚。詩補傳

原 契丹薊芺如車蓋，中國無此大者，其地名薊，恐其因此。夢溪筆談

增 北燕都薊，幽州治。通志都邑略

〔朱彝尊原按〕召公所出，衆説紛綸，當以陸德明爲是。蓋樂記所云封黄帝之後於薊者，即召公也。

〔臣等謹按〕路史國名紀：南燕爲伯儵國。后稷妃，南燕姞氏也。又有東燕，亦伯爵。至召公始封之地逼近山戎，六國時寖大，併漁陽、上谷、右北平、遼東西諸郡地，是爲北燕。蓋别於南燕、東燕而名之也。

原 齊桓公北伐山戎氏，其道過燕，燕君逆而出境。桓公問管仲曰：諸侯相逆，固出境乎？管仲曰：非天子不出境。桓公曰：然則燕君畏而失禮也，寡人不道而使燕君失禮。乃割燕君所至之地以與燕君。説苑

〔臣等謹按〕說苑所記齊桓公割地與燕事，與史記齊、燕兩世家所載同。而史記以爲山戎伐燕，燕告急於齊，桓公救燕，遂伐山戎。說苑以爲伐山戎道過燕，其説不同，迎送情事亦小異。考春秋，魯莊公三十年，齊人伐山戎。左氏、穀梁二傳皆以爲救燕，則史記所載爲得實矣。

原 魯襄公二十八年夏，北燕伯朝於晉。春秋

原 二十有九年秋九月，齊高止出奔北燕。同上

原 昭公三年冬，北燕伯款出奔齊。同上

增 燕簡公多嬖寵，欲去諸大夫而立其寵人。冬，燕大夫比以殺公之外嬖，公懼奔齊。書曰北燕伯款出奔齊，罪之也。左傳

原 六年冬，齊侯伐北燕。春秋

增 十一月，齊侯如晉，請伐北燕也，晉侯許之。十二月，齊侯遂伐北燕，將納簡公。晏子曰：不入，燕有君矣。左傳

原 七年春王正月，暨齊平。春秋

原 癸巳，齊侯次於虢，燕人行成，曰：敝邑知罪，敢不聽命！先君之敝器，請以謝罪。二月戊午，盟於濡上。燕人歸燕姬，賂以瑶甕、玉櫝、斝耳，不克而還。左傳

原 昭公十有二年春，齊高偃帥師納北燕伯於陽。春秋

〔臣等謹按〕魯襄公二十九年，齊高止出奔北燕。注謂北燕始見經。春秋地名考謂其國僻小，至簡公始見於經。考之史記燕世家，則燕惠公元年也。凡簡公事，史記皆

以爲惠公。簡公後惠公四代，與春秋經傳殊不相協。再考穀梁，齊高止出奔北燕，傳云：其曰北燕，從史文也。注謂以時有直稱燕者，故知從史文。是北燕之名雖自是始見於經，而春秋傳直稱燕者，亦不必非北燕。如左傳魯莊公十九年，衛師燕師伐周，十七年鄭執燕仲父，史記以爲燕莊公，注家南燕、北燕猶分持其說。而魯莊公三十年山戎病燕之爲北燕，則諸家無異詞，此可據也。

【原】燕王噲專任子之，已而讓位，燕大亂。戰國策

【增】燕子之專國，齊王誘太子平攻子之，許爲助。太子使將軍市被圍公宮，攻子之不克。歷代紀事年表

【原】齊人伐燕，取之。諸侯將謀救燕。孟子曰：王速出令，反其旄倪，止其重器，謀於燕衆，置君而後去之，則猶可及止也。孟子

〔朱彝尊原按〕孟子所云重器，當卽歷室之鼎。

【原】燕昭王收破燕後卽位，卑身厚幣以招賢者。戰國策

【增】郭隗曰：王必欲致士，先從隗始，況賢於隗者，豈遠千里哉？於是昭王爲隗改築宮而師事之。樂毅自魏往，鄒衍自齊往，劇辛自趙往，士争趨燕。史記世家

【原】鄒衍如燕，昭王擁篲先驅，請列弟子之座而受業。築碣石宮，身親往師之。史記列傳

【原】碣石宮在幽州薊縣西三十里，寧臺之東。史記正義

【原】燕昭王伐齊，得寶器，設祭於寧臺。史記列傳

【原】望諸君獻書報燕王曰：臣奉令擊齊，長驅至國，珠玉財寶，車甲珍器，盡收入於燕。大呂陳於元英，故鼎反乎歷室，齊器設於寧臺，薊邱之植，植於汶篁。戰國策

〔臣等謹按〕歷室，史記作磨室。徐廣注曰：磨，歷也。集韻：磨，狼狄切，地名，與歷同紐也。

【原】元英、歷室，燕二宮名，在幽州薊縣西四里，寧臺之下。括地志

【補】樂毅六月之間下齊國七十餘城，皆爲郡縣。齊人食邑於燕者二十餘君，有爵位於薊者百有餘人。通鑑

【原】燕以河爲境，以薊爲國，襲涿、方城，殘齊，平中山。韓非子

【原】燕九世稱侯，八世稱公，十世稱王。風俗通

〔臣等謹按〕史記燕世家，自召公已下九世至惠侯。索隱曰：並國史先失也。自惠侯已下八世至莊公始稱公，自莊公已下十九世至易王始稱王，自易王至燕王喜凡七世，滅於秦。索隱曰：燕四十二代有二惠侯，二宣侯，三桓侯，二文侯。蓋國史微，失本謚，故重耳。今按惠、釐、宣、桓，稱侯者各一，餘俱稱公，二文俱稱公。正義曰：召公封燕後三十六世與六國俱稱王。風俗通所云，殊未詳考。

【原】秦始皇二十一年，王賁攻薊，乃益發卒詣王翦軍，遂破燕太子軍，取燕薊城。史記始皇本紀

【原】秦四十郡，幽爲上谷郡。輿地廣記

增秦滅燕，以其地爲漁陽、上谷、右北平、遼西、遼東五郡。通典

補二世元年九月，韓廣爲趙略地至薊，自立爲燕王。史記月表

原楚漢之際，項羽封臧荼爲燕王，都薊。韓信徇河北，荼降漢。太平寰宇記

增項羽分燕爲二，臧荼爲燕王，韓廣爲遼東王。史記索隱

原高帝五年秋七月，燕王臧荼反。漢書高帝本紀

原温疥以燕相告燕王荼反，封学侯。漢功臣表

原高祖自將擊之，得燕王臧荼。八月，立盧綰爲燕王。史記高帝本紀

〔臣等謹按〕臧荼反，立盧綰爲燕王，史記高帝本紀俱作五年十月，盧綰傳則云七月從擊臧荼，八月立爲燕王。紀傳自相牴牾。至漢書盧綰之立，本紀作五年九月，異姓諸侯王表作後九月；而臧荼之反，表作四年九月，紀作五年七月，亦自互異。再考史記月表云，八月帝自將誅燕，九月虜荼。則臧荼之反應在五年七月，與漢書本紀合。又云，後九月，燕王盧綰始立，與漢書表亦相合。則盧綰之立，應以月表爲正。

原高帝六年，分燕置涿郡。十二年，綰降匈奴，復封皇子建爲王。建薨，吕后誅建子，尋又分燕國之地置涿郡及廣陽國。文帝元年，徙瑯琊王劉澤於燕，傳國至孫定，國

免。武帝元狩六年，又封皇子旦爲王。後置十三州，改爲幽州，領郡國十，理於此。太平寰宇記

【增】幽州刺史領涿郡、渤海、代郡、上谷、漁陽、右北平、遼西、廣陽。潛確類書

【原】燕王旦立三十八年而誅，國除。漢書列傳

【原】昭帝元鳳元年，改燕國爲廣陽郡。太平寰宇記

【原】水經注言秦始皇滅燕，以爲廣陽郡。按史始皇紀，三十六郡無廣陽之名，當以昭帝置者爲定。北平古今記

【原】宣帝本始元年，更爲國，以封燕刺王太子建爲王。領縣四，都薊。建曾孫嘉，王莽時絶。太平寰宇記

〔臣等謹按〕漢燕地封王名建者有二。一爲燕靈王建，高帝之子；一爲廣陽頃王建，武帝之孫也。

【原】涿郡，莽曰垣翰，屬幽州；迺曰迺屏，范陽曰順陰，良鄉曰廣陽，益昌曰有秩，陽鄉曰章武，西鄉曰移風。上谷郡，莽曰朔調，屬幽州；沮陽曰沮陰，昌平曰長昌，涿鹿曰抪陸。漁陽郡，莽曰通路，屬幽州；漁陽曰得漁，狐奴曰舉符，路曰通路亭，泉州曰泉調，厗奚曰敦德，獷平曰平獷，滑鹽曰匡德。廣陽國，莽曰廣有，薊曰伐戎，陰鄉曰陰順。右北平郡，莽曰北順，屬幽州；俊靡曰俊麻，徐無曰北順亭。漢書地理志注

原更始二年正月，光武以王郎新盛，乃北徇薊，故廣陽王子劉接起兵薊中以應郎。後漢書光武本紀

補更始二年春正月，公謂世祖。到薊，王郎購公十萬户。薊中驚恐，言郎使者方至，太守以下皆出城迎。公見官屬議。耿弇曰：今兵從南方來，不可南行。上谷太守耿況、漁陽太守彭寵，公邑人也。發此兩郡控弦强弩萬騎，所向無前，邯鄲不足平也。公曰：卿言善。時公屬官盡南方人，莫有欲北者。公指弇曰：是我北道主人也。後漢紀

原耿弇從光武北至薊，會中亂，光武遂南馳，官屬各分散。弇走昌平，與景丹、寇恂及漁陽兵合軍而南，定涿郡，遂及光武於廣阿。光武居邯鄲宫，弇入造牀下，請歸幽州發兵。光武乃拜弇爲大將軍，與吴漢北發幽州十郡兵，引而南，追尤來、大槍、五幡於元氏。光武軍敗，還壁范陽。賊退，弇從追至容城、小廣陽、安次，連戰破之。光武還薊，復遣弇與十三將軍追賊至潞東，及平谷，再戰，遂窮追於右北平無終、土垠之間，至俊靡而還。後漢書列傳

原銚期從徇薊，時王郎檄書到薊，薊中起兵應郎。光武趣駕出，百姓聚觀，諠呼滿道，遮路不得行。期騎馬奮戟，瞋目大呼左右曰：蹕！衆皆披靡。及至城門，門已閉，攻之，得出。上同

【原】濕水東逕廣陽縣故城北。謝承後漢書曰：世祖與銚期出薊至廣陽，欲南行，即此城也。謂之小廣陽。水經注

【補】上既破邯鄲，誅王郎，召鄧禹宿，夜語曰：欲北發幽州突騎，諸將誰可使者？禹曰：吴漢可。其人勇鷙有智謀，諸將鮮能及者。上於是以漢爲大將軍。漢遂斬幽州牧苗曾。上以禹爲知人。東觀漢記

【補】上破賊入漁陽，諸將上尊號，上不許。議曹掾張祉言：俗以爲燕人愚，方定大事，反與愚人相守，非計也。上大笑。同上

【原】光武帝建武二年二月，漁陽太守彭寵反，攻幽州牧朱浮於薊。三年三月，彭寵陷薊城，自立爲燕王。五年二月，彭寵爲其蒼頭所殺，漁陽平。後漢書光武本紀

【增】朱浮密奏彭寵，上徵之。寵既自疑，其妻勸寵無應徵：今漁陽大郡，兵馬衆多，奈何爲人所奏而棄此去？寵與所親信吏計議，吏皆怨浮，勸寵止不應徵。東觀漢記

【增】彭寵齋，獨在便室，蒼頭子密等三人因寵卧寐，共縛著牀。又以寵命呼其妻，妻入大驚。昏夜後，解寵手，令作記告城門將軍，云遣子密等至子后蘭卿所，速開門，勿稽留之。書成，即斬寵及妻頭，置囊中，便持記，馳出城，因以詣闕。封爲不義侯。後漢書列傳

【原】光武封叔父良爲廣陽王。十五年，徙王趙。省廣陽合上谷。和帝永元元年，復立廣陽郡，幽州刺史與郡同理。太平寰宇記

【增】後漢置幽州，並因前代，理於薊縣。通典

【原】京兆第五永爲督軍御史，使督幽州，百官祖餞。蔡邕等皆賦詩，高彪獨作箴。邕美其文，以爲莫尚也。後漢書文苑傳

【增】郅壽爲冀州刺史。時冀部屬郡多封諸王，賓客放縱，類不檢節。壽案察之，無所容貸。後漢書列傳

補北平縣界，有漢熹平四年幽、冀二州，以戊子詔書遣冀州從事王球、幽州從事張昭郡縣分境，立石標界，具揭石文也。水經注

原光和中，漁陽張純誘遼西烏丸丘力居等叛，刼略薊中。三國志

〔臣等謹按〕後漢書靈帝紀：中平四年，張純始寇幽、冀二州。與三國志所載互異。

原張純自號彌天將軍、安定王。九州春秋

原朝廷以劉虞威信素著，恩積北方，拜幽州牧。虞到薊，罷省屯兵，務廣恩信。純走出塞。虞勸督農植，開上谷朝市之利，通漁陽鹽鐵之饒，青徐士庶避難歸虞者百萬餘口。後漢書列傳

原是時有四星會於箕尾。韓馥稱讖云，神人將在燕分，謂劉虞當代立。虞以國有正統，非人臣所宜言，固辭不許。吳書

原公孫瓚與虞相忤，及袁紹戰于界橋，軍敗還薊。後漢書列傳

原公孫瓚於大城東南築小城，與劉虞相近，稍相恨望。虞懼瓚爲變，遂舉兵襲瓚。三國志

補公孫瓚誣劉虞欲稱尊號，脅殷訓誅之。於是虞故吏漁陽鮮于輔率其州人及三郡烏桓、鮮卑與瓚所置漁陽太守鄒丹戰於冀北，大破之，斬丹。既而持其衆奉王命。後漢紀

原公孫瓚部曲放散在外，自懼敗，掘東城門欲走。虞兵無部伍，不習戰，又愛民屋，勑令勿燒，故瓚得放火，因以精鋭衝突，虞衆大潰，奔居庸城。魏氏春秋

原公孫瓚破禽劉虞，盡有幽州之地。後漢書列傳

原建安十八年正月，并十四州復爲九州。三國志

原時省幽并州，以其郡國并於冀州。獻帝春秋

【原】魏明帝太和六年，封叔父宇爲燕王。太平寰宇記

【原】晉泰始初，封文帝子機爲燕王。機薨無子，國除。尋改范陽郡曰范陽國，分上谷置廣甯郡，仍隸范陽國。改右北平爲北平，而幽州存焉。領郡國七，理於涿，今范陽縣是也。同上

【增】晉太康中，改屬幽州，永嘉後，趙改爲燕郡，仍屬幽州。永和六年，前燕徙都於此。其後苻堅、慕容垂迭有其地，州郡之名如故。畿輔通志

【原】王浚領幽州刺史，謠曰：幽州城門似藏户，中有伏尸王彭祖。晉書列傳

【原】石勒將圖浚，引王子春問之。對曰：幽州謠怪特甚，聞者莫不爲之寒心。浚曾無懼容，亡期至矣。勒撫几笑曰：王彭祖真可擒也。於是輕騎襲幽州。至薊，叱門者開門，先驅牛羊數千頭，聲言上禮，實欲填諸街巷，使兵不得發。勒升其廳事，命甲士執浚，驛送襄國市斬之。晉書載記

【原】石勒僭號襄國於薊，置幽州，於州置燕郡。太平寰宇記

【原】石勒每破一州，必簡別衣冠，號爲君子城。洎平幽州，擢荀綽、裴憲等還襄國。經此，俗訛爲箕子城。郡國志

【補】石勒從幽州大道滹沱河造浮橋，植行榆五十里，置行宫。趙書

【補】高翔説燕高祖曰：自王公浚政錯，士人失望，襁負歸公者動以萬數。今王氏敗没而福星見尾、箕，其兆可見矣。晉室雖衰，人心未變。宜遣貢使江東，示有所尊；然後仗義聲以掃不庭，可以有辭於天下。高祖深納焉。燕書

【原】鮮卑段遼遣從弟屈雪或作雲。襲幽州。刺史李孟退奔易京。石季龍以支雄爲龍驤大將軍，姚弋仲爲冠軍將軍，統步騎十萬爲前鋒，伐遼。衆次金臺，支雄長驅入薊。遼四十餘城

並降於季龍。支雄攻安次，斬其部大夫那樓奇。遼懼，奔密雲山。季龍遣將軍郭泰等追及之，戰於密雲。遼單馬竄險，遣子乞特真送表及名馬，季龍納之。穆帝永和五年，慕容儁僭卽燕王位。明年，率三軍南伐，出自盧龍，次於無終。石季龍幽州刺史王午棄城走，留其將王他守薊。儁攻陷其城，斬他，因而都之。晋書載記

原慕容儁既卽僞位，追尊父皝爲太祖文皇帝。於范陽燕郡構皝廟，以護軍平熙領將作大匠監造焉。册府元龜

原燕國都碣石宮，漢爲薊縣，舊置燕都，有桑乾水，慕容儁都於此也。通典注

原慕容儁之都薊縣也，嘗名其宮爲碣石，故有謂范陽爲渤碣間一都會者。考其地理，正東去海尚隔唐之漁陽、北平兩郡，則姑備美名命之，非事實也。程氏禹貢論

〔臣等謹按〕史記：燕昭王築碣石宮。燕國正都薊丘，則宮之名碣石不始於慕容氏也。儁特循燕昭之舊宮名耳。至或謂范陽爲渤碣間一都會，乃指禹貢之碣石，與史記燕之海上而言。所該者廣，又與碣石宮無涉也。程氏禹貢論之説殊支離失據，謹附辨於此。

增慕容儁自和龍至薊城，幽冀之人以爲東遷，互相驚擾，所在屯結。其下請討之。儁曰：羣小以朕東巡，故相惑耳。今朕既至，尋當自定。晋書載記

原儁爲苻堅所滅，堅亂，慕容垂得其地，州郡之名如故。太平寰宇記

補建節將軍徐巖叛，驅掠四千餘人，北至幽州。慕容垂勑其將平規曰：但固守勿戰，吾當自討之。規違令拒戰，爲巖所敗。巖乘勝入薊，掠千餘户而去。晋書載記

原晋孝武帝太元二十一年八月，魏主珪大舉伐燕，南出馬邑，踰句注。別遣將軍封真等

從東道出軍都，襲燕幽州。通鑑

原慕容寶聞，魏來伐，使慕容會率幽并之衆赴中山。寶與太子策及慕容農、慕容隆等迎會於薊。會迎寶薊南，寶分其兵給農、隆。幽平之士皆懷會威德，不樂去之，咸請曰：清河王天資神武，權畧過人，臣等與之誓同生死。願陛下與皇太子諸王止蹕薊宮，使王統臣等進解京師之圍。晉書載記

原慕容寶至龍城，垂舅蘭汗拒之。寶南走奔薊，汗復遣迎寶還龍城，殺之。北史列傳

原魏道武破慕容寶，復於薊立燕郡。又於郡理置幽州。太平寰宇記

補魏太祖天興二年八月，范陽人盧溥聚衆海濱，稱使持節征北大將軍、幽州刺史，攻掠郡縣，殺幽州刺史封沓干。十二月，詔材官將軍和突討溥。三年正月，和突生擒溥，傳送京師轘之。魏書道武帝本紀

補太宗泰常元年，徒何部落庫傉官斌叛歸馮跋，驍騎將軍延普渡濡水討擊，大破之，斬斌及跋、幽州刺史漁陽公庫傉官昌、征北將軍關内侯庫傉官提等首，生擒庫傉官女，生縛送京師，幽州平。魏書明元帝本紀

補世祖始光四年正月，行幸幽州。魏書太武帝本紀

補延和元年九月，徙營丘、成周、遼東、樂浪、帶方、元菟六郡民三萬家於幽州，開倉以賑之。同上

補太延三年二月，行幸幽州，存恤孤老，問民疾苦。同上

原孝文帝太和二十三年，幽州民王惠定聚衆反，自稱明法皇帝。刺史李肅捕斬之。册府元龜

增魏任城王元雲出爲薊州刺史，性善撫綏，留心政事，甚得下情。畿輔通志

原宣武帝延昌三年十一月，幽州沙門劉僧紹聚衆反，自號淨居國明法王，州郡捕斬之。北史宣武帝本紀

原孝明帝孝昌元年八月，杜洛周反於上谷。二年十一月，攻陷幽州。武泰元年，爲葛榮

所併。孝莊帝永安元年，爾朱榮討葛榮，遣黨韓樓復據幽州反。二年九月，大都督侯淵破韓樓於薊，斬之，幽州平。北史孝明帝本紀

補孝昌元年八月，杜洛周反，號年真王，南圍燕州。九月，詔左將軍幽州刺史常景爲行臺征虜將軍，元譚爲都督，以討洛周。二年正月，都督元譚次於軍都，爲洛周所敗。二月，都督李琚次於薊城之北，又爲洛周所敗，琚戰没。五月，燕州刺史崔秉率衆棄城南走。秋七月，洛周遣其别帥曹紇真寇掠幽州，常景遣都督于榮邀於粟園，大破之，斬紇真。十有一月，洛周攻陷幽州，執刺史王延年及行臺常景。武泰元年春二月，洛周爲葛榮所并。魏書孝明帝本紀

補廢帝普泰元年，幽州刺史劉靈助起兵於薊，率衆次安國城。定州刺史侯淵破斬之。魏書廢帝本紀

增幽州治薊城，燕郡領縣五：薊、廣陽、良鄉、軍都、安城。魏書地形志

增後魏初增置定、相、平、安、瀛、東燕、滄、殷、南營九州，共領四十三郡。畿輔通志

原北齊於州置東北道行臺。太平寰宇記

原後周改置燕、范陽二郡，兼立總管府於州。同上

原隋開皇三年，廢燕郡，所領五縣復屬州，總管如故。同上

增隋開皇三年，置幽州總管。大業三年，廢州置郡。畿輔通志

原煬帝初，廢總管。大業三年，罷州，以其地併入涿郡。太平寰宇記

增涿郡統縣九，薊、良鄉、安次、涿、固安、雍奴、昌平、懷戎、潞。隋書地理志

原自漢高帝置涿郡而治涿縣，曹魏改涿郡曰范陽郡。隋開皇初，廢范陽郡。大業初，併燕、范陽置涿郡，治薊，而涿縣屬焉。此郡名廢置徙治離合之辨也。通鑑辨誤

補自晉至隋，幽州刺史皆以薊爲治所。舊唐書地理志

原大業四年春正月，詔發河北諸郡男女百餘萬開永濟渠，引沁水南達於河，北通涿郡。（隋書煬帝本紀）

原七年二月，帝自將擊高麗。（通鑑綱目）

原七年二月，帝自江都行幸涿郡，御龍舟渡河，入永濟渠。夏四月，車駕至涿郡之臨朔宮。（通鑑）

原煬帝幸涿郡，召王遠知見於臨朔宮，帝執弟子禮，咨質仙事。新唐書方技傳

原薊縣有故隋臨朔宮。新唐書地理志注

原秋七月，發江淮以南民夫及船，運黎陽及洛口諸倉米至涿郡，舳艫相次千餘里。（通鑑）

原八年春正月，四方兵皆集涿郡，凡一百一十三萬三千八百人，號二百萬。其餽運者倍之。宜社於南桑乾水上，類上帝於臨朔宮南，祭馬祖於薊城北。（同上）

原九年春正月，徵天下兵，募民爲驍果，集於涿郡。（隋書煬帝本紀）

增十年，徵天下兵伐高麗。三月，帝如涿郡。秋七月，高麗遣使請降。（通鑑綱目）

原大業七年以後，初有遼東之役，又發丁壯爲驍果，又送驢馬於涿郡，又發黃衣牽船滄海，又發五穀雜種，牛皮鐵炭，飛輓千里。河洛記

補上谷賊帥王須拔自號漫天王，擁衆數萬人，掠幽州，中流矢而死。其亞將魏刀兒代領其衆，自號歷山飛。竇建德襲破之，盡併其地。（舊唐書列傳）

增羅藝，大業時屢以軍功官至虎賁郎將，煬帝令受右武衛大將軍李景節度，督軍於北平。同上

原帝伐高麗，器械資儲皆積于涿郡。涿郡人物殷阜，屯兵數萬。又臨朔宫多珍寶，諸賊競來侵掠。留守官虎賁郎將趙什住等不能拒，惟雲陽羅藝獨出戰，前後破賊甚衆，什住等陰忌之。藝宣言激其衆曰：吾輩討賊，數有功，城中倉庫山積，制在留守之官，莫肯散施以濟貧乏，將何以勸士？衆皆憤怨。軍還，郡丞出城候藝，藝因執之，陳兵而入。什住等懼，皆聽命。乃發庫物以賜戰士，開倉廩以賑貧乏，殺不同己者。藝自稱幽州總管。通鑑

補建德使大將軍高士興抗禦羅藝兵，進圍幽州。攻之不克，退軍於籠火城，爲藝所襲，士興大潰。九月，建德自帥師圍幽州，藝出兵與戰，大破之，斬首千二百級。藝兵頻勝而驕，進襲其營。建德列陣於營中，塡塹而出擊藝，敗之。建德薄其城，不克，遂歸洺州。舊唐書列傳

補羅藝在幽州，爲竇建德所圍，告急於高開道。乃率二千騎援之。建德懼其驍鋭，於是引去。時幽州大饑，開道許給之粟。藝遣老弱就食，開道皆厚遇之。藝甚悦，不以爲虞。乃發兵三千人，車數百乘，驢馬千餘匹，請粟於開道，悉留之，北連突厥，告絶於

藝。上同

增高開道引兵圍北平，未下。隋守將自度不能支，棄城去。開道據其地。武德元年，陷漁陽郡有之，有鎧馬數千，衆萬人，自號燕王。新唐書列傳

增武德元年，隋將李景守北平郡。高開道圍之，景拔城去。開道取其地，進陷漁陽郡，自立爲燕王，都於漁陽。先是，有懷戎沙門高曇晟者，因縣令設齋，士女大集，曇晟與其僧徒五十人擁齋衆而反。殺縣令及鎮將，自稱大乘皇帝，立尼静宣爲耶輪皇后，建元爲法輪。夜遣人招誘開道，結爲兄弟，改封齊王。開道以衆五千人歸之。居數月，襲殺曇晟，悉并其衆。三年，復稱燕王。舊唐書列傳

增劉黑闥亡將張君立奔於開道，與其將張金樹潛相連結，圍開道。開道自殺，金樹殺張君立，遂歸國。開道自初起至滅，凡八歲，以其地爲嬀州。上同

原張道源撫輯山東，諭藝降。武德二年，乃奉表以地歸。詔封燕王。新唐書列傳

欽定日下舊聞考卷三

世紀

原 唐武德元年，改爲幽州總管府，管幽、易、平、檀、燕、北燕、營、遼八州，領薊、良鄉、潞、涿、固安、雍奴、安次、昌平八縣，二年，又分潞縣置元州，領一縣，隸總管。四年，竇建德平，以固安縣屬北義州。六年，改總管爲大總管，管三十九州。七年，改爲大都督府，又改涿縣爲范陽。九年，改大都督爲都督，幽、易、景、瀛、東鹽、滄、滿、蠡、北義、燕、營、遼、平、檀、元、北燕等十七州。貞觀元年，廢元州，以漁陽、潞二縣來屬。又廢北義州，以固安來屬。八年，又置歸義縣。督幽、易、燕、北燕、平、檀六州。乾封五年，置無終縣。如意元年，分置武隆縣。景龍三年，分置三河縣。太平寰宇記

增 萬歲通天二年，擢張仁愿爲肅政臺中丞檢校幽州都督。會突厥默啜入寇，攻陷趙定，擁衆迴至幽州。仁愿勒兵出城邀擊之，流矢中手，賊亦引退。則天遣使勞問，賜以醫藥。舊唐書列傳。

增 薛訥，左武衛大將軍仁貴子也。則天以訥將門，使攝左武威衛將軍、安東道經畧，尋拜幽州都督兼安東都護。久當邊政之任，累有戰功。同上

原開元元年，幽州置防禦大使。二年，置幽州節度諸州軍管内經畧鎮守大使，領幽、易、平、檀、嬀、燕六州，治幽州。八年，幽州節度兼本軍州經畧大使并節度河北諸軍大使。新唐書方鎮表

增張説，明皇初徵拜中書令，封燕國公。俄坐事左轉嶽州刺史，遷右羽林將軍，兼檢校幽州都督。舊唐書列傳

原開元十三年，陞爲大都督府。十八年，割漁陽、玉田、三河三縣，置薊州。太平寰宇記

原幽州節度增領滄、薊二州。二十年，幽州節度使兼河北採訪處置使增領衞、相、洺、貝、冀、魏、深、趙、恒、定、邢、德、博、棣、營、莫十六州及安東都護府。二十七年，幽州節度使增領河北海運使。二十九年，幽州節度使領平盧軍節度副使，治順化州。新唐書方鎮表

補開元二十一年，張守珪轉幽州長史兼御史中丞。契丹及奚連年爲邊患，趙含章、薛楚玉等前後爲幽州長史，竟不能拒。及守珪到官，頻出擊之，每戰皆捷。契丹别帥李過折斬首領屈刺、衙官可突干，率衆以降。守珪因出師，次紫蒙川，大閲軍實，讌賞將士。二十三年春，守珪詣東都獻捷。會藉田禮畢酺宴，便爲守珪飲至之禮。上賦詩以褒美之，詔於幽州立碑以紀功賞。舊唐書列傳

【原】天寶元年正月，制十節度經畧使以備邊。通鑑

【原】更幽州節度使爲范陽節度使。新唐書方鎮表

【原】范陽節度臨制奚、契丹，統經畧、威武、清夷、靜塞、恒陽、北平、高陽、唐興、横海九軍，屯幽、薊、嬀、檀、易、恒、定、莫、滄九州之境，治幽州，兵九萬一千四百人。通鑑

【原】幽州范陽郡有府十四，曰呂平、涿城、德聞、潞城、樂上、清化、洪源、良鄉、開福、政和、停驂、柘河、良杜、咸寧。城内有經畧軍，又有納降軍，本納降守捉城，故丁零川也。西南有安塞軍，有赫連城，有宗王、乾澗、殄寇三鎮城，石堆、車坊、蒿城、河旁四戍，檀州密雲郡有威武軍，萬歲通天元年置，本漁陽。開元十九年，更名。又有鎮遠軍，故黑城川也。有三叉城、横山城、米城，有大王、北來、保要、鹿固、赤城、邀敵、石子䶵七鎮，有臨河、黄崖二戍。薊州漁陽郡有府二，曰漁陽、臨渠。南二百里有靜塞軍，本障塞軍，開元十九年更名。又有雄武軍，故廣漢川也。東北九十里有洪水守捉，又東北三十里有鹽城守捉，又東北渡灤河，有古盧龍鎮，又有斗陘鎮。自古盧龍北經九荆嶺、受米城、張洪隘、度石嶺至奚王帳，六百里，又東北行，傍吐護真河五百里，至奚契丹衙帳，又北百里，至室韋帳。新唐書地理志注

【原】經畧軍在幽州城内，兵三萬人。威武軍在檀州城内，兵萬人。清夷軍在嬀州城内，兵萬人。靜塞軍在薊州城内，兵六千人。通鑑注

原 天寶三載三月，以平盧節度使安禄山兼范陽節度使。通鑑

增 七載，授安禄山范陽大都督府長史、柳城郡太守、持節范陽節度。安禄山事蹟

增 幽州，天寶九年改范陽郡，屬范陽、上谷、嬀州、密雲、歸順、漁陽、順義、歸化八郡。舊唐書地理志

原 十五載，安禄山僞卽帝位，國曰大燕。以范陽爲大都，署其城東隅私第爲潛龍宮。安禄山事蹟

原 安禄山反於幽州，南向京輔，白居易歌之，以爲漁陽鼙鼓動地來。漁陽卽謂幽州也，唐人多言之。通鑑注

原 禄山父子僭位凡三年而滅。至德二載，史思明奉十三郡兵八萬籍歸於朝。新唐書列傳

增 至德二載，以史思明爲歸義王范陽節度使。通鑑

原 乾元元年，復爲幽州。太平寰宇記

原 二年正月，史思明僭稱大聖周王。四月，更國號大燕，自稱應天皇帝，號范陽爲燕京。新唐書列傳

原 史朝義殺思明僭位，以僞太常卿李懷仙爲范陽節度使，懷仙以薊縣爲節度院。薊門紀亂

原 寶應元年，范陽節度使復爲幽州節度使。及平盧陷，又兼盧龍節度使。新唐書方鎮表

原 廣德元年，李懷仙因中使駱奉仙請降，遣兵馬使李抱忠將兵鎮范陽縣，史朝義至范陽，不得入。通鑑

原 史朝義東投廣陽郡不受，北取潞縣漁陽，擬投兩蕃，至榆關，懷仙使使招回，卻至漁陽，過從潞縣至幽州城東阿漊門外，於醫無閭神廟中被絞縊死。河洛春秋

原 李懷仙盡以所管來降。唐歷

原閏月，李懷仙仍故地爲幽州盧龍節度使。四月，制分河北諸州，以幽、莫、嬀、檀、平、薊爲幽州管。通鑑

增李懷仙世事契丹，降唐後守營州。禄山之叛，以裨將從，陷河洛。史朝義時僞授爲燕京留守、范陽尹。寶應元年，朝義奔范陽，懷仙誘而擒之，斬首來獻。僕固懷恩薦懷仙可用，代宗復授幽州大都督府長史，檢校侍中，幽州、盧龍等軍節度使，與賊將薛嵩、田承嗣、張忠志等分河朔而帥之。文武將吏，擅自署置，貢賦不入於朝廷，雖稱藩臣，實非王臣也。舊唐書列傳

原大曆三年，朱希彩、朱泚、泚弟滔共斬懷仙。希彩自稱留後，詔領節度，其下李瑗殺之。推朱泚爲留後。泚入朝，以滔權知留後，遂領節度。滔以禄山、思明皆起燕，俄覆滅，惡其名。以冀堯所都，因號冀，僭爲王，改幽州爲范陽府。新唐書列傳

原建中三年，幽州節度復領德、棣二州。新唐書方鎮表

增幽州管郭下西界，與薊分治。至建中二年，取羅城内廢燕州廨署，置幽都縣，在府北一里。舊唐書地理志

原朱滔死，軍中推劉怦總軍事，俄詔爲節度副大使。怦卒，子濟嗣節度。濟病索漿，次子總置毒，濟飲而死。兄緄至涿州，矯濟命殺之，即領軍政。詔嗣節度。數見父兄爲祟，晚年益慘悸，請剔髮，衣浮屠服。上疏願奉朝請，且欲割所治爲三，以幽、涿、營爲一府，請張宏靖治之；瀛、莫爲一府，盧士玫治之；平、薊、嬀、檀爲一府，薛平治之。穆宗欲寵宏靖，故全付總地，拜總檢校司徒兼侍中，賜浮屠服，號大覺，榜其第爲佛祠。總已自髡祝，讓節印，卒。俄幽州亂，因宏靖。詔以劉悟爲節度使，而瀛、冀皆

附朱克融，悟不得入。朝廷度幽、冀未可復取，乃拜克融爲幽州盧龍節度使。新唐書列傳

〔臣等謹按〕朱彝尊原引新唐書藩鎮傳，不載總父兄爲祟、晚年慘悸、剔髮、衣浮屠服之事，則賜劉總浮屠服句無根，今依列傳增正。

原長慶元年，幽州節度罷領瀛、莫二州，置瀛莫節度使。二年，幽州節度復領瀛、莫二州。新唐書方鎮表

原敬宗初，軍亂，殺克融。次子延嗣領留後，大將李載義殺而代之。敬宗卽授盧龍軍節度使。太和四年，爲兵馬使楊志誠所逐。文宗用志誠爲留後，俄擢節度副大使。八年，爲下所逐，推部將史元忠總留後。明年，爲副大使。會昌初，爲偏將陳行泰所殺，邀節制，未報，次將張絳殺行泰，武宗用張仲武代之，大中初卒。子直方襲節度留後，俄進副大使。舉動多不法，畏變起，奔京師。軍中以張允伸總後務，未幾爲節度使。咸通十二年，以疾上節印。詔以子簡會爲副大使，而軍中推張公素爲留後，簡會出奔。詔公素爲節度使。爲李茂勳所襲，奔京師。茂勳入府，衆推主州務，以聞，詔卽拜節度使。俄以病，表子可舉代，遂領留後，進節度使。可舉死，衆推李全忠爲留後。光啓元年，拜節度使，未幾卒。子匡威領留後，進爲使。李克用伐王鎔，匡威自將援鎔。其弟匡籌據城，自爲留後，天子卽授爲節度使。克用攻匡籌，下武、嬀二州，敗匡籌於居庸關，匡籌遁

去，幽州歸克用。劉仁恭入城，封府庫以待。克用悅，留仁恭守之。乾寧二年，表爲盧龍軍節度使。新唐書列傳

〔臣等謹按〕朱彝尊原書引藩鎮傳云，是年軍亂殺克融，蒙上條長慶二年爲文。考之本傳，是年二字承敬宗初而言，乃寶曆元年事也。今改正。

補張仲武爲幽州大都督府長史。回鶻擾邊，東偪漁陽，仲武大破之，前後收其侯王貴族千餘人，降三萬人。表請於薊北立紀聖功銘。勅李德裕爲之文。舊唐書列傳

增李德裕論幽州事宜狀：右臣伏見報，伏見幽州雄武軍使張仲武已將兵馬赴幽州，雄武軍使令日奏事官吴仲舒到臣宅，扶疾與之相見。細問，雄武只有兵士八百人在此，外更有土團子弟五百人。臣問：兵馬至少，如何去得？仲舒答臣云：只繫人心歸向，若人心不從，三萬人去亦無益。據此説，即是仲武得幽州人心。又云：張絳初處置陳行泰之時，已曾喚仲武，欲讓與留務。是衙門内一二百人未肯。仲武行至昌平縣，去幽州九十里，却令歸鎮。臣又問：萬一入不得，即有何計？仲舒云：幽州軍糧並貯在嬀州及向北七鎮，若萬一入未得，却於居庸關守險，絶其糧道，幽州自存立不得。伏以陳行泰、張絳皆是邀求符節，固不可比仲武先布款誠，候朝廷指揮。因此拔用，必能盡節。加之恩寵，亦似有名。緣在假未獲面奏，謹先密奏，伏望留中不出。李衞公集

增李德裕進幽州紀聖功碑狀：奉宣令臣撰述者。北狄强悍，勇於四夷。前代聖王，莫能制伏。昨者回鶻雖乘危蹙，勢已内侵，豺狼之師，尚餘十萬。陛下神聖雄斷，智出萬方。震天威以霆聲，碎獯戎而瓦解。武功盛烈，高越百王。豈比周穆犬戎之征，荒服不至；漢武馬邑之詐，羣帥無功。將垂耿光，宜命鴻筆。臣學藝荒淺，久病衰殘。紀軒后之功，徒知竭思；敍唐堯之德，終愧難名。採其功狀，稍似摭實。今已撰訖，謹連進上。輕瀆宸扆，不任惶越，謹録奏聞。同上

增高思繼兄弟以武勇雄於北邊，爲幽州節度使李匡威戍將。匡威爲其弟匡籌所篡，思繼等聞晉兵爲匡威報讎，欣然從之。匡籌棄城走。李克用以劉仁恭守幽州，以其兄爲先鋒都指揮使，思繼爲中軍都指揮使，弟某爲後軍都指揮使。高氏兄弟分掌燕兵。克用臨訣，謂仁恭曰：思繼兄弟勢傾一方，爲燕患者必高氏也，宜善爲防。克用留晉兵千人爲仁恭衞，而晉兵多犯法，思繼等數誅殺之。克用以責仁恭，仁恭以高氏爲訴。由是晉盡誅思繼兄弟。仁恭以其兄某之子行珪爲牙將，而思繼子行周年十餘歲，亦收之帳下，稍長，補以軍職。五代史雜傳

增 梁初別爲十一國，北有燕劉仁恭。通鑑地理通釋

原 仁恭子守光，梁開平元年，自外將兵入，自稱盧龍節度使，執仁恭而幽之。乾化元年，自號大燕皇帝，改元曰應天。五代史雜傳

原 幽州劉守光錢面文曰應天元寶，背曰万。泉志

原 明年，晉遣周德威會鎮定兵攻燕。五代史雜傳

原 守光遣其將單廷珪出戰，與德威遇於龍頭岡。德威奮檛擊廷珪墜馬，生擒置於軍門。乾化三年正月，拔燕順州安遠軍。二月，攻檀州，刺史陳確以城降。三月，拔蘆臺軍，克古北口。李嗣源進攻儒州，拔之。四月，德威進軍逼幽州南門，劉光睿拔燕平州。十月，守光率衆五千夜出，將入檀州，德威自涿州引兵邀擊，大破之。守光以百餘騎逃歸幽州。盧龍巡屬皆入於晉。守光獨守幽州，求援於契丹。契丹以其無信，不救。十一月，晉王自詣幽州，單騎抵城下，謂守光曰：朱温篡逆，予本與公合河朔五鎮之兵，與復唐祚。公謀之不臧，乃效彼狂僭，是以有今日之役。諸軍四面攻城，克之，擒仁恭，守光亡去。晉王入幽州，以周德威爲盧龍節度使。守光將奔滄州，迷失道，至燕東之境，擒之。晉王發幽州，仁恭父子皆荷校於露布之下，以練縈仁恭父子，凱歌入於晉陽。通鑑

補 劉守光背晉，晉兵攻之。守光將元行欽牧馬山後，聞守光且見圍，即率所牧馬赴援，而麾下兵叛，於道推行欽爲幽州留後。五代史雜傳

補時燕城危蹙，甲兵亡散，劉守光召元行欽。行欽部下諸將以守光必敗，赴召無益，乃請行欽爲燕帥，稱留後。行欽無如之何，謂諸將曰：我爲帥，亦須歸幽州。衆然之。周太祖實録

原盧龍藩鎮二十八易帥，歷一百四十八年。寰宇分合志

補唐置節度使自幽州始，軍士立主帥自平盧始，節度據故鎮自盧龍始，其事莫非燕也。燕史

增後唐爲盧龍節度。文獻通考

增莊宗初起并州，取幽、滄。五代史職方考

補明宗天成三年七月，幽州趙德鈞敗遼於府西。五代春秋

增趙德鈞，幽州人也，事劉守光、守文爲軍校。莊宗伐燕得之，賜姓名曰李紹斌。其子延壽，本姓劉氏，常山人也。其父邧，爲蓚縣令。劉守文攻破蓚縣，德鈞得延壽，并其母种氏而納之，因以延壽爲子。延壽爲人姿質妍柔，稍涉書史。明宗以女妻之，號興平公主。莊、明之世，德鈞鎮幽州十餘年，以延壽故，尤見信任。至廢帝立，德鈞陰遣人聘德光，求立以爲帝。德光指穹廬前巨石謂德鈞使者曰：吾已許石郎矣，石爛，可改也。德光至潞州，鎖德鈞父子而去。德光母述律見之而問曰：汝父子自求爲天子何耶？德鈞慚不能對，悉以田宅之籍獻之。述律問何在。曰：在幽州。述律曰：幽州屬我矣，何獻之爲？明年，趙德鈞死，德光以延壽爲燕州節度使，封燕王。五代史列傳

【增】趙延壽，德鈞養子，爲幽州節度使，封燕王。及改幽州爲南京，遷留守總山南事。會同初，帝幸其第，加政事令。晉人背盟，帝親征，延壽爲先鋒，下貝州，授魏博節度使，封魏王。（遼史列傳）

【原】遼當莊宗、明宗時，攻陷營、平二州，及已立晉，又得鴈門以北，幽州節度管内合一十六州。乃以幽州爲燕京，改天顯十一年爲會同元年，更其國號大遼。（五代史列傳）

〔臣等謹按〕五代史列傳云：德光立三年，改元天顯。又云：改天顯十一年爲會同元年，更其國曰大遼。注謂據耶律德光立晉高祖册文稱：唯天顯九年，歲次丙申。是歲乃晉天福元年。推而上之，得唐天成三年戊子爲天顯元年。又引遼附録，德光與唐明宗同年而立，爲三年改元之證。今考遼史太祖紀，天贊四年後卽爲天顯元年，以是年二月壬辰改元，七月辛巳以後卽皇后攝軍國事，明年冬十一月壬戌，太宗卽位，有司請改元，不許。其明年卽書三年。十一年十一月丁酉，册石敬瑭爲大晉皇帝。十三年十一月丙寅，改元會同。是月，晉獻幽、薊、瀛、莫、涿、檀、順、嬀、儒、新、武、雲、應、朔、寰、蔚十六州。是年卽書會同元年。是太宗以天顯二年卽位，並未改元，至十三年始改元會同也。按遼紀干支與五代史注悉合。唯遼史以太祖丙戌爲天顯元年。五代史謂德光立三年改元天顯，則以戊子爲天顯元年，故有十一年與十三年改元會同之異。至唐明宗之立，在遼太祖天顯元年四月，計遼太宗之立，實後一年餘七月。蓋宋時未見遼國史，止據傳聞於中國者爲言。如遼太祖年號，五代史皆略不書，其不能致詳可知也。再考遼史太宗紀，會同十年正月入汴，二月丁巳朔建國號大遼，改元大同。是遼滅晉始更國號，而歐陽修五代史則書更國號於會同元年之下。至會同十年改元，薛史、歐史皆不書，而書改晉國曰大遼國。與遼史皆不符。蓋傳聞異詞耳。

原 安巴堅稱帝，援立晉名，得其所割雁門以北幽州節度管内十六州。其地東北有盧龍塞，西北有居庸關，中國恃此以爲限界。自十六州既割之後，河北盡屬平地，無險可以拒守矣。北邊備對 按：安巴堅，滿洲語大理也。舊作阿保機，今譯改。

〔臣等謹按〕遼史，立晉者，遼太宗耶律德光，非太祖安巴堅。程大昌北邊備對稱太祖援立晉名，得所割地者，誤也。

原 天顯十三年，以幽州爲南京。遼史地理志

〔臣等謹按〕遼史本紀，升幽州爲南京在改元會同之後，是年卽書會同元年。地理志仍作天顯十三年，非。

增 府曰幽都，軍曰盧龍。開泰元年，落軍額。統州六，縣十一。遼史地理志

原開泰元年，改幽都府爲析津府，薊北縣爲析津縣，幽都縣爲宛平縣。遼史聖宗本紀

〔臣等謹按〕遼史，開泰元年，改幽都縣爲宛平縣。紀志相符。而志稱宛平縣本晉幽都縣。清類天文分野之書則又謂唐建中元年朱滔立燕都縣，石晉割地賂遼，遼改幽都縣，統和二十二年，改宛平。與遼史紀傳不符。

原南京本幽州地，自晉割棄，建爲南京，又爲燕京析津府。置都總管府，節制馬步軍控鶴指揮使，都統軍司，牛欄監軍砦，石門詳袞司，南北皮室司，猛伊喇司，並隸總管府，備禦宋。契丹志 按：詳袞，索倫語理事官也，舊作詳穩。猛伊喇舊作猛拽刺。伊喇，滿洲語黍也。今俱譯改。

原幽州宋爲化外州，安東上都護府領羈縻州十四。九域志

補宋太祖別置封樁庫，常密謂近臣曰：石晉苟利於己，割幽薊以賂遼，使一方之人獨限境外，朕甚憫之。欲俟司庫所藏滿三五十萬，卽遣使於遼，約苟能歸我土地民庶，卽當盡此金帛，充其贖直。如曰不可，朕將散滯財，募勇士，俾圖攻取耳。會晏駕，不果。太平治蹟統類

增太平興國四年六月，以將伐幽薊，遣發京東、河北諸州軍儲。庚申，帝復自將伐遼。庚午，次幽州城南，駐蹕寶光寺。壬申，命節度使定國宋偓、河陽崔彥進、彰信劉遇、定武孟元喆，四面分兵攻城，以潘美知幽州行府事。七月庚辰，知順州劉廷素來降。壬午，知薊州劉守恩來降。癸未，帝督諸軍及遼大戰於高梁河，敗績。甲申，班師。宋史太宗本紀

原永熙既下并州，欲乘勝收復薊門，咨於衆。參知政事趙昌言對曰：自此取幽州，猶熱鏊翻餅耳。殿前都指揮使呼延贊爭曰：書生之言不足盡信，此餅難翻。永熙竟趨幽燕，卷甲而還，卒如贊言。塵史

增帝既滅漢，欲乘勝取幽薊。諸將以師罷餉匱，不願行。崔翰獨曰：所當乘者勢也，不可失者時也。取之易。帝意遂決。續資治通鑑

原太宗皇帝自并門乘勝直趨幽燕，遼甘心沙漠遯矣。有錫里郎君裕悦者，請得五千騎以嘗王師，不成，退處未晚。從之。乃騎持一幟，由間道邀我歸路，周環往來，晝夜不絶。帝疑救兵大至，宵歸定州。王氏聞見近録 按：錫里，滿洲語選拔也。舊作赦例，今譯改。裕悦，舊作于越，今對音譯改。

補太宗自并幸幽，乘遼無備。其主方獵，遁歸牙帳，議棄燕薊，以兵守松亭、虎北口而已。裕悦時爲錫里郎君，請兵十萬救幽州，人夜持兩炬，朝舉兩旗，選精騎三萬，從他道自官軍南，席卷而北。又先以弱兵五十守幽州，望風遁去，我師遏之不得。及我師已退，或勸襲之。裕悦曰：受命救燕薊，已得之矣，不復争利。江氏雜志

〔朱昆田原按〕裕悦之救幽州，據王鞏所記，止請得五千騎。若如江休復之言，既擁十萬師，何用人持兩炬兩旗以爲疑兵乎？未免自相矛盾矣。

〔臣等謹按〕遼史百官志，裕悦班百僚之上，位擬三公。錫里司掌皇族軍政，而無郎君之官。南北院、著帳院及各司局郎君又皆無錫里之名。唯太宗紀有宗室錫里郎君之文，而與裕悦無涉。王鞏稱錫里郎君裕悦，江休復稱裕悦爲錫里郎君，皆誤也。再考遼史耶律休格傳，乾亨元年，宋侵燕，南京被圍。休格代希達將五院軍往救，遇大敵於高梁河，與耶律色珍分左右翼敗之。休格初爲特哩袞，後拜裕悦，總南面軍務。時宋人欲止兒啼，乃曰：裕悦至矣。宋人但聞裕悦之名，而不詳其爲官名。王氏江氏之書輒誤以裕悦爲休格之名，至以爲錫里郎君，則尤傳聞之謬也。按：休格舊作休

哥，今對音譯改。希達，滿洲語門簾也，舊作奚底。色珍，滿洲語庫也，舊作斜軫。特哩袞，蒙古語爲首之謂也，舊作惕隱。今俱譯改。

增乾亨元年春三月，詔北院大王希達、伊實王薩哈等以兵戍燕。己丑，漢告宋兵入境。丁酉，耶律沙等與宋戰於白馬嶺，不利，冀王迪里及圖魯卜部節度使都敏、黄皮室詳衮唐古皆死之。士卒死傷甚衆。夏六月，劉繼元降宋，漢亡。宋主來侵。丁卯，北院大王希達、統軍使蕭托果、伊實王薩哈擊之，戰於沙河，失利。己巳，宋主圍南京。秋七月癸未，耶律沙等及宋兵戰於高梁河，少却，休格、色珍橫擊，大敗之。宋主僅以身免，至涿州，竊乘驢車遁去。遼史景宗本紀 按：伊實，唐古特語智慧也，舊作乙室。薩哈，滿洲語小圍也，舊作撒合。迪里，索倫語頭目也，舊作敵烈。圖魯卜，蒙古語形勢也，舊作突吕不。唐古，滿洲語百數也，舊作唐筈。蕭托果舊作蕭討古。托果，蒙古語釜也。今俱譯改。

〔臣等謹按〕遼景宗乾亨元年己卯，當宋太宗之太平興國四年。其秋七月高梁河之戰，癸未、甲申，宋遼二史干支悉合，唯涿州驢車之遁，宋史則諱而不書。

增九月己卯，燕王韓匡嗣爲都統，南府宰相耶律沙爲監軍，特里袞休格、南院大王色珍、權奚王穆濟等各率所部兵南伐。冬十月乙丑，韓匡嗣與宋兵戰於滿城，敗績。辛未，太保舒蘇與宋兵戰於火山，敗之。是冬駐蹕南京。遼史景宗本紀 按：穆濟，滿洲語大麥也，舊作抹只。舒蘇，蒙古語高粱也，舊作矧思。今俱譯改。

增乾亨二年冬十月辛巳，將南伐。癸未，次南京。己亥，圍瓦橋關。十一月庚午朔，宋兵夜襲營，圖魯卜部節度使蕭幹及四捷軍詳衮耶律赫德戰却之。壬寅，休格敗宋兵於瓦橋東，守將張師引兵出戰，休格奮擊敗之。戊申，宋兵陣於水南，休格涉水擊破之，追至莫州，殺傷甚衆。己酉，宋兵復來，擊之殆盡。丙辰，班師。乙丑，還次南京。十二月庚午朔，休格拜裕悦，大饗軍士。同上 按：赫德，滿洲語渣滓也。舊作痕德，今譯改。

原 雍熙三年，詔曹彬將幽州行營前軍馬步水陸之師與潘美等北伐，敗遼於固安，破涿州。又與米信破遼於新城，戰於岐溝關，我師敗績。東都事畧

增 統和元年春正月，以裕悦休格爲南京留守，仍賜南面行營總管印綬，命罕都持送。休格下車，榜以諭燕民。壬午，涿州刺史安吉奏，宋築城河北。詔留守裕悦休格撓之，勿令就功。遼史聖宗本紀 按：罕都，滿洲語稻也。舊作狠篤，今譯改。

增 統和四年，宋復來侵。其將曹彬、米信出雄、易，取岐溝、涿州，陷固安置屯。時北南院奚部兵未至，休格力寡，不敢出戰，設伏林莽，絶其糧道。曹彬等以糧道不繼，退保白溝。月餘復至。休格以輕兵薄之，伺彼蓐食，擊其離伍單出者，且戰且却。由是南軍自救不暇，結方陣塹地兩邊，而行軍渴，乏井，漉淖而飲。四日始達於涿。聞太后軍至，彬等冒雨而遁。太后益以鋭卒追及之，衆悉潰，追至易州。遼史列傳

補 遼遣劉六符來求關南十縣，其書謂太宗并汾之役，舉無名之師，直抵燕薊。王拱辰作報書云：既交石嶺之鋒，遂有薊門之役。遼得報，繼好如初。宋仁宗實録

欽定日下舊聞考卷四

世紀

增宣和四年春正月，金破遼中京，遼主北走。二月，遼人立燕王淳爲帝，金遣人來约夾攻。命童貫爲河北河東路宣撫使，屯兵於邊以應之。且招諭幽燕。六月，兵敗，遂詔班師。秋七月，王黼以耶律淳死，復命童貫、蔡攸治兵，以河陽三城節度使劉延慶爲都統制。宋史徽宗本紀

補唐庚諭幽燕檄：我國家運啟漢符，疆包禹跡。際天所覆，無不統臨；盡海以還，悉皆臣妾。措函生於壽域，躋寰宇於聖涯。惟燕督亢之圖，得古幽州之域。鼓刀屠肆，俱懷義烈之風；擊筑行歌，咸有英雄之氣。向因石晉，割陷於遼。爰整弔民之旅，不違徯后之期。復千里之關河，拯一方之塗炭。儻能舍逆取順，信賞當倍常科。録可用之新甿，蠲無名之暴斂。庶令陷溺，復覩太平。眉山集

原宣和四年九月己卯，郭藥師以涿州來降。以其軍八千隸劉延慶爲鄉導。癸未，遼蕭后遣使納款稱臣。九朝編年備要

〔臣等謹按〕宋史徽宗紀，九月己卯，遼將郭藥師等以涿、易二州來降。九朝編年備要但云以涿州來降，未免脱漏。

原郭藥師初以武勇四軍薦授殿直，從征，積前後功擢守涿州。忽報易州降宋，藥師有意歸順。時四軍蕭幹聞我軍壓境，遂自燕來涿州。藥師以爲圖己，乃與張令徽、劉舜臣、甄五臣、龔詵、趙瑄、韓璧謀叛，已決，召蕭幹開宴款密，説其歸宋。謂幹必從。幹怒曰：豈可背朝廷耶！藥師念受薦恩，不敢害幹。幹所領軍無多，慮禍及，遽啓鑰而去。藥師召所部諭曰：天祚失國，天下分崩。宋天子以好生之德，弔民伐罪，重兵已下易州，此男子取金印大如斗時也。衆皆響應。遂因監軍蕭餘慶等，遣團練使趙鶴壽帥精兵八千、鐵騎五百、一州四縣人民奉表來降。表曰：臣生幽昧之鄉，未被文明之化。常思戴日，何啻望霓。邇者天祚皇帝怠棄鑾輿，越在草莽。萬民無依棲之地，五都有板蕩之危。雖宣宗嗣國，旋致奄忽；女后攝政，尤難撫綏。誠天命之有歸，非人力所能致。臣等縱屬多難，莫生異心。蓋所居父母之邦，不可廢臣子之節。今將所管押馬步軍用申懇悃，伏願皇帝特開天地之恩，許入風雲之會。實所願也，非敢望焉。宣和四年九月十日。燕雲奉使録

原蕭后聞常勝軍降，甚懼，召蕃漢百官議曰：易州高鳳、涿州郭藥師歸宋，大金人馬已入奉聖州。國步艱難，宗社將覆。今與卿等議去就，兩國孰可倚者？納款臣屬，亦無憾也。或謂金人方强，宜附之。或謂遼宋百年信誓可依。后曰：二説皆是。遂遣同中書門下平章事張言、尚書都官員外郎張僅使金，永昌宫使蕭容、乾文閣待制韓昉使本朝，皆奉表稱臣。蕭后表曰：遼國太后妾蕭氏言：蓋聞溟海納行，緊衆流而畢會；太陽舒照，豈爝火以猶飛？方天下之大同，故聖人之有作。拊心悼往，飲泣陳辭。伏念妾先世乘唐晉之季年，割燕雲之外地。暨逢聖運，已受齊盟。義篤一家，誓傳百禩。孰謂天心改卜，國步多艱。先王遇板蕩之餘，勵復興之志。始歷推戴，奄致淪殂。爰屬惸嫠，俾續禴祀。常欲引干戈而自衞，與社稷而偕亡。伏念生靈，罹此塗炭。與其蹈執迷之咎，曷若爲奉上之勤？伏遇皇帝陛下，四海宅心，兆人爲命。敷文德以柔遠，奮武烈以訓時。必將拯救黎元，混一區宇。仰承嚴命，敢稽歸款之誠；庶保餘生，尤荷永綏之惠。德興元年九月十日。封氏編年

原郭藥師者，渤海鐵州人，遼以爲裨將，領常勝軍。藥師見遼將亡，遂首以涿州來降。其下有四將，號風官。每風五百人。常勝軍本二千人爾，本朝收復之後增至二萬，其後又增五萬。北盟會編

原蕭容、韓昉至雄州，童貫、蔡攸以其所上表不納土，止納款，麾而去之。昉曰：納款卽納土也。遼未易圖，朝廷當思兩全，無貽後悔。乃以蕭后表馳奏。同上

原賜涿、易八州名，改燕京爲燕山府。同上

原改燕京爲燕山府，又改郡曰廣陽，節度曰永清軍。淵海記纂

原宣和四年十月，劉延慶議入燕之策。郭藥師進曰：遼四軍以全師抗我，燕山可搗虛而

入。宜選輕騎由固安渡盧水，至安次，徑赴燕，城可得也。乃命趙鶴壽等夜半渡河，銜枚倍道，至三家店駐軍。次日，藥師遣甄五臣領常勝軍五千人，雜郊民奪迎春門以入。大軍繼至，陣於憫忠寺。（北盟會編）

原 郭藥師遣人諭蕭后降，不從，合戰至晚不解。蕭幹亟來救。或告藥師，城外塵起，必有救兵至，諸將皆謂劉延慶遣兵來助。登高望之，則燕王冢上立四軍旗矣。四軍兵自南門入，人皆死鬬。藥師屢敗，奔門不得出，盡棄馬，縋城而下，還者數百騎而已。（九朝編年備要）

原 蕭幹者，本奚人，番名庫哩布，常統遼、渤海、奚、漢兒四色軍馬，故號四軍大王。（謀夏録 按：庫哩布，滿洲語被唬住也。舊作夔離不，今譯改。）

原 是時偏師雖入燕城，大軍屯盧溝未動。延慶聞燕城復失，又琉璃河護糧將王淵亦陷於賊，求自遁之計。召諸將，諭以糧餉不繼，不即引還，久恐生變。次日燒營及輜重奔還，師大潰。（封氏編年）

增 天輔五年十二月，蕭后既敗延慶，獻捷於金，奉表稱藩請和。國主不許，自嫣、儒二州進兵，抵居庸關。遼人棄關走。時馬擴隨行。國主謂擴曰：遼疆土，我得十九矣，止燕京數州之地留與汝家。我與大軍三面掩之，令汝家俯拾，亦不能取。是月，至居庸關。（大金國志）

〔補〕金既破遼，至燕駐軍，約本朝自取幽州。於時童貫、蔡攸爲宣撫使，劉延慶爲大將，軍於盧溝，距燕城一舍。遼相李儼約降。延慶遣鋭兵同郭藥師先入。蕭后并四軍大王者尚守燕城，藥師等既入城，縱兵四掠，無復紀律。一夕，四軍以殘卒擊王師，奔還盧溝，大軍聞之亦潰，金人遂攻燕城。秀水閒居録

〔原〕劉延慶既潰，阿古達以全師自居庸關入，四軍大王奉蕭后由松亭關遁。北征紀實 按：阿古達舊作阿骨打。今對音譯改。

〔補〕蕭后聞居庸失險，夜半率老幼出城，聲言劄野寨迎敵，其實避竄。宰相左企弓以下拜辭於門外。后諭曰：國難至此，我親統大軍，盡死一戰，爲社稷計。勝則再與卿等相見；萬一失利，則誓死於陣前。卿等善全合境人民，無使濫被殘害。遂泣下。后行五十里，金游騎已逼城，左企弓集百官共議。議未定，統軍副使蕭一信開啓夏門，放入洛索貝勒軍登城，遣先被獲知宣徽北樞密院事韓秉傳令，不殺一人，催促文武百僚，耆老僧道出丹鳳門毬場内投降。阿古達戎服坐萬勝殿。皆拜服罪。蕭后行至松亭關，議所往。達什林牙欲歸天祚，四軍大王蕭幹欲就奚王府立國，於是遼奚軍列陣相拒而分矣。亡遼録 按：洛索，滿洲語極濕難耕地也，舊作婁宿。貝勒，滿洲語管理衆人之稱也，舊作孛堇。達什林牙舊作大石林牙。達什，滿洲語吉祥也。今俱譯改。

〔補〕阿古達師自居庸關入，燕人備儀物迎之。北征紀實

〔補〕宣和五年二月乙酉朔，金遣趙良嗣過盧溝河，即焚橋梁次舍。北盟會編

〔補〕金得遼故大臣，皆言南朝自來畏怯。又見劉延慶敗走，左企弓上阿古達詩云：君王莫聽捐燕議，一寸山河一寸金。故有敗盟之意。自南使過盧溝河，即焚橋梁。茅齋自敍

原宣和五年夏四月，金人來歸燕京六州。九朝編年備要

原燕山之地，易州西北乃金坡關，昌平之西乃居庸關，順州之北乃古北口，景州東北乃松亭關，平州之東乃渝關。凡此數關，一夫禦之，可以當百。朝廷之割地，若得諸關，則燕山之境可保矣。然關内之地平、灤、營三州，自後唐爲契丹所陷，後改平州爲遼興府，以營、灤二州隸之，號爲平州路。至石晉之初，耶律德光又得燕山、檀、順、景、薊、涿、易諸郡，建燕山爲燕京，以轄六郡，號爲燕京路，而與平州自成兩路。朝廷始議割地，但云燕、雲兩路而已。初謂燕山之路盡得關内之地，殊不知關内之平州與燕山異路也。由是破遼之後，金人復得平州路。金既據平州，故沃哩布自平州入侵，此則當時議割燕雲不明地理之誤也。金節要 按：沃哩布，滿洲語使留也。舊作斡離不，今譯改。

增朝廷以金人將歸燕，謀帥臣守之。左丞王安中請行，王黼贊於帝，遂授安中燕山府路宣撫使知燕山府，郭藥師爲檢校少保同知府事。詔藥師入朝，禮遇甚厚。歷代記事年表

原王安中罷尚書左丞，授慶遠軍節度使、河北燕山府路宣撫使兼知燕山府。制曰：惟燕山之作屏，應析木以奠方。念撫綏之維新，在阜成之有術。雲霓之蘇大旱，爰契羣情；文武之憲萬邦，適符予欲。特輟政機之要，出臨朔塞之雄。宰輔編年録

原王安中行，上悉出内府金玉器及瓶鑪硯几之屬畢備，使至燕陳於州寢，以誇大焉。北盟會編

補乙未，尚書左丞王安中除少保、靜難軍節度使、河北燕山府路宣撫使，判燕山府；資政殿學士詹度爲燕山府安撫使。四月庚子，童貫、蔡攸整軍容入燕山府，撫定燕城。同上

〔臣等謹按〕宋史徽宗紀及宰相表皆作宣和五年正月辛酉，以王安中爲慶遠軍節度使、河北河東宣撫使。北盟會編作靜難軍，并遺去河東二字。

補童貫差姚平仲、康隨、王環等各帶人馬起發，交割燕京，次差李嗣本爲前軍，以种師中、楊可世爲中部，遣郭藥師領常勝軍，自新城入固安。貫與蔡攸建旌纛，鳴鼓吹笙，以大軍次之。嗣本至盧溝橋，金人猶駐燕京。是日師中等營料石岡，可世督嗣本渡河。金主與阿克善等卷甲移竈，退舍三十里。日晡，嗣本提兵入城，師中、可世相繼入燕。入燕録 按：阿克善，滿洲語發水投樹木上掛的柴草也。舊作阿骨爽，今譯改。

補壬寅，金人遣使賫御押地圖來，宣撫司留燕旬有二日，議班師。北盟會編

補辛亥，童貫、蔡攸歸，以詹度權大帥府。度作平燕詩送貫曰：長亭春色送英雄，滿目江山映日紅。劍戟夜搖楊柳月，旌旗曉拂杏花風。行時已決平戎策，到後須成濟世功。爲報燕山諸將吏，太平只在笑談中。同上

補五月甲寅，童貫、蔡攸班師。同上

補金人之來歸六州也，索米二十萬石。童貫、蔡攸入燕，赦兩河燕臺路。初，朝廷信趙良嗣等虛辭，謂金人歸我雲中、故曲赦，并及山後地，然實不得山後也。大事記講義

補宣和中謀取燕山，上皇下其議。鄭居中獨言燕薊久陷於遼，一旦得之恐難守。況先朝與遼有誓，不宜輕舉。宰相王黼謂千載一時之機，不可失。童貫、蔡攸欲徼倖立功，請從黼議，遂以遼舊幣致於金。既得燕山，其歲幣與守禦賞賜不貲，議者謂猶獲石田，無所用也。靖康遺録

增幽州，宣和間合兵攻遼五年有其地，領縣九：薊、幽都、廣平、潞、武清、永清、安次、良鄉、昌平。涿州置縣五：范陽、歸義、固安、新昌、新城。順州領縣二、賓義、懷柔。

文獻通考

補政和初，遣使覘國，而童貫實行。遼之君臣相顧竊笑，已有南朝無人之譏。北事既興，遂付戎律。以僕隸之材，當元戎之任。節制不明，諸將無所禀畏；庸懦不武，敵師得以憑陵。未幾副之以蔡攸，易之以譚稹，其爲駑怯又益甚焉。於是金知中國之無人矣。真文忠集

補七年三月，童貫入燕犒軍。北盟會編

補貫至燕中，撫犒郭藥師以下常勝軍，罷王安中，陞蔡靖爲宣撫兼知燕山府。茆齋自敍

原初得燕山，以蔡靖爲大帥，用降將郭藥師副之。藥師每僞出獵，動逾旬日，與金人通謀。靖察其意，逆料其必叛，屢言於朝。李邦彦等專事蒙蔽，奏每不達。靖康小録

補五月乙巳，詔以童貫克復燕山府，封廣陽郡王。北盟會編

補燕地號沃壤，用兵既久，我得之僅三年，曾無斗粟尺帛之助。常勝軍五萬，月給人二斛；戍兵九千，月給人六斗，則已十餘萬斛。又有食糧軍及諸州官吏不在數也。故悉出河朔、山東、河東之力以應辦，纔一年而諸路皆困矣。王黼遂下免夫之令，謂燕山之役，天下應起夫，今免其調發，令計口多寡，盡出免夫錢，違期者斬。天下所得免夫錢凡六千二百餘萬緡，以二十萬緡應付燕山，二千萬椿管，所餘莫知爲何用。及黼罷後，燕山日夕告乏，而山東、河北盜賊皆起矣。北征紀實

補宣和七年十一月丙戌，沃哩布自平州起兵侵燕山。北盟會編

原宣和七年十二月，沃哩布侵燕山。郭藥師率麾下兵四萬，又起涿易州兵三萬戰於潞縣。藥師大敗，引數騎走至燕山，伏壯士於後園，擒守臣蔡靖及兵將官降於金，燕山諸郡皆陷。東都事略

原藥師令儒林郎王樞草降表，畧云：臣素提一旅之師，偶遭百六之運。大金有難通之路，亡遼無可事之君。宋主載嘉，秦官是與。念一飯之恩必報，而六尺之軀可捐。雖知上帝之是依，敢忘困獸之猶鬬？昔也東征，雖雷霆之怒可

犯；今也北面，祈天地之量并容。陷燕録

補金太祖天輔元年十二月，宋遣登州防禦使馬政來聘，請石晉時陷入遼漢地。二年正月，遣索多報聘於宋，所請之地與宋夾攻得者有之，本朝自取，不在分割之議。三年六月，宋遣馬政及其子宏來聘。四年二月，宋遣趙良嗣以書來，議燕京、西京之地。七年正月，宋復遣趙良嗣來議燕京、西京地。答書如初，約合攻隨得者有之，今自我得，理應有報。良嗣言，奉命，若得燕京即納銀絹二十萬匹，綾二萬匹，以代燕地之租稅。二月，宋復遣趙良嗣來定議，加歲幣代燕地租稅，并議畫疆，遣使置榷場。癸卯，遣貝勒尼楚赫道喇報聘於宋，許以武、應、朔、蔚、奉聖、歸化、儒、嬀等州，其餘西北一帶接連山川及州縣不在許與之限。戊申，詔平州與宋使一同分割所與燕京六州之地。三月，宋使盧益、趙良嗣、馬宏以誓書來。四月，復誓書於宋。太宗天會三年六月，遣李用和等以滅遼告慶於宋。十月，詔諸將伐宋。十二月，宗望敗宋兵於白河，遂取燕山州縣。金史交聘表 按：索多，蒙古語鳥翅大翎也，舊作散覩。尼楚赫，滿洲語珍珠也，舊作銀朮可。道喇，蒙古語下也，舊作鐸刺。今俱譯改。

補沃哩布侵燕山，郭藥師叛降，率常勝軍迎之。北盟會編

補宗望至三河，破郭藥師兵四萬五千於白河，布希敗宋兵三千於古北口。郭藥師降，遂取燕山府。金史本傳 按：布希，滿洲語膝也，又去毛鹿皮也。舊作蒲莧，今譯改。

【補】宣和將伐燕，用其降人馬植之謀，由登萊航海以使於金，約盡取遼地而分之。議既定矣，宇文肅愍虚中在西掖，昌言開邊之非策，王黼惡之。及童貫、蔡攸以宣威建臺，遂使之參謀，意欲溷以同俗，且窒其口。肅愍上書極諫曰：臣聞用兵之道，禦攻者易，攻人者難；守城者易，攻城者難。守者在内而攻者在外，在内爲主而常逸，在外爲客而常勞。逸者必安，勞者必危。今宣撫司兵約有六萬，邊鄙可用不過數千。遼九大王耶律淳者，智略輻輳，素得士心，國主委任，信而不疑。今欲亟進兵於燕城之下，使遼自西山以輕兵絶吾糧道，又自營平以重兵壓我營壘，我之糧道不繼，而耶律淳者激勵衆心，堅城自守，則我危矣。且中國與遼講和，今踰百年。嚮慕本朝，一切恭順。今捨恭順之遼，不封殖拯救，爲我藩籬，而遠踰海外以爲鄰國。臣恐未有寧息之日也。書下三省，黼讀之大怒，摭以他事，除集英殿修撰。督戰益急，而北事始不可收拾矣。遼又有降將郭藥師，統其卒曰常勝軍，怙寵負衆，漸桀驁不可馴。肅愍憂之，力言於朝，請以恩禮留之京師，使盡挈致家屬居於賜第。緩急有用，只以單騎遣行，事畢卽歸，以杜後患。亦弗聽。既而金人寒盟，藥師首叛。桯史

【補】宣和七年十二月，金人侵邊。安撫使蔡靖方告急，而郭藥師叛，導敵以陷燕。眉山唐重建言，開邊之謀始於童貫，宜誅貫以謝邊人，庶可緩師。宰相不能決。名臣琬琰之集

【補】幽州之地，沃野千里，北限大山，重巒複障，有渝關、居庸、松亭、金坡、古北口。前此經營邊事，與金歲幣以買幽薊五州之地，而平、灤、營三州不與焉。是五關我得其三而金得其二也。以天下視燕爲北門，失幽薊則天下常不安。幽燕視五關爲襟喉，無五關則幽燕不可守。五關止得其三，縱藥師不叛，邊患終無寧歲也。奉使行程録

【增】天會三年，尼堪與沃哩布同取燕山，留蔡靖守燕。大金國志 按：尼堪，滿洲語漢人也。舊作粘罕，今譯改。

【增】中都路大興府，天會七年，析河北爲東西路，時屬河北東路。貞元二年，更今名。縣十：大興、宛平、安次、漷陰、永清、寶坻、香河、昌平、武清、良鄉。金史地理志

【原】廢帝築燕京，改名曰永安，以析津府爲大興府。元混一方輿勝覽

【補】岐王亮弑主自立，改元天德。内使梁漢臣本宋内侍，進曰：燕京自古霸國，虎視中原，爲萬世之基。陛下宜修燕京，時復巡幸。遂納其言，差漢臣充修燕京大内正使，孔彦舟爲副使。自天德四年起，至貞元元年畢工，以燕京爲中都，擇日遷燕山府。煬王江上録

補完顏亮殺兄亶而自立，明年下詔求言。是時上封事者多言會寧僻處一隅，官艱於轉輸，民艱於赴愬。宜徙居燕山，以應天地之中。亮深然之，即日使官佐張浩、右相張通古役天下夫匠百萬，肖京師之髣髴，營都於燕山，三年乃成。正隆事蹟

原海陵煬王天德三年三月，詔尚書右丞張浩等增廣燕城，建宮室。四月，詔遷都燕京。有司圖上燕城宮室制度，營建陰陽五姓所宜。海陵曰：國家吉凶，在德不在地。使桀紂居之，雖卜美地何益？使堯舜居之，何用卜爲？金史海陵本紀

原海陵貞元元年，定都，以燕乃列國之名，不當爲京師號，遂改爲聖都，尋改中都。金史地理志

增貞元元年二月庚申，上自中京如燕京。三月辛亥，至燕京。乙卯，以遷都詔中外，改元貞元。金史海陵本紀

補天德二年七月，除大使梁漢臣爲右丞相。一日宮中燕閒，謂漢臣曰：朕栽蓮二百本，俱死，何也？漢臣曰：自古江南爲橘，江北爲枳，非種者不能，蓋地勢然也。上都地寒，惟燕京地暖，可栽蓮。主曰：依卿所請，擇日而遷。兵部侍郎何卜年亦曰：燕京地廣土堅，人物蕃息，乃禮義之所。主曰：可遷都。上京黄沙之地，非帝居也。漢臣又曰：且未可遽遷，待臣爲郎主起諸州工役，修整内苑，然後遷都。主從其言。時内外臣僚上書多謂上京僻在一偶，轉漕難而民不便，惟燕京乃天地之中，宜徙都燕。與主意合，大喜。乃遣左右丞相張浩、張通古、右丞蔡松年調諸路夫匠，築燕京宮室。四年冬，燕京新宮成，主率文武百官自會寧府遷都於燕。貞元元年正月元夕，張燈宴丞相以下於燕之新宮，賦詩縱飲，盡歡而罷。大金國志

〔臣等謹按〕大金國志作天德四年遷都於燕，考金史帝紀，貞元元年二月始遷都。大金國志誤也。

原元太祖十年克燕，初爲燕京路總管大興府。太宗七年，置版籍。世祖至元元年，中書省臣言：開平府，闕庭所在，加號上都。燕京分立省部，亦乞正名。遂改中都。其大興府仍舊。四年，始於中都之東北置今城而遷都焉。九年，改大都。十九年，置留守司。（元史地理志）

補甲戌二月，太祖斂兵圍中都。金主大懼，獻公主請和。太祖許納之。又進金銀繒幣各萬餘兩匹。（魯國忠武王行録）

增至元元年八月，劉秉忠請定都於燕。主從之，詔營城池及宮室，仍號爲中都。（歷代記事年表）

原至元二十年，崔彧上疏言：大都非如上都止備巡幸，不應立留守司，宜置總管府。（元史列傳）

原至元二十一年，置大都路總管府。（元史地理志）

增陞總管府爲都總管府，仍以大興、宛平爲附郭。（北平圖經）

原元領大興府一，通、薊、涿、霸、雄、易、保、遂、安肅、檀、順州十一。辛丑年，割出雄、易、保、遂、安肅五州，立順天路。後又省安次縣爲東安州，固安縣爲固安州，漷陰縣爲漷州，以香河、武清二縣隸於漷，以雄、易二州並來屬，遂領涿、霸、通、薊、漷、雄、易、檀、順、東安、固安州十一。至元二十三年，割出雄、易二州屬保

定，今領府一、州九。元混一方輿勝覽

〔臣等謹按〕元史地理志，大都路所屬尚有龍慶州，即金之縉山縣。本屬上都路，延祐三年，升縉山爲龍慶州，領懷來一縣，隸大都路。元混一方輿勝覽不載，當有脱誤。

原 元世祖定大興府爲大都，開平府爲上都。每年四月，迤北草青，則駕幸上都避暑，頒賜於其宗戚，馬亦就水草。八月草將枯，則駕回大都。雖每歲往來於兩都間，他無巡狩之事，山岳河海，惟遣使致祭，别無封禪繁縟之禮也。草木子

原 劉太保遷元京北城，取居庸關水入城，冀稍潤其土，然不及百年，禍變亦作，豈地數有限而致然耶？同上

補 元世祖以北平爲大都，然安禄山已先稱之矣。金海陵煬王以北平爲燕京，然史思明已先稱之矣。花外東風閣日記

補 陶潛詠荊軻曰：提劍出燕京。蓋燕之名京久矣。深雪偶談

原 洪武元年八月，大將軍信國公徐達、副將軍鄂國公常遇春、偏將軍傅友德、康茂才、薛顯等克元都。師至齊化門，將軍尹堅執長刀突陣，生擒元金虎符兩將，元兵辟易，遂命將填壕登城而入。啟運録

原 詔改元都爲北平府，設北平行中書省，并置燕山、大興、永清等六衛，隸兵三萬。命指揮副使孫興祖、華雲龍兼北平行省參知政事，守之。同上

增洪武二年三月，置北平等處行中書省，治北平府。八月，置燕山都衛，與行中書省同治。明史地理志

原二年九月，大將軍徐達改故元都安貞門爲安定門，健德門爲德勝門。是月，置大都督分府於北平。十月，以北平府隸山東。明太祖實録

〔臣等謹按〕明史地理志，洪武元年十月，以北平府屬山東行省。二年三月，仍改屬北平。

原改湖廣行省參政趙耀爲北平行省參政。耀嘗從徐達取元都，習知其風土民情，邊事緩急。上命改授北平，且俾守護王府宫室。耀因奏進工部尚書張允所取北平宫室圖，上覽之，令依元舊皇城基改造王府。三年七月，詔建諸王府。工部尚書張允言，燕國用元舊内殿。上可其奏。明太祖實録

原洪武四年，魏國公徐達駐師北平，以沙漠遺民屯田，北平府管内之地，大興四十九屯，宛平四十一屯，良鄉二十三屯，固安三十七屯，通州八屯，三河二十六屯，漷縣九屯，武清一十五屯，薊州一十屯，昌平二十六屯，順義一十屯，凡置屯二百五十有四。同上

增八年，改都衛爲北平都指揮使司。明史地理志

原九年，革行省，設承宣布政使司。春明夢餘録

原十三年三月，燕王之國。明太祖實録

原建文元年秋七月，燕府靖難兵起，夜攻下九門，都指揮使馬宣巷戰不勝，走薊州，俞瑱走居庸關，都督宋忠帥師次居庸關，退保懷來。通州衛指揮房勝、遵化衛指揮蔣玉、密

雲衛指揮鄭亨各以城叛降燕。（建文書法擬）

原 十月，李景隆徵兵諸路，合五十萬，引兵渡盧溝橋，遂圍北平，築九壘於九門，又結九營於鄭村壩。景隆攻麗正門幾破。城中婦女並乘城擲瓦石。景隆令不嚴，驟退。北平守益堅。（革除備遺録）

原 十一月，景隆遣都督陳暉領哨騎渡白河，燕王率精騎薛禄等逆擊之，暉敗。乃率精鋭攻一營，盡殲之，連攻七營，遂逼景隆營。景隆不能支，宵遁。（建文朝野彙編）

原 永樂元年正月，禮部尚書李至剛等言：自昔帝王或起布衣，平定天下，或由外藩入承大統，其於肇迹之地，皆有升崇。竊見北平布政司實皇上承運興王之地，宜遵太祖高皇帝中都之制，立爲京都。制曰可，其以北平爲北京。（明成祖實録）

原 改北平府爲順天府。（上同）

增 永樂元年正月，建北京於順天府，稱爲行在。二月，罷北平布政司，以所領直隸北京行部；罷北平都指揮使司，以所領直隸北京留守行後軍都督府。順天府領州五，縣二十二：大興、宛平、良鄉、固安、永清、東安、香河、通州、三河、武清、漷縣、寶坻、霸州、文安、大城、保定、涿州、房山、昌平州、順義、懷柔、密雲、薊州、玉田、豐潤、遵化、平谷。（明史地理志）

原四年閏七月，淇國公邱福等請建北京宮殿備巡幸。明典彙

原十四年十一月，復詔羣臣議營建北京。先是，車駕至自北京，工部奏請擇日興工。上以營建事重，乃命文武羣臣復議。於是公、侯、伯、五軍都督及在京都指揮、指揮等官上疏曰：臣等竊惟北京山河鞏固，水甘土厚，民俗惇樸，物産豐富，誠天府之國，帝王之都也。皇上營建北京，爲子孫帝王萬世之業。比年車駕巡狩，四海會同，人心協和，嘉瑞駢集，天運維新，實兆於此。矧河道疏通，漕運日廣，商賈輻輳，財貨充盈。良材巨木，已集京師，天下軍民，樂於趨事。揆之天時，察之人事，誠所當爲而不可緩。伏乞上順天心，下從民望，早勑所司，興工營建，天下幸甚。六部、都察院、大理寺、通政司、太常寺等衙門尚書、都御史等官復上疏曰：伏惟北京，聖上龍興之地，北枕居庸，西峙太行，東連山海，南俯中原，沃壤千里，山川形勝，誠帝王萬世之都。昔太祖高皇帝削平海宇，以其地分封陛下，誠有待於今日。陛下嗣太祖之位，卽位之初，嘗陞爲北京，而宮殿未建，文武羣臣，合詞奏請，已蒙俞允。所司掄才川廣，官民樂於趨事，良材大木，不勞而集。比年聖駕巡狩，萬國來同，民物阜成，禎祥協應。天意人心，昭然可見。然陛下重於勞民，延緩至今。臣等竊惟宗社大計，正陛下當爲之時。況今漕運已通，儲蓄充溢，材用具備，軍民一心，營建之辰，天實啓之。伏乞早賜聖斷，勑所

司擇日興工，以成國家悠久之計，以副臣民之望。上從之。明成祖實録

增十八年九月，詔自明年改京師爲南京，北京爲京師。十一月，以遷都北京詔天下。十二月，北京郊廟宮殿成。明史成祖本紀

原北京營建，凡廟社郊祀壇場、宮殿門闕規制，悉如南京，而高敞壯麗過之。復於皇城東南建皇太孫宮，東安門外建十五邸，通爲屋八千三百五十楹。自永樂十五年六月興工，至十八年冬告成。詔曰：開基創業，興王之本爲先；繼體守成，經國之宜尤重。昔朕皇考太祖高皇帝，受天明命，建都江左，以肇邦基。肆朕纘承大統，惟懷永圖。眷兹北京，實爲都會。地勢雄偉，山川鞏固，四方萬國，道里適均。惟天意之所屬，實卜筮之攸同。乃倣古制，徇輿情，立兩京，置郊社宗廟，創建宮室。上以紹皇考太祖高皇帝之先志，下以開子孫萬世之宏規。且於巡狩駐守，實有便焉。爰自營建以來，天下軍民，樂於趨事，天人協贊，景貺駢臻。今工已告成，選十九年正月朔旦御奉天殿，朝百官，誕新治理，用致雍熙。於戲！天地清寧，衍宗社萬年之福，山河綏靖，隆古今全盛之基。乃命禮部正北京爲京師，不稱行在。明成祖實録

原洪熙元年三月，命諸司在北京者仍加行在二字。明仁宗實録

原正統六年八月，浙江寧波府知府鄭珞言：國家肇建兩京，合於古制。自太宗皇帝定鼎

北京以來，四聖相承，正南面而朝萬方，四十年於兹矣。而諸司文移印章尚仍行在之稱，名實未當，請正名京師。其南京諸司宜改曰南京某府某部，於理爲得。是年十一月朔，上御奉天殿大赦天下，改給兩京文武衙門印，北京諸衙門去行在二字，南京諸衙門增南京二字。明英宗實録

原 北京之爲京師，不復稱行在也，蓋自正統辛酉始也。今言

〔臣等謹按〕自遼建南京於幽州，金、元二代遞加增廓。明永樂中，復營建都城，至正統始定居之。而當時既棄朶顏三衛，塞垣以外皆爲甌脱，於控馭之模未免於陋隘也。我國家統一函夏，定鼎建都，會歸有極。皇上纘承列聖之緒，神武布昭，聲靈有赫。塞外諸藩，俱爲屏翰，西濛北漠，咸隸版圖。而京師實居萬國之中，四表來同，八維奉朔。川流雲集，道里咸均。控制宏規，實爲亘古所未有。於以膺景命而鞏丕基，苞桑永固之業，垂慶於億萬斯年矣。

欽定日下舊聞考卷五

形勝

〔臣等謹按〕燕薊爲軒黃建都之地，扆山帶海，形勢之雄偉博大，甲於天下。我朝定鼎於兹，鞏億萬載丕丕基，美矣，茂矣。朱彝尊原書形勝門，搜採諸家論著，頗稱該洽。間有徵引未及者，今稍爲依類增輯，繫於各條之後。

原 燕東有朝鮮、遼東，北有林胡、樓煩，西有雲中、九原，南有滹沱、易水，民雖不佃作而足於棗栗，此所謂天府者也。戰國策

〔臣等謹按〕國策謂燕地民不佃作者，此蓋舉當時風俗言之，迨其後耕墾相望，地無遺利。今則皇居建極，封畿内外數千里皆成沃壤，而遼陽、瀋陽實爲國家邠岐舊疆。帝業所基，盛哉乎神臯奥區，咸慶樂利而登上腴矣。

原 燕亦渤碣之間一都會也，南通齊趙，東北邊上谷至遼東，北鄰烏桓、夫餘，東綰穢貉、朝鮮、真番之利。史記

原燕之涿、薊，富冠海内，爲天下名都。鹽鐵論

原燕卻背沙漠，進臨易水，西至軍都，東至於遼，長蛇帶塞，險陸相乘也。河圖括地象

增燕地東有漁陽、右北平、遼西、遼東，西有上谷、代郡、雁門，南得涿郡之易、容城、范陽、北新城、故安、涿縣、良鄉、新昌及渤海之安次，皆燕分也。樂浪、元菟亦宜屬焉。薊南通齊趙，渤碣之間一都會也。漢書地理志

增東至於海，南迫於河，西距太行，北通榆關、雁門。唐六典

增渤碣之間一都會，薊縣燕之所都，渤卽渤海，碣卽碣石也。通典

增冀州舜以其分太大，離爲幽州，爲并州，程其水土與河南等，常重十三。其人沈鷙多材力，重許可，能辛苦。自黄帝後，帝王多居其地。新唐書杜牧傳

原富弼上仁宗封事云：松亭關、古北口、居庸關爲中原險要。又河朔士卒精悍，與他道不類，得其心可以爲用，失其心則大可以爲患。安得不留意於此而輕視哉！宋名臣奏議

原冀都山脈從雲中發來，前則黄河環繞，泰山聳左爲龍，華山聳右爲虎，嵩爲前案，淮南諸山爲第二重案，江南五嶺諸山爲第三重案。故古今建都之地莫過於冀。所謂無風以散之，有水以界之也。朱子語類

原南京户口三十萬，大内壯麗。城北有市，陸海百貨聚於其中。僧居佛寺冠於北方，錦

繡組綺精絶天下。膏腴蔬蓏果實稻粱之類靡不畢出，而桑柘麻麥羊豕雉兎不問可知。水甘土厚。石晉末割棄已前，其中番漢雜鬭，勝負不相當。既築城後，遠望數十里間，宛然如帶，回環繚繞，形勢雄傑，真用武之國也。遼志

〔臣等謹按〕今京師地在遼時稱南京，金時稱中都，元時稱大都。此條所引葉隆禮遼國志，指遼之南京而言，卽燕地也。

〔又按〕朱彝尊原書引遼國志，脱去水甘土厚一句，與上文文義不順，且與形勝無涉。謹依遼國志增正。

原李清臣議戎策云：燕古爲瀕山多馬之國，其土莽平，宜畜牧耕稼，其民翹健，便弓矢，習騎射，樂鬭輕死。戰國時爲燕，唐爲范陽節度。夫燕，一國也；范陽，一鎮也；以一國之力，獨立幾八百年，遂與周室終始，是其力足以捍邊圉也。范陽一鎮之地，宿兵不滿數萬，而奚遼不能輒苦趙、魏、滄、景者，其力足以制之也。今以天下之力而不勝其勞敝，以天下之地而懔懔常爲憂，其故何也？燕國有朝鮮、遼東、雲中、九原、樓煩、易水以爲之塞，范陽有盧龍、古北、松亭、狐門之要以爲之守。用力少而塞之易，此其能以一國一鎮截然中立而不懼也。自石晉割幽、薊、檀、順、嬀、儒、武、應、寰、朔、涿、蔚賂戎以市天下，而營、平、易亦陷於遼。阻固阸塞，我皆失之。而劃

滄、霸、瓦橋、信安、安肅、廣信、保定、常山、忻、岢嵐、火山、寧化千里平廣之地以爲界。戎馬馳突，去來如股掌之上。此天下之所以不勝勞敝而懔懔常爲憂也。遼之侵我易，我守之益難。故時平而屯戍之費不得息。遼之覘中國也近，中國備遼之處也多，故力勞而勢益分。間有憂國之將，不過廣塘水而已。使土在其外而爲沮洳於腹中，闕河川泉瀆，灌廬墓耕牧之地，包七州廣數百里，東起泥沽海口，西達邊吴淀堆，蒲藻魚蜯生之，而粒食皆漕取於内地。并西山尚缺百里，曾未足限隔戎馬，而邊民喪其業矣。譬之千金之家，患在藩牆之内，不治格鬬攘卻之具，而方施塹閾下以爲守，識者從而笑之，塘水是也。宋文選

原自雄州東際於海，多積水，遼患之，未嘗由此路入。順安軍西至北平二百里，地平廣無隔閡，每由此入。議者以爲宜度地形高下，因水陸之便，建阡陌，濬溝洫，益樹五稼，以實邊廩而限戎馬。雍熙後數用兵，岐溝君子館敗衄之後，河朔之民農桑失業，多閑田，且戍兵增倍。端拱二年，以左諫議大夫陳恕、右諫議大夫樊知古等經營之。恕密奏：戍卒皆惰遊，仰食縣官，一旦使冬被甲兵，春執耒耜，恐變生不測。營田之議遂寢。文獻通考

原知雄州何承矩上言：兵家有三陣：日月風雲，天陣也；山林水泉，地陣也；兵車士

卒，人陣也。今用地陣而設險，以水泉而設固，建爲陂塘，亘連滄海，縱有突騎，何懼奔衝？今順安西至西山，地雖數軍，路纔百里。卽有丘陵岡阜，亦多川瀆泉源。倘因而廣之，制爲塘埭，則可以戢戎騎息邊患矣。太平治迹統類

原 遼使劉六符謂賈昌朝曰：塘濼何爲者耶？一葦可杭，投箠可平。不然，决其隄，十萬土囊遂可得而路矣。仁宗以問王拱辰。對曰：兵事尚詭，彼誠有謀，不應以語敵。此六符夸言耳。設險守固，先王不廢也。宋仁宗實録

原 飛狐、古北之口，所謂險阻也。幽燕割而險阻之地悉歸於遼。今之所恃者不過塘濼耳。自雄、霸以達畿甸，平原易野，健馬疾馳，不半月可至。一有不備，可不爲之寒心哉？梁谿集

原 從滄州取海上路，以數千艘出輕兵三萬，趨平州，入符家砦口，則咫尺燕薊矣。太平治迹類統

原 宋平燕北，羣臣表賀有云：舜肇十二州，始别冀都之壤；周建八百國，首疏召奭之封。當天津析木之交，實上谷、廣陽之勝。形勝有金湯之險，膏腴號陸海之饒。北盟會編

補 端拱二年，將討燕薊，詔羣臣各言邊事。宋琪疏上，謂徑路所趨必若取雄、霸直進，未免更有陽城之圍。蓋界河之北，陂淀坦平，北路行師，非我所便。況軍行不離乎輜

重，敵來莫測其淺深。欲望回轅，西適山路，令大軍會於易州。循孤山之北，淶水以西，挾山而行，援糧而進。涉涿水，並大房，抵桑乾河，出安祖砦。則東瞰燕城，裁及一舍。此是周德威收燕之路。自易水距此二百餘里，並是沿山，村墅連延，溪澗相接。採薪汲水，我占上游。東則林麓平岡，非戎馬奔衝之地；内排槍弩步隊，實王師備禦之方。而於山上列白幟以望之，戎馬之來，二十里外可悉數也。桑乾河水屬燕城北隅，遶西壁而轉。大軍如至城下，於燕丹陵東北横堰此水，灌入高梁河，高梁岸狹，桑水必溢。可以駐蹕寺東，引入郊亭淀，三五日瀰漫百餘里，即幽州隔在水南。王師可於州北繫浮梁以通北路，敵騎來援，已隔水矣。視此孤壘，浹旬必克。（宋史本傳）

（朱昆田原按）繹宋惠安疏，則桑乾河水當日乃在燕城之北，今則深谷爲陵，桑乾出山之口不在盧師祠下而在石徑山麓矣。

（臣等謹按）盧溝河惟下游地平土疏，間有遷徙。至其上游，則西山崖谷爲之鍵束，河循山轉，自西而南，以縈帶都城。明陳全之蓬窗日録謂：盧溝爲京師之朱雀水，此今昔所同之軌迹也。至如金口故道，考金史河渠志，大定十一年雖有自金口疏導至京城北入濠之議，而其後迄無成功，旋開旋塞。迨元郭守敬等復議開金口河，後亦不果行。蓋以盧溝地形水性，惟利於西南流，設欲强之北行，不能也。即謂金之舊城址大半在今右安、廣寧、阜成三門外西南隅，今昔建制稍有不侔，然以地理度之，盧溝從西山來，亦祇畧當其西北隅，未嘗徑至城北。此條原書所引宋琪疏謂盧溝屬燕城北，可決之使與高梁合者，乃當時宋臣未親履燕地之言。籌策之疏，即此可見。而朱昆田原按據此直謂當日盧溝在城北，沿誤滋甚。殊不知盧溝河斷不能與高梁合。且盧師祠與石徑山河之出口雖異，其爲西南流則一也。今謹辨證如右。

〔又按〕淶水以西原本誤作漆水以西，今依宋史改正。

補胡旦上平燕議曰：幽州在北門之外，天時、地利、人事，皆在可伐。歲之所臨，其地受福。今年初秋至六年，鎮在燕分。從今年爲備，至來春興師，北兵遇春夏，則旃裘皮履、羊弓塞馬不爲用。而中原士卒素不能寒，往北逢暄，筋力勇健。以勇健之士，驅不用之敵，乘福慶之時，討災殃之城，成功立事，在於此矣。幽州之北，皆是山谷，通人馬者不過十處。苟塞斷山路，餘敵在燕，與大軍相持，遷延其時，以度春夏，敵不能熱，有退無前。宋史儒林傳

〔臣等謹按〕此條原本所引宋胡旦平燕議，其規畫當時兵事，語涉誇大，今謹删正十餘字。

增幽州東有朝鮮、遼東，北有樓煩、白檀，西有雲中、九原，南有滹沱、易水。天下果實稻粱靡不畢出。形勢雄傑，真用武之國。奉使行程録

增幽州地瀕海皆斥鹵沮洳，何承矩謂自陶河至泥沽口屈曲數百里，天設險阻，真地利也。文獻通考

增幽州在渤碣之間，其地負山帶海，風氣剛勁，自古爲用武之地。遼史地理志

增幽州北七百里有榆關，關東臨海，北有兔耳、覆舟山，山皆斗絶並海。東北有路，狹僅通車，其旁地可耕種。唐時置東西狹石、淥疇、米磚、長楊、黄花、紫蒙、白狼等戍以扼遼於此。戍兵常自耕食，惟衣絮歲給幽州。久之皆有田宅，養子孫，以堅守爲己利。自唐末幽薊割據，戍兵廢散，遼因得出陷平、營。自涿州至幽州百里，人迹斷絶，轉餉常以兵護送。遼多伏兵於鹽溝以擊奪之。莊宗末，趙德鈞鎮幽州，於鹽溝置良鄉縣，又於幽州東五十里築城，皆戍以兵，又於其東置三河縣。由是幽薊之人始得耕牧而輸餉可通。五代史遼附録

補幽州之地，左環滄海，右擁太行，北枕居庸，南襟河濟，誠天府之國。而太行之山自平陽之絳西來，北爲居庸，東入於海，龍飛鳳舞，綿亘千里。重關峻口，一可當萬。獨開南面，以朝萬國，非天造此形勝也哉！讀書一得

補金世宗將幸金蓮川，梁襄上疏極諫曰：臣聞高城峻池，深居邃禁，帝王之藩籬也。行宫非有高殿廣宇，城池之固，是廢其藩籬也。燕都地處雄要，北倚山險，南壓區夏，若坐堂隍，俯視庭宇。本地所生，人馬勇健。亡遼雖小，止以得燕，故能控制南北，坐致宋幣。燕蓋京都之首選也。況今又有宫闕井邑之繁麗，倉府武庫之充實，百官家屬皆處其内，非同曩日之陪京也。居庸、古北、松亭、榆林等關，東西千里，山峻相連，近在

都畿，易於據守。皇天本以限中外，開大金萬世之基而設也。奈何無事之日，越居草萊，愛沙磧之微涼，忽祖宗之大業？此臣所惜也。況欲習武，不必度關，涿、易、雄、保、順、薊之境，地廣又平，且在邦域之中，田獵以時，誰曰不可？伏乞陛下回北轅之車，安處中都，則宗社無疆之休，天下莫大之福也。世宗納之。金史本傳

增燕京地廣土堅，乃禮義之邦。大金國志

原尾、箕之墟，幽、冀之區。鬱鬱葱葱，屹乎皇都。峙以西山居庸，繚以涿、易、潞、沽。山川相繆，古今不殊。吴禮部集

原幽燕之地，龍蟠虎踞，形勢雄偉。南控江淮，北連朔漠。駐蹕之所，非此不可。元史

原至元四年正月，城京師，以爲天下本。右擁太行，左注滄海，撫中原，正南面，枕居庸，奠朔方。峙萬歲山，浚太液池，派玉泉，通金水，縈畿帶甸，負山引河。壯哉帝居，擇此天府。輟耕録

原元主中夏，雖因其邇於陰山以定都，而地形之强實甲天下。撫據全盛，幾將百年。一時文章亦頗有奇氣。未必非山川形勝風氣之觀感有以助之也。誠意伯文集

原天下山川形勝，雄偉壯麗，可爲京都者，莫逾金陵。至若地勢寬厚，關塞險固，總握中原之夷曠者，又莫過燕薊。雖云長安有崤函之固，洛邑爲天下之中，要之帝王都會，

爲億萬年太平悠久之基，莫金陵、燕薊若也。楊文敏集

原范鎮之賦幽州也，曰：繩直砥平，博大爽塏。巴圖魯之傳幽燕也，曰：虎踞龍盤，形勢雄偉。以今考之，是邦之地，左環滄海，右擁太行，北枕居庸，南襟河濟，形勝甲於天下，誠天府之國也。究其沿革，唐虞則爲幽都，夏殷皆入冀地，周封堯後於薊，封召公於燕，正此地也。厥後漢曰廣陽，晉曰范陽，宋曰燕山，元曰大興，國朝初謂之北平，而爲燕府龍潛之地，尋建爲北京，而謂之順天焉。博物策會 按：巴圖魯，滿洲語勇也。舊作霸突魯，今譯改。

〔臣等謹按〕宋范鎮幽都賦作博大爽塏，繩直砥平。原書誤作形勝爽塏，文義俚率，蓋引博物策會之誤也。謹依范鎮原賦改正。又按元史穆呼哩傳，孫巴圖魯從世祖征伐爲先鋒，世祖在潛邸嘗從容語曰：今天下稍定，我欲勸主上駐蹕回鶻，以休兵息民，何如？對曰：幽燕之地，龍蟠虎踞，形勢雄偉，南控江淮，北連朔漠。且天子必居中以受四方朝覲。大王果欲經營天下，駐蹕之所，非燕不可。世祖憮然曰：非卿言，我幾失之。及卽位，卒定都於燕。嘗曰：朕居此以臨天下，巴圖魯之力也。博物策會誤以爲穆呼哩語，今據元史改正。按：穆呼哩，滿洲語禿尖也。舊作木華黎，今譯改。

原京師形勝甲天下，扆山帶海，有金湯之固。明輿地指掌圖

原京師負重山，面平陸，地饒魚鹽穀馬果蓏之利，又轉東南之粟。財貨駢集，天險地

利，足制諸邊。汴、洛、關中、江左皆不及也。吾學編

原北京雖號稍東北，南與餉遠。然左滄海，右太行，風氣敦厚，長安之下，此其最也。鳳洲筆記

原洪武初營汴爲北京，則亦周公意也。末年東宫營秦，則亦婁敬、張良、藝祖意也，而卒不果。豈天將以待燕耶？成祖之營燕也，當時臺諫交口不便，主事蕭儀言之尤峻，豈未識上意所屬耶？成祖曰：北平之遷，吾與大臣密計數月而後行。彼書生之見，豈足以達英雄之畧哉！蠙衣生集

原張良謂關中用武之地，阻三面而守一面，東制諸侯。今世都燕，亦用武之地，亦阻三面，以一面制天下。前之進無窮，後之退有限，大非關中之比。方輿勝畧

原京東負山控海，負山則泉深而土澤，控海則潮淤而壤沃。諸州邑泉從地湧，一決而通，水與田平，一引而至。如密雲縣之燕樂莊，平谷縣之水峪寺、龍家務莊，三河縣之唐會莊、順慶屯地。薊州城北則有黄厓營，城西則有白馬泉、鎮國莊，城東則有馬伸橋夾林河而下，城南則有别山舖及夾陰流河而下，至於陰流淀，疏渠皆田也。遵化西南，平安城夾運河而下，及沙河舖地方，又鐵廠湧珠湖以下，至韭菜溝上素河、下素河百餘里，夾河皆可成田。遷安縣北徐流營山下湧出五泉，合流注桃林河，又三里橋湧泉

流出澡河，又蠶姑廟湧泉成河與澡河相接，夾河皆可田之地。盧龍縣燕河營湧泉成河，及營東五泉湧漫四出，至張家莊。撫寧縣西臺頭營河流亦自燕河營湧泉而來，皆可成田。豐潤縣南則大寨及刺榆坨、史家河、大王莊之地，東則榛子嶺，西則鴉洪橋，夾河五十餘里皆可田。玉田縣青莊塢導河可田，後湖莊疏河可田，三里屯及大泉、小泉，引泉可田。至於瀕海，自水道沽關黑巖子墩起，至開平衛南宋家營之地，東西度之百餘里，南北度之百八十里，皆隸豐潤，其地與吴越瀕海之沃區相等。昔虞文靖公之議，東極遼海，南濱青徐，瀕海皆可田之地。今豐潤實其中境，欲舉其議行之，兹非其先當致力者乎？蓋先之京東數處，而畿内列郡皆可漸而行也。先之畿内，而西北之地皆可漸而行也。在邊陲則先之薊鎮，而諸鎮皆可漸而行也。至於瀕海則先之豐潤，而遼海以東、青徐以南皆可漸而行也。潞水客譚

〔臣等謹按〕朱彝尊原書引明徐貞明西北水利議，脱去京東、京北諸水田之地，未免舛畧。謹依潞水客譚及明史河渠志諸書增正。

增燕京易州西北乃金坡關，卽紫荆關，昌平之西乃居庸關，順府之西乃古北口，景州東北乃松亭關，平州之東乃榆關，卽山海關。自後唐屬遼，金人取之，海陵徙都焉。元世祖嘗問劉秉忠曰：今之定都，惟上都、大都耳，何處最佳？秉忠曰：上都國祚近，大都

國祚長。遂定都燕之計。春明夢餘録

增幽燕自昔稱雄，左環滄海，右擁太行，南襟河濟，北枕居庸。蘇秦所謂天府百二之國，杜牧所謂王不得不可爲王之地。蓋真定以北，至於永平，關口不下百十，而居庸、紫荆、山海、喜峯、古北、黄花鎮險阨尤著，會通漕運便利，誠萬世帝王之都。上同

增唐趙德鈞爲幽州節度使，於幽之南六十里城閻溝而戍之，又於幽之東五十里城潞縣而戍之，二城乃幽州之門户也。閻溝卽今良鄉，潞縣卽今通州。上同

增京師瀕大海，秦始皇時起黄腄、琅邪之粟，轉輸北河，則海運固已通於兹矣。杜甫謂漁陽豪俠地，擊鼓吹笙竽。雲帆轉遼海，粳稻來東吴。又云：幽燕盛用武，供給亦勞哉！吴門持粟帛，汎海凌蓬萊。唐時已通吴之粟矣。上同

增京東至山海關，西至黄花鎮，爲關塞者二百一十二，爲營堡者四十四，爲衛二十二，爲守禦所三。設分守參將五於藍河營、太平寨、馬蘭峪、密雲縣、黄花鎮以管攝營堡，謂之關。設守備都指揮五於山海、永平、遵化、薊州、三河以管攝衛所，謂之營。設總兵官一員於三屯營以總鎮焉。關設於外，所以防守；營立於内，所以應援。其制可謂密矣。此所以控御其形勢者也。上同

原國家建都燕朔，無論山川峙灌，險甲寰區，而紫荆扼蜚狐之吭，居庸拊上谷之背，山

海掣元菟之肘，其因地利而盡人謀，可謂千古碩畫。（長安客話）

原 漢唐都關中，去邊幾千餘里。今京師北抵居庸，東北抵古北口，西南抵紫荆關，近者百里，遠不過三百里爾。（同上）

原 漢唐宋皆并建兩京。漢、唐以長安爲西京，洛陽爲東京；宋以汴爲東京，洛爲西京。其地皆相去不遠。高皇帝定鼎金陵，文皇帝遷都金臺，則跨江河南北而各爲一大都會。蓋天下財賦出於東南，而金陵爲其會；戎馬盛於西北，而金臺爲其樞。并建兩京，用東南之財賦，會西北之戎馬，無敵於天下矣。（圖書編）

原 京師形勝，以堪輿家論之，玉河之水當直出會南海子，從天地壇前轉東入潞河，方爲自然。崇文門外閘河宜塞之，庶幾左臂不斷，此乃帝王建都萬代之計也。（梓谿集）

原 北京青龍水爲白河，出密雲南流至通州城。白虎水爲玉河，出玉泉山，經大内，出都城，注通惠河，與白河合。朱雀水爲盧溝河，出大同桑乾，入宛平界，出盧溝橋。元武水爲濕餘、高粱、黄花鎮川、榆河，俱繞京師之北，而東與白河合。（蓬窗日録）

〔臣等謹按〕酈道元水經注雖有高粱無上源之説。而玆水實承西山玉泉之委輸，爲玉河經流。明蔣一葵長安客話謂高粱源發西山者是也。乃陳全之蓬窗日録誤分玉河、高粱爲二，且以高粱屬之京北諸水，則全屬臆揣，爲未經身至者之言。今謹辨證於此。

原太行自西來，演迤而北，緜亘魏、晉、燕、趙之境，東極於醫無閭。重岡叠阜，擁護而圍繞之，不知其幾千里也。其東則汪洋大海，稍北乃古碣石，稍南則九河故道，浴日月而浸乾坤。所以界之者又如此其直截而廣大也。況居直北之地，上應天垣之紫微。其對面之案，以地勢度之，則泰岱萬山之宗，正當其前。夫天之象以北爲極，則地之勢亦當以北爲極。易曰：艮者，東北之卦也，萬物之所成終而成始也。離，萬物皆相見，南方之卦也。聖人南面而聽，天下嚮明而治。孔子曰：爲政以德，譬如北辰，居其所而衆星共之。今之京師，居乎艮位，成始成終之地，介乎震坎之間。出乎震而勞乎坎，以受萬物之所歸。體乎北極之尊，嚮乎離明之光，使萬物之廣，億兆之多，莫不面焉以相見。則凡舟車所至，人力所通者，莫不在於照臨之下。自古建都之地，上得天時，下得地勢，中得人心，未有過此者也。（大學衍義補）

原京師前挹九河，後拱萬山，正中表宅，水隨龍下。自辛而庚，環注皇城；繞巽而出，天造地設。（湧幢小品）

增皇居右脇，千山拱護，萬國朝宗。山奥而深，土肥而衍。梁、趙爲之腹心，宣、雲乃其肩背。左逵遠走薊、遼，右輔近招并、代。輊前而軒後，居重而馭輕。誠鬱鬱葱葱之

盛概矣。宛平縣志

原 京師扆山帶海，有金湯之固。真定以北，至於永平，關口不下百十，而居庸、紫荊、山海、喜峯口、古北口、黄花鎮險阨尤著。職方圖考

原 北京上應北辰以象天極，南面而聽天下，天險地利甲於關中。治平畧

補 自太行山而北，不知山所限極處，亦如東海不知所窮盡也。博物志

補 宣府大同，藩籬也；居庸紫荊，門户也；順天、真定、保定等府州縣，堂室也。藩籬密，斯門户固；門户固，斯堂室安。漁石集

補 居庸、曹王、大安、黍谷、崆峒之山環抱如箕，而燕城峙其中，其地如掌。雞肋集

補 大地之脈，咸祖崑崙，而南北二絡最大。北絡極於幽燕，大河至此入海，與鴨緑江會，東有下沙，此山水一大交會也。其北崇岡千疊，其前坦平，千有餘里，泰山聳於南，誠國家萬年之基也。莊渠遺書

補 京東諸州縣地多卑窪，沮洳彌望。或云可開水田如江南耕耨法，歲收自倍。而徐尚寶貞明特主其説，具在潞水客譚。予深是之，乃請旨下近京郡縣酌量修舉，以尚寶兼憲職董其事。尚寶從河間經始，築堤捍水，乃之薊州，招南兵之習農者，使畫地耕作，仍給之餉。一時農兵大集，墾田以億計，畝收一鍾。撫臣及司道方次第開報，而北人官京師

者，倡言水田既成，則必倣江南起税，是嫁禍也，乃從中撓之。御史王之棟疏請罷役，而中官在上左右者多北人，争言水田不便。上意亦動，召予及同官於皇極門，面諭以水田當罷。予對言：高田宜黍麥，下田宜粳稻。今民間游惰，下田皆棄不耕，荒蕪寖多，故議開墾，非廢已熟之田也。上云：荒田可開，水田不可作。予退而上疏，極陳利便，而上意竟不可回，遂切責尚寶以爲擾民，而初議盡格矣。彼中開墾已成，收穫甚富，一聞詔下，盡撤毁堤岸，斥爲閒田。垂成之功，廢於一旦，良可惜也。賜閒堂雜記

補淮南子謂地有九藪，燕之昭余祁居一焉。藪者聚也，王者以聚民蓄國。夫燕天下之上游也，甸服西北，控御東南，若建瓴然。泰嶽峙其南，華山環其右，前則三案重圍，後則九河歸宿，誠四塞之國矣。議者以爲漢之邊在北，咸陽去朔方千餘里；唐之邊在西，去吐蕃亦千餘里。今京師關隘，近者百里，遠不過三百里。居庸吾之背也，紫荆吾之喉也。卒有急則搤吾之喉而拊吾之背。是殆不然。譬之一身焉，幽燕天下之元首也，牽左則左肘動，掣右則右掖奮。無事則坐享長河之利以爲轉輸；有事則席卷燕趙之兵以爲犄角。所謂天下之勢莫重於燕，其以此耶！順天府舊志

補國家建都北平，古爲燕國。燕自文公以後，立於强國之間，北迫戎貉，内控齊晉，又嘗帥師馳逐中原千里之外，此其爲費不少矣。蘇秦謂燕東有朝鮮、遼東，北有林胡、樓

煩，西有雲中、九原，南有滹沱、易水。即今畿內東西所至，視昔雖狹，而南有渤海、鉅鹿，至於邯鄲、濮陽，蓋兼齊趙之地，長短相互，實亦當之。昔者纖悉出於其國，而今盡仰給於東南，非所以富國息民也。往時何承矩耕水田於河北，虞集議海田於京東，托克托大興營田，西自西山，東至遷民鎮，南起保定、河間，北抵檀、順，皆從佃種。水泉陂塘之迹，門堰捍築之方，召募教授之法，器具工作之資，蜃蛤粟米之富，可以按成式，法往智，數歲之後，其效立見。此與轉吳會，漕潞渚，功相十，利相百矣。絅齋集

按：托克托，蒙古語定也，舊作脱脱。今譯改。

補 給事中魏呈潤疏曰：周禮，幽州藪曰貕養，其川河泲，其浸菑時。冀州藪曰揚紆，其川漳，其浸汾潞。蓋水澤至沃也。國家定鼎於燕，用幽冀爲畿輔，負重山，面平陸，奥衍之利，甲於東南。若疏其上源，自涓滴傳而致之，何田不充，何漕不裕？惟北方不知蓄水，聽其自旱自雨，自盈自涸，而莫之均節。故潦則遍地巨浸，旱則滿眼砂礫，一遇饑歲，比屋倒懸，民之凋敝極矣。誠於平時舉地利而經理之，富民不能供役者，必轉募貧民，則窘者得食，一利也。旱則蓄其流，澇則宣其溢，則瘠産皆化爲沃土，二利也。水道與田疇相通，譬咽喉之氣達於肺臟，靡所不通，漕可速濟，三利也。北地種植既多，即粟米芻茭俱將輸於天府，遠可省額外之征，近可蠲召買之役，四利也。原野有溝有

防，高下成塹，盜不敢援弓馳馬，五利也。夫不費太倉之金錢，而坐獲此五利，何憚而不爲乎？（樞垣疏藁）

補 嘉祐五年五月，西上閤門使、英州刺史郭諮上平燕議曰：遼之地自瓦橋關至古北口，地狹民少。自古北口至京屬奚遼，自中京至慶州道旁，纔七百餘家。蓋遼疆土雖廣，人馬至少。儻或南牧，必率高麗、渤海、達靼、黑水、女直、室韋等國會戰，某來既遠，其糧匱乏。臣聞以近待遠，以逸待勞，以飽待饑，用兵之善計。又聞得敵自至者勝，先據便地者佚。以臣所見，請舉慶曆之策，合衆河於塘泊之北界，以限戎馬。然後以景德故事，頓兵自守。步卒十二萬，騎卒三萬，强壯二萬，歲計糧餉百八十三萬六千斛。又旁河郡邑可由水運以給保州，然後以拒馬車三千，陷馬槍千五百，獨轅弩三萬，分選五將臣，可以備其一來則戰，去則勿追。幽州糧儲既少，遼不可久留，不半年間，當遁沙漠，則進兵斷古北口，塞松亭關，傳檄幽薊，燕南自定矣。（宋史）

增 中統二年，命平章政事趙璧等率蒙古漢軍駐燕京近郊太行一帶，東至平灤，西控關陝，應有險阻，於附近民内選諳武事者，修立堡塞守禦。（元世祖本紀）

增 大興在昔爲召公所封地，春秋戰國時，以燕代勁兵抗衡秦楚，亦形勢得也。地氣鬱積，漸盛於金元，實始建都於此。譬諸天象，大興其薇垣，而九州四海其列宿也歟。（大興增東枕遼海，沃野數千里，關山以外，直抵盛京。氣勢龐厚，文武之豐鎬不是過也。天津襟帶河海，運道咽喉，轉東南之粟以實天庾，通州屹爲畿輔要地。北則居庸聳峙，爲天下九塞之一。懸崖峭壁，保障都城，雄關疊嶂，直接宣府，尤重鎮也。西山秀色甲天下，寺則香山、碧雲，水則玉泉、海淀，而盧溝橋關門巍立，卽古之桑乾河，京邑之瀍澗也。畿南皆平野沃壤，桑麻榆柳，百昌繁殖。漸遠則瀛海爲古河濟交匯處，水聚溪迴。若夫萬里河山而都城位北，南向以收其朝拱之勢，梯航車馬，絡繹奔赴，皆自南而北以奉神京，豈非古今第一形勝哉！上同

欽定日下舊聞考卷六

形勝

增世宗憲皇帝御製帝京篇　磐石占幽薊，金湯固帝京。幅員寧有外，帶礪自堪盟。形勢河山拱，星文氣象清。休徵荷地力，瑞應感天成。濟濟匡時器，熙熙擊壤情。溪流穿禁籞，霞彩映重城。日照朱甍麗，塵飛紫陌輕。烟花織錦繡，鶯燕唱昇平。池暖魚吹絮，蘭熏蝶抱英。新荷初浥露，宿麥晚蒸晴。極浦漁舟杳，斜陽牧笛横。所希均雨澤，南畝問春耕。

〔臣等謹按〕皇上御製帝京篇、皇都篇各一首，已謹載郊坰南卷内，兹不具録。

增李洧孫大都賦并序　昔頌商者，其詩曰：商邑翼翼，四方之極。歌周者曰：宅是鎬京，維龜正之。蓋當國家盛時，區㝢博大，洪威遠暢，湛恩旁洽，斯人歸之如衆星之拱北極，如百川之朝東海。故於其作都之地，歆豔而詠歌之。賦者，古詩之流也。至班固始賦西都，而張衡、左思之賦繼作。自爾循塗蹈轍，層見疊出。然其詞章氣象，大抵與王治相爲高下。欽惟國朝體元繼天，奄有六合。凡上仁所未化，懋德所未綏者，莫不歸極獻狀於王會圖。上考元象，下據都會，度其鮮原，燕土維宅。其規模宏遠，凛凛乎商周二漢之上。夫有盛德大業者，必有鉅筆鴻文，鋪張揚厲，高映千古，以昭無窮。然四海泳仁涵和三十載，未有髣髴商周之歌二漢之賦者，亦一時遺典也。臣遠方書生，猥以詞章爲業。際遇昌辰，不能默默，輒撰成大都賦一篇。竊謂詞直致則難盡，義互發而後明。因筆墨成文，托之元光子中書生敷暢其意。狂斐僭踰，罪當萬坐。或蒙朝廷第從臣之頌，採遊童之謡，附之下方，亦昭代美事云爾。其賦曰：有元光子與中書生相遇於鴻濛之野，而談上天下地往古來今之事。沿九頭，循蜚禪，通疏仡，以至於近代，環泰遠、邠國、濮鉛、祝栗以至於神州。歎光霽之時常少，而晦暝之時常多。分裂之世每數，而混一之世每疏。中書生訢然抵掌曰：幸哉我生之逢吉丁辰也！干紀以來，是不一姓，惟今皇元爲最盛；四極之内，是不一都，惟今大都爲獨隆。金匱石室之藏弗可尚已。蓋聞天無私而棐忱，帝有赫而求定。嘉忠厚之世積，肇朔土而啟聖。逮乎中統，丕受新命。治道清静，同符乎軒轅；好生洽民，合揆乎重華。豁達大度，適駿乎卯金；武功文德，允恭乎貞觀。建國既絜大乎純乾，紀元又侔至乎重坤。故能握符圖而統元，一九域而同文。物罔闇而不耀，化靡遏而弗臻。迺度析木之隩區，總八方而爲本根。語其疆埸之廣，則商周所未覩，漢唐所未聞。稱其都邑之壯，則崤函不爲雄，京雒不爲尊也。元光子悠然深思曰：生言誠善，然能舉其綱而未能悉其目，請更留僕，一一其詳。昔周髀之言，天如蓋倚而笠欹，帝車運乎中央。北辰居而不移，臨制四方。下直幽都，仰觀天文，則北乃天之中也。維崑崙之結根，並河流而東馳。歷上谷而龍蟠，嚮離明而正基。厥土既重，厥水惟甘。俯察地理，則燕乃地之勝也。顧瞻乾維，則崇岡飛舞，崟岑茀鬱。近掎軍都，遠摽恒嶽。表以仰峯蓮頂之奇，擢以玉泉三洞之秀。周視巽隅，則川隰洄洑，案衍澶漫。帶繞潞沽，股浸渤海。抱以淶、涿，滹沱之流，瀦以雍奴、漷陰之浸。浮遊近郊，則膴原爽塏，坰野敞博。繩直準平，宜植宜牧。延芳下馬，淀泊參錯。三種之蕃，既庭且碩。四擾之富，瘯蠡不疾。咨詢故俗，則風尚樸茂，人詑材力。范公賦其禮義而聲明，蘇子稱其勁勇而沈静。偉若巨卿，鬱若子翼。矯若盧元，耿若祖逖。或市駿以託意，或賦鷂而自適。或鐘音之宏吐，或桂枝之茂植。想風流之猶存，尚餘響之未息。辨方物則寶坻波素，宛平洞煤。銀鐵磁硝琉璃之珍，鶉鶩棗栗瓜茨之美。梨誇香水，桃擅岡子。皆川陸之嘉産焉。訪遺蹟則金臺之舊址，石鼓之斷籀，東掖之銅馬，閶城之石獸。經山之鐫刻，盧溝之結構。指故城而弔英傑於既往，謁古刹而念忠義之不朽。皆邦域之勝覽焉。閏位紫色，靡稱茲土。彼召祀綿於九百，亦秖號於侯國。維金都稱於長樂，又未一於區宇。蓋天運之熙明有時，而地寶之呈露有待。是以皇元之宅是都也，睿哲元覽，訏謨辰告。狹舊制之陋側，相新基而改造。面平原之莽蒼，背羣山之繳繞。據龍首，定龜兆。度經緯，植臬表。詔山虞使掄材，命司徒往掌要。戒陶人播其埴，程匠師致其巧。築崇墉之萬雉，若繚山之長雲。濬三五之折溝，建十一之通門。齊埤堄於翠微，倚麗譙於蒼旻。豁崇期之坦路，浮廣漠之祥氛。車方軌而並進，騎衡列而齊奔。轡連翩以飈馳，軸輷磕而雷震。爰取法於大壯，蓋重威於帝京。揭五雲於春路，呀萬寶於秋方。上法微垣，屹峙禁城。竦五門之高闕，拔埃壒而上征。擬斗杓之嶕嶫，對鶉火之煒煌。蒼龍夭矯以奮角，丹鳳葳蕤以揚翎。象黄道以啟途，放紫極而建庭。榱題炳乎列宿，棟桴凌乎太清。抗寥陽而設玉陛，軼倒景而居瑱楹。颺翠氣之鬱葱，流紅采之晶熒。道高梁而北匯，堰金水而南縈。儼銀漢之昭回，抵閣道而經大陵。山萬歲之嶙峋，冠廣寒之峥嶸。池太液之浩蕩，汎龍舟之敖翔。酌文質而適宜，審豐約而中程。左則太廟之崇，規遵重屋。制堂室之几筵，班祖宗之昭穆。右則慈闈之尊，功侔媧石。歌肅雍之章四，頌怡愉之載億。既辨方而正位，亦列署而建官。都省應乎上台，樞府協乎魁躔。霜臺媲乎執法，農司符乎天田。詹事宣政衛尉之院，錯峙而鼎列；宣徽泉府將作之署，棊布而珠連。玉堂則兩制擅美，丹屏則六尚總權。藝苑則秘府史局，俊林則昭文集賢。武備軍需，兵戎之筦；奉常冑闈，禮樂之原。大府都水之分其任，章佩利用之布其員。醫院以精方劑，清臺以察璣璿。拱衛侍衛以嚴周廬，羣牧尚牧以阜天閑。倉庾積畜之重，庫藏出納之煩，職崇卑而並舉，才細大而不捐。至於國有脈絡，郵傳是寄。爲之比賦役之數。道路通達，關梁修治。水無膠舟，陸無蹶騎。方咫之紙，一介之使。長駕遠撫，風伯作使。灌輸天囷，蹻足可俟。京師億萬，鼓腹舍哺。鑿會通之河，而川陝豪商，吴楚大賈，飛帆一葦，徑抵輦下。呼吸如意。民有繫命，餽餉是倚。則有畿漕振其紀。轉粟南州，揚帆北海。遠達朝鮮，旁泝遼水。陽侯効順，風伯置屯田之卒，而野蔑曠土，民弗加賦。歲數十萬，具於畿内。往適其市，則徵寬於關，旅悦於途。靈鐘叩而蒲牢吼，操鼓動而元鼉呼。榑桑騰景，臯門啟樞。百廛懸旌，萬貨別區。匪但邇至，亦自遠輸。氉毿貂豽之温，珠瑁香犀之奇，錦紈羅㲪之美，椒桂砂芷之儲。瑰繡耀於優坊，金璧飾於酒壚。伎效梨軒之術，工集般輸之徒。烟塵坌而四合，歲月暇而多娱。若乃九服修職，五等協慮。陛陳璧馬，庭列圭幣。或以象寄通誠，或以鞮譯達志。東隅浮巨海而貢篚，西旅越葱嶺而獻贄。南陬踰炎荒而奉珍，朔部歷沙漠而勤事。孝武不能致之名琛大貝，登於内府；伯益不能紀之奇禽異獸，食於外籞。爾乃闢雲龍之庭，設牲牢之具。陳肆夏之享，昭湛露之賜。肉如坻而俾飽，酒如澠而既醉。奏韶武及英莖，雜兜離與僸佅。懷方治其館舍，司儀致其飧積。分寶玉而篤九族之親，釋櫬組而崇三恪之位。櫜弓仁慈合乎太上，忠厚越乎前代。故得萬國之歡心，而格二儀之和氣。於是聖皇睹威德之既暢，偉功績之告成。戢戈，議獄緩刑。寬徭減租，旌孝卹嫠。興崇儒教，敦厲農耕。迓盈成之福禄，基萬世之隆平。若乃動大駕，遵康莊。望舒陪夫左馭，屏翳導夫前行。校尉迅其奔趨，虎賁紛其騰驤，弭角𧣾之威弧，佩干將之銛鋌。鎚金吾而朱柲，箭楛石而元棚。樹華旗之婀娜，修竿梢乎欃槍。綷雲蓋之淋漓，流光閃乎朝陽。駕雕軫以金較，驂鏤鍚而玉瓖。櫜駝礧硊而峯兀，馴象徙倚而邱行。金石轟地而交作，幄帟垂天而高張。卉樹方茂，星言北騖。稼穡既登，乃睠南顧。順二分而轉旋，度諸侯而遊豫。所以百姓見羽旄而歡欣，萬方沐膏澤而疏附。於是縱懸蹄，揚勁翮。海青決雲而直上，周臯掣駕鵝而獻捷。韓盧騰山而疾馳，捩狡兔而奏獲。至若簡師徒，較圍獵。轢荒徼，蹂大漠。披灌栵，蹴榛棘。麓以爲阹，彌藪澤以爲絡。驖駟綿野，金甲耀日。林棲之羣，穴處之族。儦儦俟俟，紛紛莫莫。御弓先張，票禽隨蹶。然後佽飛奮勇，田開逞桀。長鋋電撝，飛鏃雹落。曾不一瞬，已十殫其七八。風生原谷，塵漲林薄。致禽饁獸，賜胙命爵。蓋以昭武節而作偷隋，匪曰縱心志而騁般樂。猗歟天朝，茂矣盛矣！蓋予嘗徘徊乎薊門之墟，泮奂乎瀚海之涘，故能涉獵其事。若夫國家經制之遠，宮室規模之密，山川風氣之悉，民俗物産之備，誠未能發越其聲華，鋪陳其宏偉，審覈其根實，摹寫其情形也。中書生躩然而起，謂元光子曰：子之言誠博，而又未知大都之所以爲大也。夫聖人以中國爲一人，則由親及疏，猶腹心之於手足。以天下爲一家，則自邇至遠，猶堂室之於藩垣。豈千里之畿，數仞之城，曾是以爲大乎？予今觀國光，覩時制，其城郭不爲踐華統萬之險，而衆心成城，形勢堅於金石。其宮室不爲建章昭陽之侈，而四門明達，我闥廣於八荒。遐陬僻壤，人熙春臺，與都城之士女同一娱樂。農桑萬里，犬不夜吠，與京畿之風俗同一清肅。起視廣輪，則坳堂杯水，九澤渺矣。游鱗洋洋，我靈沼矣。有石卷然，列岱嵩矣。烟翠倚空，我臺崇矣。豐草縟縟，亘荒磧矣。芻蕘雉兔，我囿博矣。七陌九阡，達蠻蔡矣。梯山棧谷，行道兑矣。

彼限玉關而界銅柱，嘻其隘矣。子徒知易涿長波之滉漾其前，居庸疊翠之崖峩其後。界河潮汐之噴薄其左，西山晴雪之映帶其右。以爲都之觀止是矣。而不知朱垠烏滸，孰非麗正之所包羅？暘谷東鯷，孰非崇仁之所聯絡？月窟雪山，孰非和義之所綱維？燭龍冰天，孰非安貞健德之所囊括也？言既畢，元光子如醉而醒，如聵而聰。如醯鷄之發蒙，如河伯之出於渚涯，循海而東。喜而歌曰：於赫聖皇，幅員既長。跨禹敷土，越周職方。作京維新，萬民所望。如輻聚轂，如桷會宗。其土芒芒，其山蒼蒼。來格來享，予不知其疆。中書生倚而和之曰：維乾統天，維地勢坤。維皇元廣宇，維至道尊。受有以謙，尚樸斯淳。有禮伊維，有義伊藩。三辰焞焞，百川沄沄。其混合四大，永以固存。（北京志）

〔臣等謹按〕元李洧孫大都賦，朱彝尊惜其未見。今從永樂大典中録出增載，可以證元都之方位制度矣。

補 梁本之爲魯王賀建北京表　兩京肇建，創萬年磐石之基；九譯來王，恢一統太平之治。天人協贊，宇宙騰歡。陛下道冠古今，德同堯舜。如天地之大，萬物涵覆載之中；如日月之明，八方囿照臨之內。於是定鼎在興王之地，建都效卜洛之規。瞻恒岳而控西山，蹐居庸而挾灤薊。壯九重於南面，運啟文明；峙雙闕於中天，高連營室。百工和樂而趨事，庶民悅豫以子來。慶雲見五色於瑶階，瑞日焕重輪於帝座。吉蠲元旦而登五位，式負黼扆以朝百官。道里均平，山川鞏固。於此繼天出治，發政施仁。禮樂明備而三階砥平，垂拱無爲而四方來賀。此所以承天意之所屬，而致宗社於永安也。臣叨守親藩，躬逢盛事。綸音誕布，允爲洛誥定命之書；鴻業告成，載詠鎬京復古之雅。（坦庵集）

原 李時勉北京賦　惟皇明之受天命也，我太祖皇帝首仗義師，以平暴亂。豪傑景從，聲振江漢。削除僭竊，拯民塗炭。定鼎金陵，撫綏萬邦。乃睠茲土，實惟朔方。倣成周之卜洛，欲並建而未遑。逮我聖上，繼明重光。握乾御極，一遵舊章。仁聲洋溢乎遐邇，恩澤汪濊於八荒。既致治於太平，遵皇衢以省方。仰先志之未遂，度宏規以作京。羌經營之伊始，偏夷夏其歡騰。曰惟北都，在冀之域。右挾太行，左據碣石。背疊險兮重關，面平原兮廣澤。宗恒嶽其巍巍，鎮醫閭而奕奕。冠九州之形勢，實爲天府之國。是以軒轅邑之以分州，唐堯階之以爲帝。擴神化以宜民，大動德之光被。鬱王氣之所鍾，於今茲而有待也。於是仰瞻析木，俯測地靈。龜筮兆吉，天人叶應。神祇獻珍而山石自出，河嶽效順而神木自行。民子來兮相續，期不日而功成。爾乃懸水樹臬，識景表營。方位既正，高下既平。羣力畢舉，百工並興。建不拔之丕址，拓萬雉之金城。引天泉於西阜，環湯池而鏡清。九衢百廛之通達，連甍邃宇之縱橫。顧壯麗其若此，非燕逸而娱情。蓋所以强幹而弱枝，居重以御輕。展皇儀而朝諸侯，遵先規而布仁政者也。若乃四郊砥平，王道正直。視萬國之環拱，適居中而建極。其南則萬流宗海，平林蔽天。攬邯鄲鉅鹿之廣衍，眺平疇沃野之綿延。溏淤恒衛經其野，濡磁來桑滙其前。界以大陸廣阿之宏壤，扼以大茂井陘之連山。包絡趙衛，襟帶齊魯，膏腴之地，綿亘三千餘里，而極於黄河伊潁之川。其水陸之所産，卓犖繁盛，蓋莫得而計焉。其北則疊嶂嵒嵬，層巒蔽虧。長城矗乎雲表，百泉湧乎山隈。壯天關而設險，守一夫而莫開。偉左盤而右顧，宛鳳舞而龍飛。實磅礴而鬱積，粤擁衛於邦畿。包狼山上谷之阻，據野狐獨石之危。掩祖山木葉之離立，連白登紫塞之透迤。控邊垣而極乎洮河之北，鎮朔漠而逾乎瀚海之湄。其東則潞河通漕，控引江淮。肥如灤淶，灌注縈迴。連峯片石之隘，首陽崆峒之崖。固已遐哉邈乎，而莫不在乎綏懷。環以大海，衆水所歸。洪濤巨浪，洶湧崔嵬。蓋不知其幾千萬里，而蠻商番舶，帆檣隱天，上下不絶而往來。又有蓬瀛方壺，鳳麟聚窟。十洲三島，靈異非一。流精之闕，瓊華之室。墉城岧嶤，金臺崒嵂。紫氣丹青，景雲矚日。靈囿偓佺，安期羡門之倫，相與從遊於其間，出入隱現而慌惚。瞻帝京其伊邇，庶可見其驂鸞駕鶴之髣髴。其西則崇山鬱翠，高挹泰岱。北接居庸，南首河内。奇峯擁關，龍門阻隘。玉泉垂虹，青烟浮黛。上巀嶭兮倚空，下蟠據而際海。其麓則有渾河湯湯，西湖泱泱。鹽溝琉璃，桑乾廣陽。雲波泛湧，灝溔汪洋。一瀉千里，會流帝鄉。又有上林禁苑，種植畜牧。連郊踰畿，緑邱彌谷。澤渚川滙，若大湖瀛海渺瀰而相屬。其中則有奇花珍果，嘉樹甘木。禽獸魚鼈，豐殖繁育。颮颮籍籍，不可得而盡録。固可以因農隙而校田獵，選車徒以講武事。乃遵國風，稽王制。詔期門，簡將帥。乘玉輅，擁翠蓋。出天關而雷轟，轢芳郊而雲會。非所以威戎誇狄，娱樂騁意。蓋將取不孕而除菑害，狩無澤而順殺氣。謹大易之用於三驅之時，驗騶虞之仁於一發之際。水衡虞人之容與，武夫壯士之奮厲。皆知夫仁者之爲勇，而以投石超距之足鄙。亦何必殄夷禽獸，割鮮野食，而以俯仰極樂之爲貴也？若夫其宫室之制，則損益乎黄帝合宫之宜，式遵乎太祖貽謀之良。居高以臨下，背陰而面陽。奉天淩霄以磊砢，謹身鎮極而峥嶸。華蓋穹崇以造天，儼特處乎中央。上倣象夫天體之圓，下效法乎坤德之方。兩觀對峙以嶽立，五門高矗乎昊蒼。飛閣屼以奠乎四表，瓊樓嵬以立於兩旁。廟社並列，左右相當。東崇文華，重國家之大本；西翊武英，儼齋居而存誠。彤庭玉砌，壁檻華廊。飛簷下啄，叢英高驤。闢閶闔其蕩蕩，儼帝居於將將。玉户燦華星之炯晃，璇題納明月而輝煌。寶珠焜耀於天闕，金龍夭矯於虹梁。藻井焕發，綺窗玲瓏。建瓴聯絡，複道迴衝。軼霄漢以上出，俯日月而盪胸。五采炫映，金碧晶熒。浮輝揚耀，霞彩雲紅。其後則奉先之殿，仁壽之宫。乾清坤寧，眇麗穹窿。掖庭椒房，閨闥閎通。其前則郊建圜丘，合祭天地。山川壇壝，恭肅明祀。至於五軍庶府之司，六卿百僚之位。嚴署宇之齋設，比館舍而並置。列大明之東西，劃文武而制異。至於京尹赤縣之治所，王侯貴戚之邸第。辟雍成均，育賢之地。守羽林而掌佽飛者，至九十而有四衛。莫不井列而棋布，各雄壯而偉麗。其巖廊之上，則有皐夔稷契之倫，元凱俊乂之輩。相與賡虞廷之歌，談羲農之際。罄補衮之能，懷忠貞之志。考禮文於大備，贊聲樂之盡美。是以朝無缺政，德教漸暨。溥海内外，鈞陶至治。幸其有作，聿來趨事。成此大功，忘其劬勩。人和既極，休徵滋至。慶雲瑞靄之覆於闕庭，素烏玄兔之獻於丹陛。醴泉屢出，甘露數墜。麒麟騶虞之珍，馴獅天馬之類。紛紜雜遝，莫能殫記。於以見天眷之益隆，而聖德之純備者也。於是正月上日，工既訖工。爰告成於天地，肆紹美於祖宗。清心凝慮，齋沐肅雍。粢盛既潔，牲牷既豐。芬郁郁以旁達，靈繽繽其來降。錫嘉貺之穰穰，介景福於帝躬。將順應於昌期，趾盛美於無窮。乃服衮冕，御帝座。開九重之深宫，受萬邦之朝賀。内侯甸而要荒，外殊方而異俗。胥近悦而遠來，紛鼓舞而匍匐。方物溢以充庭，奓絢燦而駭矚。率蹈舞於堦墀，效華封之三祝。爾乃浹和會，昭景鑠。鏗鯨鐘，奏雅樂。詔光禄以開筵，合百辟而燕樂。饌珍玉兮芳馨，罍瓊漿以斟酌。聯貂蟬兮夾陛，雜蠻夷之荒服。莫不酣暢而飽德，咸頌歌而踴躍。越填城而溢郛，藹歡聲於寥廓。斯可以媲太古之無爲，慶華胥而蹈栗陸。顧皇上之謙抑，視至治爲未足。於是降德音，播嘉惠。省刑罰，薄賦税。汰冗濁，旌廉吏。舉賢才，擢俊乂。發倉廩，賑貧匱。尊高年而禮有德，慎防禦而修武備。貴爵重賞以厲廉耻，厚往薄來以馭四裔。蓋欲使人知所本，士知所勵。四方萬國，無一民之失所，窮陬僻壤，無一物之不遂。舉陶於春風和煦之中，而樂於雍熙泰和之治，蓋堯舜兢業之心，文王敬止之意。所以紹鴻業，繼先志。益宏遠而有偉，故不勞而甚易。冠絶乎前古，垂休於後世。固可必聖子之與神孫，益昌盛而無替。小臣微陋，忝職文字。願賦帝都之盛概，揚國美於萬禩。復爲之歌曰：煌煌帝都兮逾鎬豐。阻山帶河兮壯以雄。天開日明兮王氣所鍾。穹窿造天兮惟帝之宮。廓氛祲兮開溟濛。鎮夷夏兮宣皇風。王道平平兮四方來同。願皇圖之鞏固，歷萬世兮無窮。古廉集

原金幼孜皇都大一統賦洪惟天朝太祖高皇帝誕膺景命，龍飛淮甸。既渡大江，遂都金陵。撫有區夏，肇造洪基，以開太平萬世之業。逮我皇上繼承大統，克紹丕圖。仁恩誕敷，聲教洋溢。雨暘應期，民物阜蕃。薄海内外，罔不率從。而自莅祚以來，陰陽所和，宵旰拳拳，惟思所以繼志述事，以承太祖高皇帝之意。於是倣古制，肇建兩京，以爲北京實當天下之中。陰陽所和，寒暑弗爽。四方貢賦，道里適均。且沃壤千里，水有九河滄溟之雄，山有太行居庸之固。玉泉之流，經緯於禁籞之中；碣石之壯，盤踞乎畿甸之内。故其山川之壯觀，風氣之清淑，真有以卓冠四方，爲萬國之都會。誠帝王子孫萬萬世太平悠久之基。由是敕冬官洎内外文武百執事經營於兹。而凡民庶士卒工匠之流，莫不駿奔子來，趨事赴功，罔敢或後。遂至天意人心，感孚和同。靈應疊臻，嘉祥屢薦。不數年間，厥功告成，而宫闕府庫之宏壯，郊廟社稷之嚴肅，朝市民物之鉅麗，秩乎其有序，井乎其具列。蓋自古先帝王都邑之盛，未有逾於此者。乃永樂辛丑春正月朔旦，皇上御奉天殿，大朝海内文武羣臣，四方蠻夷酋長，率皆在庭，踴躍鼓舞，以爲皇都之奇麗若此，誠曠古所未見而未有者。而所以爲皇上萬壽之徵，宗社磐石之固，聖子神孫寶祚綿延之慶，皆兆於此矣。何其盛哉！臣幼居禁苑，職業文詞。幸際昌期，躬睹盛美。謹鋪張爲賦以彰太平之偉烈，且以昭示於無窮。其詞曰：維太祖之受命，膺上天之禎符。奮布衣於淮右，提一劍而長驅。乃翦夷於羣醜，悉蕩滌於寰區。既渡大江，金陵是都。虎踞龍蟠，興王之居。爰起鴻業，肇開皇圖。振光華於曠古，恢萬世於宏模。繄我聖皇，祇膺寶曆。奉天勤民，太祖是式。恩覃九圍，仁周八極。雨暘應期，民物豐植。觀四方之清寧，乃有念於京邑。維此北京，太祖所屬。天造地設，靈鍾秀毓。總交會於陰陽，盡灌輸於海陸。南臨鉅野，東瞰滄溟。西有太行之巀嶭，北有居庸之崢嶸。瀉玉泉之逶迤，貫金河而迴縈。瓊島上聳以盤礴，太液下澈而泓澄。將繼志而述事，必於此而經營。乃勅羣工，乃命百職。萬方子來，効勤殫力。萃四海之良材，伐南山之鉅石。感恩意之昭孚，戒經營而勿亟。於是天心協順，靈應彌彰。布輪囷之卿雲，發璀璨之祥光。醴泉湧其浩浩，甘露下其瀼瀼。赫萬靈之呵護，藹瑞氣於穹蒼。乃卜良辰，乃蠲吉日。以相以度，以構宫室。棟宇崇崇，簷楹秩秩。以蓋以覆，陶冶埏埴。以繪以圖，黝堊丹漆。煥五采之輝煌，作九重之嚴密。天地洞開，馳道相連。金鋪絢日，玉柱凌烟。星羅棋列，璧璨珠聯。虹飛霞擁，龍翔鳳騫。

超凌氛埃，壯觀宇宙。規模恢廓，次第畢就。奉天屹乎其前，謹身儼乎其後。惟華蓋之在中，竦摩空之偉構。文華翼其在左，武英峙其在右。乾清並耀於坤寧，大善齊輝於仁壽。豁千門之雲矗，敞萬户之輻輳。至若丹闕巍巍，飛觀凌空。觚稜上聳，閣道遥通。左祖右社，蔚乎穹窿。有壇有壝，有寢有宮。亦有天地，以嚴其崇。復有石渠天禄，以蓄圖書。玲瓏綺錢，照耀文疏。懸牙籤之萬軸，列緗帙之紛如。宛奎壁之宵映，燦藜燈之夜噓。瀛洲文學之士，閬苑列仙之儒。備顧問於朝夕，咸欽仰於聖謨。又若大庖光禄，列乎西東。珍羞駢羅，玉食惟豐。禁城之下，金水溶溶。畫棟凌雲，繡柱含風。璇題耀日，綵橋駕虹。雕甍隱映，寶殿玲瓏。太孫所居，諸王之宮。金枝玉葉，照耀層空。育德講學，宴適游從。若夫御苑透迤，上林深窈。有山有泉，爲臺爲沼。巖谷谽谺，雲霞縈繞。走有奇獸，飛有靈鳥。樂寬閒以棲息，恣回翔以馴擾。復有天閑十二，駿骨軒昂。渥洼神龍之種，大宛名駒之良。並權奇而雄傑，或磊落而騰驤。又若廩庾輪囷，惟萬惟億。豐歲所儲，累世之積。玉粒金稃，靈積充溢。國用所資，人足家給。復有武庫巍峩，戈矛森列。旗幟摇雲，鎧甲耀雪。凛凛白旄，差差黄鉞。四征不庭，以彰九伐。奮軍聲之揚揚，振皇威之赫赫。又若内帑充牣，寶藏紆餘。奇珍異産，海滙河輸。夜光之璧，明月之珠。琉璃翡翠，瑪瑙珊瑚。琲瑮琥珀，火齊璠璵。錦繡迤邐，羅綺芬敷。又若百司庶府，有綱有目。文武頡頏，爲國鈞軸。太學郡庠之並建，琳宮梵宇之森矗。列九衢之坦坦，引六街而相續。閭閻櫛比，闤闠雲簇。鱗鱗其瓦，盤盤其屋。馬馳聯轡，車行擊轂。紛紜並驅，雜遝相逐。富商巨賈，道路相屬。百貨填委，邱積山蓄。又若歌樓舞榭，豔態濃粧。羅袖迴雪，清聲繞梁。管弦嘔啞，狎坐傳觴。娱青陽之麗景，駐白日之飛光。維小大之不遺，仰制度之畢備。斯皆聖智之籌謀，實出宸衷之經緯。儼氣象之一新，壯規模於萬世。屹鴻基之豐隆，偉山河之巨麗。貽孫子以嘉猷，紹先皇之初志。邁豐鎬之舊規，軼漢唐之遺制。於是厥功告成，慶叶天人。乃歲辛丑，維孟之春。王正之月，朔旦良辰。聖皇臨御，大朝羣臣。内外文武，濟濟彬彬。戎狄蠻貊，工商士民。稽首嵩呼，抃舞懽欣。筐篚具列，方物畢陳。以饗以餔，洽此皇仁。大一統而無外，藹至和於八垠。臣忝詞垣，職叨文字。懷眷寵之彌深，愧涓埃之無補。際千載之良逢，幸微生之快睹。傳盛事於將來，奚往牒之足數？祝聖壽於萬年，播皇猷於千古。金文靖集

原 楊榮皇都大一統賦　維皇明之有天下也，於赫太祖，受命而興。龍飛淮甸，風雲依乘。恢拓四方，弗遑經營。既渡江左，乃都金陵。金陵之都，王氣所鍾。石城虎踞之險，鍾山龍蟠之雄。偉長江之天塹，勢百折而流東。炯後湖之環繞，湛寶鏡之涵空。狀江南之佳麗，滙萬國之朝宗。此其大畧也。迨於聖王，嗣大一統。剛健日新，聰明天縱。囿四海以爲家，登羣賢而致用。思繼志之所先，惟都邑之爲重。於是天意鑒觀，人心和同。神靈效順，龜筮協從。既應天以順時，爰辨方而正位。視往聖而獨超，繼高皇之先志。乃相乃度，載經載營。眷兹北京，山川炳靈。其爲形勢也，西接太行，東臨碣石。鉅野亘其南，居庸控其北。勢拔地以崢嶸，氣摩空而崱屴。復有玉泉漫流，宛若垂虹。金河澄波，雪練涵空。膏渟黛蓄，浩渺沖融。包絡經緯，混混無窮。貫天河而爲一，與瀛海其相通。爾其派連析津，源分潞水。既環抱以縈迴，亦瀰空而清泚。來職貢於四方，通檣帆於萬里。至若王畿之内，輦轂之間。沃野瀰望，原陸寬閒。烟火相接，雞犬相聞。宵無警柝，外户不關。以牧則蕃，以種則穫。以佃以漁，以耕以鑿。隨其所營，皆得其樂。而其爲都也，四方道里之適均，萬國朝覲之所同。梯航玉帛爲都邑之會，陰陽風雨當天地之中。

爰勑臣庶，爰伐材木。南浮湖湘，西入巴蜀。斧披虹霓，聲撼山谷。徂徠之儲，新甫之蓄。楩楠杞梓、杉櫧梩櫨。不梢橫青天，根連地軸。鉅細畢輪，長短悉録。駕雲車之百輛，振龍驤之萬斛。紛紜輻湊，彌布川陸。厥材之良，不一而足。若乃美石比玉，自古所稱。瑩者如圭，潔者如瓊。温者若璐，潤者若瑛。以靡以礱，乃堅乃貞。鏗林振壑，馳飈驚霆。千夫所攻，萬里啓行。山靈助其光華，坤后發其精英。豈碔砆之敢混。實寶玉之争呈。若夫坎離播功，坤艮合德。出於陶冶，成於埏埴。飛紫燄於半空，結祥烟於八極。或規以圓，或矩以方。粲琉璃之一色，耀文采於中央。或肖形於獸吻，或擬質於鴛鴦。於是良時載啓，吉旦既卜。臣庶駿奔，滃若雲矗。源源其來，登登其築。百堵皆興，萬夫相屬。行若魚貫，立若鱗蹙。斧斤揮霍，尺度攢簇。由是賁育効力，公輸獻奇。曰殳曰斨，伯與暨倕。攄厥巧思，運厥神機。各効其能，以見於爲。顧小善之並録，矧妙伎之或遺。羣材硍磊以山積，鉅棟騰躍而翬飛。爾乃九門洞開，三殿攸建。觚稜雲聳，丹漆霞絢。輦路逶迤，閣道迴轉。華蓋屹立乎中央，奉天端拱乎南面。其北則有坤寧之域，乾清之宫。璇題耀日，寶柱凌空。金鋪璀璨，綺疏玲瓏。珠玉炫爛，錦繡丰茸。葳蕤起鳳，夭矯盤龍。千門瑞靄，萬户春融。其南則有午門、端門，左掖、右掖。丹闕峙而上聳，黄道正而下直。豁大明之高張，屹正陽之拱挹。繚周廬之穹崇，蔽重甍之護翼。其左則有宗廟之祀，以奉祖考。仰在天之神靈，隆萬古之尊號。謹歲時之蒸嘗，薦純誠於蘋藻。其右則有社稷之靈，以崇祀享。氾壇壝之肅清，通神祇於肹蠁。爰春祈而秋報，用昭答於靈貺。若夫乾清之前，門列先後。日精月華之對峙，景運隆宗之並構。謹身翼乎其前，仁壽屹乎其右。又有奉先之祠，大善之殿。文樓、武樓之特聳，左順、右順之並建。若乃震位毓德，文華穹窿。亦有武英，實爲齋宫。有天財寶藏以貯珍貨，有大烹光禄以典飱饔。寶善在左以翼翼，思善居右而崇崇。若夫欽安之後，珠宫貝闕。藻繡交耀，雕櫳巀嵲。六宫備陳，七所在列。親蠶有館，繅絲有室。二南詠歌，播於篇什。輔德相承，風化洋溢。皇城之外，殿宇魁渠。有翼有嚴，太孫之居。金水之濱，瑶階玉除。梁棟巍巍，上凌太虚。爲諸王宫，翊衛皇圖。星羅棊布，以臨九衢。至若文淵之閣，秘書之府。纂述乎今，儲蓄乎古。汗牛充棟，莫知其數。牙籤迤邐，緗帙旁午。粲奎壁之上連，赫虹蜺之夜吐。若夫飛閣峩峩，實爲承天。繡楹霧簇，畫栱星聯。踞石猊之盤礴，竦華表之巋然。至若南郊之設，特超古制。圜丘方丘，不岐以二。合祀於中，父母天地。壇分內外，二十有四。羣祀有典，百神有位。惟我太祖，實配上帝。乃歲孟春，三陽之始。吉日斯蠲，祀事有備。薦以粢盛，泛以醴齊。豆籩秩秩，庭燎晰晰。鼓鐘戒嚴，鑾輿至止。儼對越以升中，祝蕃禧之攸萃。至若山川有壇，先農有祀。馬祖旗纛，各以時祭。寅畏恪恭，罔有弗至。若夫稽古建官，爲民之牧。内外相承，各率其屬。至若黄門給事，青瑣仙班。典内庭之封駮，近咫尺之天顔。復有文翰之林，詞藝之苑。處嚴密之清禁，列英華之妙選。優游玉堂之署，出入金鑾之殿。擅瀛洲之美譽，承黼扆之清問。至若鳳池之職，尚寶之司。掌絲綸於紫誥，典符璽於彤闈。有宗人以統天潢之派，有銀臺以通喉舌之機。若乃六卿分職，位躋台鼎。贊廟堂之謨謀，總藩方之政令。至若憲臺之任，風紀是司。誠耳目之所寄，實法度之攸施。若夫都府有五，軍政是宜。奮貔貅之將士，耀霜雪之戈鋋。保圖輿之按堵，掃絶漠之烽烟。至若都邑有庠，辟雍有學。育才於兹，以儲以擢。若夫容臺典祀，士師明刑。錦衣總夫儀衛，巡警係於五城。鴻臚謹朝謁之禮，太僕司監牧之名。京畿布列於州郡，田野參錯於屯營。至若奉神有祠，報功有廟。梵宇琳宫，光輝朗耀。倉廩之積，如坻如京。露積紅粟，陳陳相因。鎧甲晶熒，士卒精鋭。靡强弗摧，靡堅弗碎。騂騮騏驥，騕褭驌驦。宛冀之駿，渥洼之良。充於内廄，磊落騰驤。又有福山後峙，秀出雲烟。實爲主星，聖壽萬年。層嶂壘擁，奇峯相連。鼓鐘有樓，其高接天。勢若貫珠，萬里綿延。若乃朝市既成，井邑斯列。閭閻輻湊，闤闠有截。豁九達之通衢，羅萬室之如櫛。富商巨賈，肩摩袂接。北通朔漠，南極閩越。西跨流沙，東涉溟渤。來百貨之縱横，雜輪蹄之填咽。珠璣爛其煒燿，羅綺燦其騰沓。至若青樓並峙，綺榭相連。妖姬窈窕，豔女嬋娟。穠妝競倚，粉黛争妍。引歌喉之宛轉，迴舞袖之蹁躚。極酣嬉於暇日，窮勝賞於芳年。至若太液之池，萬歲之山。澄波瀲灔，層岫巑岏。開闔蔽虧，縈帶迴環。竦飛樓於晻曖，敞貝闕於巖端。門臨碧蘚之磴，橋架玉虹之灣。晴光出乎軒檻，飛翠灑乎闌干。瞻廣寒之月殿，撫桂樹之團團。爾其瑶草葱蘢，琪樹羃䍦。長松之盤，古栢之直。修篁烟挺，老檜雲積。瑰偉之姿，奇異之植。蓊然其陰，嫣然其色。宛蓬瀛之在兹，恍塵凡之遂隔。至若上林衍沃，靈囿逶迤。瀦以碧海，湛以深池。百草緑縟，羣卉芳菲。寬閒薄乎禁籞，平廣屬乎坤維。樂鱗介之游泳，縱毛羽之離褷。乃有騶虞效祥，麒麟表瑞。白質黑章，麕身牛尾。神鹿貢於遐方，白象出於南裔。倏元兔之繼呈，忽天馬之沓至。復有馬哈福禄，厥獸殊形。駝雞之異，白烏之禎。奇姿詭態，率舞縱横。隸首莫紀，伯益難名。至若地祇協順，天心昭格。嘉祥疊臻，靈貺蕃錫。神木不運而自行，祥氛焕發於巨石。忽靈蛇之前導，現大青於沙磧。瑞光熀乎半空，卿雲縵兮五色。醴泉湧兮瓊漿，甘露湑兮玉液。靈芝産於碧山，景星見於南極。秃千兔以難窮，殫百喙而莫悉。然而歷觀前代，迄於往古。帝王所都，難可畢舉。豐鎬之美，崤函之固。宛洛之奇，汾晉之富。雖或雄據於一時，控馭於中土。而於今兹帝都之壯麗，又豈可以同年而語哉！迺歲庚子，告成厥功。辛丑正旦，方春和融。聖皇御寓，萬方會同。百辟卿士，肅肅雍雍。蠻夷戎狄，罔不率從。戴白之叟，垂髫之童。且欣且抃，拜舞呼嵩。仰祝聖壽，萬福來崇。慶此皇都，佳氣鬱葱。擴基圖於萬世，偉壯觀於九重。真帝王悠久之業，據山河表裏之雄。然而聖天子以六合爲家，以四溟爲池。以仁義爲干櫓，以禮樂爲藩維。不恃險以爲固，惟在德之所施。至和塞乎穹壤，恩澤洽乎華夷。致九有以寧謐，躋萬國於雍熙。此其所以德侔乎堯舜，道合乎軒羲。窮天地亘古今而莫能與齊也。臣職禁垣，叨蒙眷顧。謭陋是慚，涓埃莫補。覩皇都之巨麗，壯宏規於往古。潔泓穎於長辰，陳盛事以爲賦。又從而爲之歌曰：翼翼皇都，萬方之會兮。聖德之宏，實同覆載兮。聲教所暨，一統無外兮。又歌曰：皇都翼翼，民之所止兮。惟皇萬壽，福禄無已兮。聖子神孫，寶祚萬世兮。

楊文敏集

原 胡啓先皇都大一統賦　若有儒生小臣，好古躭文。遠稽虞夏商周之載籍，近閲秦漢唐宋之遺言。於是歷冀亳而覽豐鎬，睇咸陽而望長安。仰東西兩京之制於往昔，覩南北二京之壯於今日。載閲淮濟，載涉河易。爰眄太行，爰俯碣石。顧并營以徬徨，履滄薊而踟躇。觀於都城，則氣象宏廣。卽夫山川，則形勢雄壯。其物産之利素豐饒，其人民之俗尚義讓。乃上天之眷命，而聖人之化成，實在於斯。故我朝肇建皇都，而天下一統，宜在於兹耶！方歎慕而未已，若惝怳而何之？迺有先生長者，雍容怡愉，邀坐而問曰：吾聞登山者必卽其崇岡，涉海者必測其汪洋。今子游觀於皇都，能舉其大綱乎？願聞其説。生曰：唯唯。生雖不敏，請陳其概。夫四通是交，八達所會。水走舳艫，陸奔輛載。星拱萬國，囊括四海。其宮闕則奉天、華蓋、謹身三殿以正位乎外，乾清、坤寧兩宮以正位乎內。位夫西則武英爲晏居之密，位夫東則文華爲繼體之大。其尊卑以天地爲法象，其交構與陰陽相合配。駢集夫杞梓之材，文彩夫玄黄之繢。既觀天而穹窿，極磐地而磊塊。民庶咸子來，工師呈巧最。實所謂華美而不奢泰者也。其都城方廣萬雉，宏闢九門。建樓設閣，通道達闤。晨鐘暮鼓，更别漏分。士夫林立而商賈雲屯者也。先生曰：此特宮闕城郭之美而已，願更其辭。於是生復請曰：今之皇都，古之冀州。伊洛距其前，恒嶽倚其陬。環西山而作城，界東海以爲溝。羈梁雍而絡青衮，控戎貊而御吴甌。導江淮以共注，引河濟而北流。即金臺瓊島之可登望，撫太液盧溝之可泳游。阻居庸古北以爲關，則遠人震懾；闢趙魏齊魯而成衢，則侯甸來朝。故宜帝王之都而爲萬世之良謀。此太祖之所以創業，而皇上之所以闡皇猷也。先生曰：此亦山川形勝之概而已，願悉其大。於是生復請曰：地土肥腴，千里巳壤。良木冬榮，嘉禾夏長。松柏檜樟，梨栗棗橡。成林叢生，干霄直上。黍稷稻粱，桑麻菽粟。豐年蔽野，暢茂接屋。一夫所耕，十夫是足。一歲所穫，三歲之蓄。於焉充棟而資廟廊，供粢盛而具廩禄也。又有珍禽異獸，則若鷹鸇鴻鵠。熊猿雉兔，虎豹麋鹿。翺翔郊藪，馳驅林谷。隨取而獲，應捕成觸。於以備畋獵而具蒐狩，供宴饗而資庖肉也。先生曰：地利之美可以養人，而非所以成化者也。於是生復請曰：方今四海一家，萬夫同志。典文治者咸臯夔稷契之徒，任軍旅者悉吕召孫吴之類。故六卿協衷，而五軍整礪。加之居藩鎮者各恭厥職，處守令者咸敬乃事。是以郡禮樂而邑詩書，家和睦而人孝弟。農樂耕稼，士懷忠義。商通貨財，工精技藝。梯航而來，襁褓而至也。先生曰：子知所以化及於人者，然猶未推夫所以受命於天者也。於是生復請曰：陰陽調和，四序順理。雨暘以時，寒暑應氣。慶雲見乎天，醴泉出乎地。麒麟貢而鳳凰來，龍馬獻而獅子至。以及景星甘露之祥，芝草嘉禾之瑞。白象元兔之奇，素烏鸚鵡之異。自皇上纘大統基皇圖以來，莫不駢臻而畢萃。於以見上天眷命之隆而帝皇萬世之兆基於是也。先生曰：子知天命之所在，然猶未究夫感化天人之大本也。於是生乃載拜而復請曰：維我皇上，聖神文武。德合天地，道貫今古。其繼天立極，與伏羲軒轅同制度也。其化成天下，與唐虞堯舜合規矩也。其順天應人，與商湯周武協律吕也。故宜建宫城以爲居，保山川而自固。因地利之豐盛，獲天人之順助。爲天地之君師，作萬世之父母。尊居天位，安享國土。言未既，先生大笑而語曰：斯言盡之，可書以爲皇都大一統賦。文翰類選

原黄佐北京賦　粤若稽古，帝軒都涿。高陽幽陵，宅縣北廓。堯之爲君，始於唐而建國，周封其後，亦於薊而列爵。帝德丕隆，莫尚於燕。明庭萬靈之所朝，光被四表之所先。夏后治水，則夾右碣石；召伯分陝，則錫山土田。所謂王不得則不王，而秦漢乃棄置於窮邊。遼則南京始建，而中都大都遂代興於金元。天將俾於有德，於是文皇肇建爲行在。應大興之顯符，光黄唐於遐代。北平易名以順天，旋坤軸以正乾蓋。此實天府之國，乃混一之大都會。其地博大以爽塏，亘若繩直而砥平。倚重險而壓函夏，屹若坐堂皇而睎廣庭。盪幽并之氛雺，揭日月於泰清。峩端門以普照，合宇宙而大明。惟帝降祥，匪人弗成。假手於至元而豫兆是名矣。蓋淪胥五百歲，天運剥極而後復。析木開津，玄冥司柚。望醫閭以爲鎮，宗恒山以爲岳。水環繞以爲員，山雄峙以爲幅。崿峪叢乎沙渚，陂淀注乎旱麓。儦儦而牧者五擾之畜，穰穰而穫者五種之穀。朝宗則河濟淮海，守險則漁陽上谷。儻慝謀之不臧，奚景命之有僕？

聞築黃金之高臺，思展賢才之驥足。求文武以戮力，遂永綏乎天祿。及至定京師，建辰極也，縣水樹臬，規元矩黃。晷緯冥合，龜筮襲祥。營繕釐其務，司空提其綱。命離婁使布繩，施隸首之算章。枕居庸於紫塞，環瀛海於扶桑。襟滹沱於清苑，擁太行於雒棠。廣九門以通軌，摹八區而辨方。地不愛寶，天降珍物。神木自行，山石自出。巧倕公輪，剞劂緻絏。獻俸捐金，功成不日。闉重城於天陔，森飛觀之盤蔚。長虹帶通壑以委蛇，萬雉冠崇墉而律蹁。肇道纚屬，朝著彪分。周廬拱衞，列應星文。長安人逵，冠蓋繽紛。其下九涂，簇集轒輼。曳髮編芒，鋪若烟雲。戎匠受役，伎藝精勤。角隅珥市，鄽隧孔殷。疏櫰映肆，散帙典墳。鼓篋固多彬彬文雅之士，而感慨悲歌者亦任俠而成羣。於是邸舍填溢，履不容旋。紅塵冥冥，幕面赬肩。妁婥女士，輜帷高騫。明眸玄鬢，金翠翩翩。當拆笄而易珈亦黯妝而逞妍。貴璫要鉉，子姓童隸。僭侈自雄，司察反避。衣狐白而策乘黃，摟姬姜而棄憔悴。昏酣睚眦以執讐，旦暮椎埋而弗忌。京游之士，實繁有徒。通籍禁闥，噓榮噏枯。賂之則升天階，忤之則淪淵壚。豺狼晝伏於當道，而惟詷彼稷鼠與城狐。至於翺翔四郊，走田飛弋。鬭雞蹴鞠，罔事貨殖，儵掣金以訾價，俄躍馬而鳴鏑。詄皇路於天衢，是以姦慝發而亡蹟。蓋圻甸提封，會歸攸止。險其走集，守其要鄙。兼夏商之職貢，奄秦漢之文軌。梯航絫乎九譯，廄置通乎萬里。其陰則天壽磐固，長城崔嵬。古北喜峯，蘭峪黃崖。重關疊嶂之概天，守以一夫而莫開。彈琴鳴乎其峽，黃花鎮乎其隈。大翮越乎湯峪，嬀川流乎懷來。野狐獨石之巃嵸，龍沙瀚海之瀠洄。攬形勢於開平，邇龍虎之璜臺。北征於時而振旅，霓旌參簇乎斗魁。酌葡萄之玉液，旃裘伏而獻醅。其陽則三橋萬柳，玉河通惠。潮白桑乾，百泉所會。緯以涞易磁濡，經以淤溏漳衛。掖以大陸封龍，環以井陘無棣。襟黃河而帶伊潁，絡齊魯而苞趙魏。登披雲以延佇，見天津之遝澨。東吳輸乎秔稻，叢雲颿以如薺。鱗介泳於川湄，萑葦紛乎旆旆。海陸産乎珍美，雖林閭莫能以淵計。東郊則有潞河之灣，通漕之流。控引江淮，運集粻艘。萬國冠裳，以發以休。玉田黍谷，蒙繹之罘。跨遼瀋而踰鴨綠，山川罨藹而相摎。嗟燕昭之妄謬，迎羽人於丹邱。汎延芳於漷陰，得契丹之莽洲。鶖鶩散而海青翥，尚餘回極之浮浮。西郊則有玉泉垂虹，西山積雪。西海瀲波，流入皇闕，盧師二龍，蜚遯潭穴。平坡翠微，玉華屏列。潭分玉淵，蕭爽皎澈。崆峒石經之夭蟜，大房孔水之融結。越鹽溝與劉李，乃縱志而舒節。過督亢之荒陂，悲丹軻之計拙。返薊邱而眺廣陽，躧齊政而蔭禪樾。渺西湖之蒲荷，絕龍舟之纜檃。水天混而光流，涵沙禽於鏡月。爾乃朝陽近郊，將臺威陀。偃武云久，講藝投戈。崇文覲路，曲接海涯。率茲潞渚，至於白河。直沽湍瀉，灌溉靡多。開鑿成堤，大有麥禾。穰穰歲穫，富我天家。正陽之南，苑囿閬拓。三海汪洋，四序弗涸。按鷹有臺，飛放攸泊。狐兔噳噳，麀鹿濯濯。浮飲衝波。宛潬灌汋。其淵則有文蛤水馬，朱鼈金龜。絕綸巨鯉，衝罟奔鯇。鰼鰼繁於涿光，鱐鱐詭於靈蠵。其坪則有雲木烟蘿，森森裊裊。堤柳汀蘆，綿梨火棗。梧竦鳳條，槐舒龍爪。猋至紛披，與波浩溔。其亭臯則有雁鶴鵝，有鳧鴛鴦。水宿萬羽，叢洑迴翔。其叢伊何，葭菼蒼蒼。蘼蕪芣苢，藁本莎香。射干陵苕，堯韭禹糧。芙蕖菁莪，兔絲鹿腸。其奧壙則多松櫻榛栝，楓楊楸檖。箘簬梗梓，梅杏棠棣。六駁四照，日爣雲芾。雨瀫風胎，並育庶類。猿鶴蜚征，經息百態。上有捕雀垂蔦之綿鸓，下有嚇虎綴毬之刺蝟。初疑趨撲之可及，倏已騰躍於無際。區彌祝栗，界軼眩弓。丹翠芼藪，仰不見空。映流溢望，瀲灩成烘。暘不漏景，陰不翳風。密孕元氣，昭鋪化工。鳴嘷互而域別，谷籟答而響同。虞官待狩，玉鑾間入。扈以羽林，騎而袴褶。長圍漸合，羽毛畢集。軒距來而韇忘歸，奭觩軩而佽決拾。韝適脱而戾穹昊，倐甫解而麄遐隰。於是旃門張，華旃揚。凝筎鳴，疊鼓鼙。迴飈颸，起焇烊。發矢命中，巧於更嬴。𦊅結而震網摇，撞䟽而坤軸昂。翩翩匿爪而迅攫，衛衛掀斷以交鏘。其獲如雨，割鮮舉觴。羣工霑醉，分𦍩賜盼。蓋講武事於農隙，而匪遊豫於太康。爾乃西循宣武，越彼金岑。草場蕃育，舒雁翰音。野塘皃藻，唼呷浮沉。至於阜成，苑開上林。蓊蔚薆薱，蓏果成陰。崇桃蕡實，乃玉乃金。花紅青翠，香水黑檎。朱櫻素柰，若榴丹椹。虎刺班於榅桲，蘋婆咻於來禽。英絡其間，蟬秒相引。亦有嘉蔬，綺葱豐本。黃芽赤根，天花石菌。蕪菁芸臺，葵茄薑堇。萊菔頳於夏尃，水蘇脆於冬笋。逆蕿循崖，元厲赤脂。青蒙白堊，金星畫眉。貞珉類玉，可碣可碑。宛平瀛壤，陶爲琉璃。光瑩鑑人，結毿成曦。雖拳石與撮土，亦鍾淑而懷奇。遵西直而北指，經得勝與安定。憩東直而迴眄，歸瑜珈之海印。集毛羣於幽都，以谷量其孳孕。陋彼周宣之考牧，匪直牲牷之肥腯。至乎御馬之苑，惟二十區。日閑輿衞，歲産龍駒。肇昔八駿以靖難，迄今七驥之翰如。乃有榜葛麻林，麒麟並車。周郊石固，迭獻騶虞。福禄文逾於吉皇，元虎豪勝於黔菟。馬哈雙角垂腰而類獬，駝雞元翎玉翮而異鵌。凡致諸福之物，有王會之所未圖。而歲革月化，莽爲藪區。尚存馬政之流弊，民瘼奚繇而告蘇？然而始設京輔之屯，分自留衞之半。起富民以充殷實，於以均貧而杜亂。於是弛真定廣平鹻薄之田賦，與河北滄濱之鹽税而不算。時築雲代之墩臺，歲防河間之水患。於萬斯年，既隆内治而謹外扞矣。馭世長策，豈非超黃邁唐爲百王冠者哉！其宮室也，闢丹地之焜煌，閌天閽以高驤。垂若華之景曜，儷望舒以相頏。晃𩏵萬疊，熻欻舒遌。螭旋鱗萃，屹若崇岡。抗浮雲而上征，亘玉繩以齊光。正殿則奉天尊嚴，陵霄填極。華蓋承宇，居中儼特。謹身聯後，益邃以侐。繇邈豐彤，摎羅圾減。重陛雲簾，花礎盤碣。四面軒除，下甃瑶城。瑣窗藻井，間金繪飾。上規圜以穹窿，下矩折而繩直。楹繞金龍以甄甍，櫓騰神鳳之翬革。繽紛九采之璀璨，罨畫罘罳之絡繹。其前則奉天之門，常朝是衙。𣟴聆倜儻，岳岳峩峩。飛宇建霓，枌栱蒸霞。陰虯負楄，陽馬承阿。中奠黃屋，鏤以金華。結臺開軒，含景敷葩。八維像乎紫極，四表達於絳河。遏緒風於間隙，流旭日之靈龢。閶披四目，陛納九齒。明翼等威，玉笋攸止。鬼瓊樓而立兩旁，文武分而鼓鐘峙。出掖門之東西，棕蓬延而對起。曰思善與景運，於左右而迤邐。雲闕翔五鳳於璇霄，玉橋亘三虹於金水。直廬宿衞容裔於前，而斜廡矗矗乎其相睥。午門之内，殿閣嶙峋。東有文華，蒼龍守闥。上憲攝提，析木之津。先聖先師，祠禮惟寅。啓榣山之碧鏤，蹠菿邱之廣輪。扈以文淵，東觀與鄰。史館聯開，雕牖相因。册府甲觀，圖書萃珍。西有武英，金虎環陛。象彼觜觿，衡石積儈。虹梁鯨棟，巘𡼖迢遰。端居存神，修令發制。牙璋葆旅，猋動靁厲。百爾幾務，罔有停滯。左入太廟，逌廟街門。四孟時享，對越駿奔。東建齋宮，高廣端正。簡樸無華，遹萃誠敬。宫垣之外，東苑是營。坦涂豪徼，遞接南城。濬洫嬰堞，靚深覭窅。夾路嘉植，攢峯開沼。林霏幽坱，石瀨迴繚。天然縣圃，中有壺嶠。時端陽，翠華翔。建鶩棚，集龍驤。擊綵毬，射垂楊。帝子王孫，金玉交相。薄言觀者，股肱之良。勁捷驩謀，藻詠柏梁。永樂之世，角藝惟常。亭臺經始，宣朝雅制。天順復辟，式廓以麗。龍德之殿，栱棖正中。崇仁廣智，左右相雄。彤墀瑶砌，璧檻綺櫳。其門則丹鳳在南，蒼龍在東。殿後秀巖，翠黛騰空。環屹運之團殿，聳縹緲之奇峯。巖亭旁跱，凌雲御風。玉梁在前，追琢𤩽瓏。夾以天光雲影，表以戴鼇飛虹。永明佳麗，窈窕相通。環碧在陰，淙淙溶溶。錦鱗文禽，喁喁噰噰。淨芳瑞光，門闥穹窿。跨以翔鳳，梯霄頫濼。別有閒舘，嘉樂昭融。出入東華，是謂南宫。凡其金鋪朱户，莫不掩映乎芳叢。聖皇大孝，世廟觀德。易乾德以重華，列鴻慶與崇質。仁以欽天，孝以追先。二閣並樹，巍乎焕然。浮丹麗紫，納雲冠月。負扆萃誠，達乎天闕。協鴻名於大舜，終以崇先而昭揭。右社街門，入祭社稷。爲民祈報，如幾如式。又有西苑，越在子城。入自西安，出則乾寧。萬歲之山，秀拔峥嶸。太液之池，環抱泓渟。雖名由元立，天肇明禎。然徙宋艮岳，延引玉泉，則金代之所經營。其遵甕城而陟丹梯也，攀承光之金殿、躧飛鯨之石梁。踰數百武，則鐵縴丹檻，浮游蘭槳。達瓊華島，登廣寒殿而超方羊。邇而睇之，玉蝀金鼇，堆雲積翠。坊表金碧，照映松檜。遠而望之，崧岱並立，大河横帶。俯視江淮，一目無際。恍若淩倒景而躡鵬翎，入鈞天而聞鳳吹。飄飄霞舉，豈非快哉？梳粧高臺，已化蔓草，而仁智列楹躔山半者，亦幾經興廢矣。介福延和，厥門尚存，而昭行殿建自先朝者，實爲大觀。東有凝和，陸離駁騅。浦溆烟綿，龍舟鳳舸。西有迎翠，遥挹山光。林幽鳥悦，岑蔚翺翔。東北太素，草繕堊飾。質任自然，如植圭璧。九島池北，涵碧亭亭。丹檻翠牖，隱映淵瀓。緣厓徂東，樂成觀稼。雲碓風輪，千以舂杵。承光南澥，崇智在兹。金蓋玉檻，旋匝循磯。芭蕉園南，灌水葳葳。曰照和者，越紅亭，闢黄扉，而見水田農舍，乃知小人之依。從南臺，達西堤。過射苑，轉芳蹊。入兔園小山之門而蹐焉。洞泉九曲，金龍注池。松蘿陰陰，居然青谿。出園東北，瞰池倚壁，暨後左門，亦寘翼室。各有平臺，迢遥靖密。武廟於斯閲騎射，而吾皇恒以延輔弼。軒曰遠趣，館曰保和。亭則歲寒飛香與擁翠，映暉會景與澄波。飾爲錦芳，亭前有沼。啓閉通池，花卉圍繞。翠芬出於竹陰，寶丹藏乎樹杪。玩芳距凝素以芬葍，臨漪偭美金而濚晶。皇營新殿，清馥是名。芝楣繡栱，虹植雷衡。耀碧霄以徘問，垂毓華之光晶。牡丹紅藥之屬，普受和氣而嘉生。至於園有丹桂緑椒，渚有芷蒲蘅杜。而鸂鶒天鵞諸栖泊者，又莫知其數。鬖獅異獸，石臺銅柱。牧放其間，匪直斑龍與縞兔。周文靈囿，於焉再睹。蓋自玄武門外，出北上中，山勢蜿蜒而未窮。其下周迴，百果蘢蓯，出其委翳，回眄天池翠島，真蓬萊之在九重也。迺立保泰，格於元極。殿聯無逸，所重民食。亭揭豳風，耕籍黍稷。倉曰恒裕，扉曰寶穡。壇祭穀祇，五福時錫。復有蠶氏之館，採桑之臺。以備親蠶，繰織剪裁。修飾仁壽之宫，踏六鼇而造三台。嘉禾連穎，甕繭成筐，則奉慈闈而進仙杯，緹幙鬖鬆，鳳車徘徊。而神御望清之閣，頫清虚而洞開。於是見皇心仁孝，愿元真而洽滄厓。乃若後宫則有奉先之殿，次以奉慈。禘則太先，永言孝思。配帝明堂，睿宗惟宜。夙御景神，寶善慎獨。休明昭融，迎祥安福。玉戺金扉，祇祇肅肅。清寧之宫，棕殿以朝。後園炫映，樹玉池瑶。乾清坤寧，兩儀成象。純殷寶勢，闉闕相嚮。房闥内布，綷疏外陳。六宫旁列，爰處妃嬪。東則延祺、鍾粹、毓德，西則啓祥、隆禧、景仁。複道迴衝以聯絡，掖庭阿那以冞循。百子符螽斯之蟄蟄，千嬰應麟趾之振振。碧瓦鱗差，朱門雯艶。欽安中黄，表儀四極。雕欒鏤楶，蕙樓椒壁。髹彤殷乎珠櫺，芳馨流乎翠帟。明珠燭元夜以爲晝，列錢耀白簡而成色。居瑶光之壺奥；御瓊珍之象席。銅龍毖節其興居，銀鑰嚴坊於昕夕。日精承千祥之滋至，月華炯百福以翌翌。東宫左達，鶴禁逶隨。西内作對，燕居惟時。黝儵麗嫺，安樂且綏。撤大善而燬佛骨，崇聖學以恒緝熙。堂有精一，執中弗違。室有恭默，匪道弗思。齋有九五，天德是祇。亭有敬一，御箴永貽。乃宬皇史，以寶芳策。今可述而古可稽。皇城東南，嵩宫宏啓。長孫所居，軒墀戢舂。東安巽隅，十王有邸。差次儷陳，皇皇韡韡。前星重輝，天潢分汜。萬桷鸞浮，千楄鳳起。追夫光禄大官，六科黄門。

尚寶之司，亦瓓東安。黃衣有徒，灑掃供事。儀文璽綬，以及櫪駟。監局之號，二十有四。銀璫珥貂，時維閽寺。出入絳闕，捧擁坰輿。遵我綸綍，敬慎不渝。於時天顏正，王道復。顯巍巍，徽穆穆。昭景鑠，絶芽慾。龍威元端，齋明盛服。貫魚有序，六尚分局。永巷愔愔，皎若承旭。出納精微，無遠弗燭。乃若九門中恢，京城之前。孔道馮隆，其直如弦。文皇肇祀，合地於天。岌集靈壇，接以山川。制倣留都，獻歲揭虔。壇分四郊，吾皇攸建。乾父坤母，南北祼獻。兄日姊月，東赫西烜。二至二分，受釐錫羡。祈穀舞雩，亦罔不徧。昭明寅畏，用德克堪。卿雲呈絢，湑露飛甘。六幕清宴，百嘉鬯覃。窮靈極祉，有圖牒所靡談者矣。是以白環碧砮之貢，日旅彤庭之琛。星聚河清之歌，歲登樂府之詠。僸侏之從王化，猶洪聲之收清響；雕題之樂神州，若游形之招惠景。會同之館，惟見其來；烏蠻之驛，不聞其憒。擕旄倪而爲家，日嬉遨乎市井。觀治化之元同，徵邊陲之無警。爾乃設官分職，宅俊陟明。長安左右，三事九卿。文武分闥，曹司坒扃。玉河東西，詹宷翰瀛。太醫列院，欽天步星。太僕設寺，考牧於京。鴻臚行人，各守典刑。督府參以奉常，法司聯乎貫城。五軍之外，三千奇兵。益以神機，爲三大營。簡其精鋭，則立團營十二，丕振乎天聲。然猶偃戈鋋，修俎豆，而樂育胄監之英。是以宣后儲神，矢詩於穆清。北望崇文之閣而思天下化成。承天之門，貝瞻攸聚。月朔京尹，率見宣諭。黃圖璀錯，正厥税賦。太倉儲粟，積墆紅蠹。督以司徒，出納俵濩。北控九邊，是致是附。垢玩綦於正德，四家盭乎百度。鎮卒不留屯而折色是需，鹽商不詣邊而轉運民部。墩臺日傾，什伍暴露。諳達内侵，皇赫斯怒。尚賴乾符助順，坤珍助富。邊郎萬鎰，賫徧於長城；工程百爾，惇大而成裕。苟徒苦節，篤言守素。則是絶文字而結繩，棄冕綖而冠布也。爾乃練時日，選車徒。萬乘出，七萃驅。稜恩揭殿，陵祀之居。行宫開闕，沙河之徒。思先靈之陟降，越昌平以北盱。精禋畢，戒射夫。弋欽鴀，殪封狐。貙氓麏至，梟獍畢屠。銀山鐵壁，陽翠軍都。星奔電擊，冀馬燕弧。田獲庖充，爰賜大酺。乃幸九龍之池籞，時聞萬歲於寥廓。大烹陳，鞮鞻作。天酒熏，皇情樂。薄暮言旋，軍麾動乎朔漠。皇不自聖，周爰諮謀。勳戚鼎輔，召爾前旒。足食足兵，幃幄運籌。内帑充乎十庫，外庾貯乎通州。鉱榥芻粟，飛輓若流。築外羅郭，紓南牧憂。蘢礲金墱，枚枚雉闟。包括崇文，竣於宣武。黔首樂依，光我成祖。建旄干以標望，不可仰而可俯。雖使都盧之巧捷不敢以投足，翔鶤之扶搖不得以運羽。由此論之，策天功以臻成，必有非常之元。不惜小費，乃罔後艱。是故衿帶周則保禦易，楨幹固則搖拔難。淵源深則瀾派浹，盤根大則奕葉繁。盍觀諸天乎。上掍三光，下輪厚坤。連珠合璧，日則發斂而不憚其煩。迺能榮百昌於萬古，鋪元氣於人寰。

泰泉集按：諳達，蒙古語夥伴也。舊作俺答。今譯改。

欽定日下舊聞考卷七

形勝

補余光北京賦　夫燕之爲都也，疊以大行五華之障，函以軍都湯峪之屏。表以岱嶧之罘之鎮，觭以盤龍密雲之嶒。帶以白潞渾源之川，鞏以漳衛直沽之津。扼居庸以制勝，若乘高而建瓴。擁燕雲以馭夏，若坐堂而俯庭。挾關中於西阻，陋中原於四馳。卑齊魯之東藩，迸吴越於南陲。固華腴之上土，天地之宏畿。廣六合以爲宅，極八表而横披。封畿四環，開地千里。畧其遠形，卽其近鄙。則西巘爲壁，不下函崤。滄海爲潢，罔論長河。銀山崇墉，北壓紅羅。巨馬連淀，南迫滹沱。敷博爽以中廣，巋雄拔於周遭。龍翔鳳舞以自天，玉帶銀山而盤峩。層巒擁翠，重岡飛丹。嵽嵲虎眺，巑岏狻蹲。左鉻右鐔，排楯列干。則有翠峰紫蓋白浮黄花之山，蜿蜒蠖曲，鷔舉蛟騰。懸崖迴赤，峭壁流青。前昂後軒，九折百磴。則有分水八盤摘星九莊之嶺，卧龍有岡，彈琴有峽。巖棲吕公，崖塑菩薩。石經有洞，孔水時發。桃花有峪，延朗掛甲。嵎旋白雲，谷迷石髮。則是山間之幻奇，幽明之吐握者也。浩浩蕩蕩，瀰淼無外。瀆瀆渟渟，躍龍擁怪。歊霧蒸雲，鰐雄吞介。掀島奔雷，洶湧傾沛。則有滄溟之海。濕餘浸溢，琉璃回波。桑乾逸駛，易水縈沙。丸濟入沽，玉帶淘之。則有百會之河。百泉成溪，玉淵成潭。金盞爲淀，直沽流疊。飛放泊淺，駱駝港涵。車渠之横，亢陂之湛。則是衆水之瀦别，瑞氣之瑩含者也。海有神鼇，巨蝤，贔屓，蜃横蚌珠。擁劍八帶，甲魦青鯔。巨靈駕而往來，海若鼓而馳驅。奇鱗蜿蜿而變龍，含利颬颬而化車。長鯨負山而若漚，修鯢吞航而罔嚅。又有鶢鶋鸕鷀，環薄於扶桑；鵁鶄鴐鵝，浮蕩於渤海。大鵬巨鯤，扶摇於雲衢；輕鷗修鯢，漂没於澎湃。青骹奮隼以鷹揚，白羽紛鶩而沉介。何風舉雲摇之匪常，而倏忽莫窮其幻怪。山有昆駼獑猢，巨狿犴貀。狻猊狒猥，蛩蛩巨虚。文豹隱霧於崖谷，白虎嘯風而負嵎。巂巂操管於幽峪，射干跳伏而避羅。又有猨狖騰捷於林莽，飛鼯垂蔦而捕雀。遊鶹踆踆於盤磴，鷹鶻奮翅而莫搏。異鳥回翔而擇木，猛獸陸梁以趨蹵。易貌分形，牢落翬散而驚猼。河則洲浮鴻雁鵠鶂歸鳧之鳥，渚戲鮰鯸鱠鯉鱣鱮之魚。汀蔞蔞而蘭芷，泊蓬茸而葦蒲。野則樅栝櫻梓，紫榆白楊。檀梗楓棫，赤柏甘棠。蓊槮薆薱，蔚乎千章。其離離者則有真定之梨，信都之棗。固安之栗，清流之稻。榛實胡桃，花紅蘋婆。海東青翠，朱實垂柯。其騑騑者則青驄獅子，赤汗玉騧。驊騮騕褭，驌驦駼騊。奔紅騰黄，擁甲鳴鑣。其蔚蔚者則石菌天花，蔓荆葳莎。萱蒯茘芫，蔄臺婆娑。王芻懷羊，苯蕁瀰臯。其瑩瑩者則丹錫元精，赭磁水晶。紫斑磬綠，玉砂鐵銀。元滋素液，墨井鹽冰。薊門石鼓，援桴而若擊；玉田白璧，誌柱而難名。其間玉泉之流，瀦為西湖，則芰荷十里，隱映天光。菱花當鏡，芡實蓮房。翠浪渺渺，錦纜牙檣。芙蓉曲島，秔稻凌塘。室通鮫女，宮浸梵王。沙禽水鳥之翔集，游鱗唼藻而徜徉。宛都邑之瀛洲，逼南國之湖湘。藪澤之滙，別為南海，則域獸有垣，按鷹有臺。蔬果蕃蕪，碧樹縈迴。狐兔之所奔走，麇鹿之所駃騠。樓煩彎弓而莫發，俠客控騎而相猜。兕麐鷲而伏草，凫鷺駭而毰毸。湫上林於莫數，蓋視雲夢為瓶罍。八荒貢賦，四通而達。其南則南金赤玉，珠貝珊瑚。駭雞火齊，琳瑉昆吾。庶土百珍，集於天都。越羅吳錦，三壤之租。千艘萬艫，達於張灣之瀘。其西則球琳琅玕，熊羆織皮。硨磔鏐鐵，氆氇氀毹。大宛名馬，蒟醬蟾酥。千輪萬轂，屯於張掖之郛。其東則銀貂白狐之裘，海豹玄獺之革。果下青驄，朝鮮弧韣。來於薊門之磧。其北則氈裘皮革，駿馬海青。韓盧駱駝，貘貉黃鼦。度於居庸之陘。夫寶土者物，寶物者民。寶民者國，寶國者人。故形勢強幹而匪本，賦產外腴而匪真。伊都邑之赫奕，繇人物之駢臻。故古稱幽并多感慨豪傑之士，有沉鷙文雅之名。伯桃併糧而濟友，劉沈重道而薦朋，則友生之風近諸古也。綱成却應而相秦，蒯徹用信而下齊，則宏辯之雄冠於時也。晚見而速成者，徐樂之説行也。遮道而願留者，寇恂之才厚也。蓋延圖形於雲臺，盧植養晦於上谷。佐漢於流離者，賴張飛之義勇。輔晉於丕盈者，繇張華之盡鞠。盧元雋首於北海，宏策制勝於建康。則文學籌策之雄莫能方也。照鄰列名於四傑，盧鴻擅芳於二盧。則詞藻節概之流無以踰也。崇文破蜀以興唐，劉蕡正對而落第。則武畧直言之磊磊者也。趙普相宋以平邦，遵晦鎮邊以服遠。則沉畧宏度之卓卓者也。呂端處大而不渝，世傑臨危而罔變。則宏亮忠節之耿耿者也。他如知古張儉之在遼，企先韓昉之仕金，天麟天倪之佐元，圖事揆策，各盡其能。上觀於古，下逮於今。既強且盛，既庶且殷。勇者不乏，賢者如林。強不在勢，力不在黔。得人以實，重譯奉琛。奎壁旅乎箕尾，王氣浡於析津。自靖難於南邦，復親幸而北巡。相厥土於天室，用改營為紫宸。距雄關以四固，時高臺而陛臨。於是爰謀厥衆，僉云其良。卜諸龜蓍，協兆允臧。既幽明之同孚，乃籌度乎短長。始自南而北伐，恢中宇之神州。繼定都以控朔，較殷遷而遠猷。考廟制之宏偉，自文帝以規方。商豐約以折中，準南都而為量。載觀其外，雉堞掎角，嶫嶫巍巍。遍觀其中，里閭雜沓，翼翼翬翬。通九門以[illegible][illegible]，巍萬第而依依。營賓館於千方，開廛市於九圜。聚百貨於通闠，商賈貿而紛綷。闤闠設以周旋，質劑平而罔違。散則衛營星布而閑以鉤陳，統則府部峽峙而附以蘭錡。爾乃崇廣宇以九筵，狀寵嵸於不周。架長虹於碧水，若蒼螯之騰虬。立天柱以表日，嶢閶闔以立罘。端紫宮而崔嵬，架瓊閣而雲浮。築增城以回截，比金墉而相侔。龍首齊而涌霤，雲雀矯而踶甍，俯大行而結搆，凌太虛以崢嶸。內則文華罔下於玉堂，謹身實陋乎宣室。昭和實邁於長年，神仙不及於崇智。朱鳥匪耀於承光，麒麟豈瑞於無逸。奉光時勤乎駿奔，欽天儼臨乎上帝。亶敬孝勤肅之煌煌，匪傾宮瑤室之為麗。於後則閣道穹窿，掖庭披璆。瑩若朝霞之流檻，髣若玄雲之舒霓。欒櫨疊旋而錦布，壼術幽闥而若迷。户萬門千，永巷重闈。倚窗寮而眇然，撫珍樹而猗猗。惟保真於温室，乃西南其户楣。若蕋宮之璀璨，絡珠玉而火齊。圖雲物而變化，畫仙靈而披離。又其西則太液涵玉波而蕩漾，春雲繞瓊島而幻奇。海屋渠渠而隱艦，廣寒擁碧而倒垂。青馥芬芬而含翠，寶月溶溶以獻巵。錦芳臨沚而湛綠，玉蝀跨石以飲湄。雜芰荷以游泳，渾魚鳥之忘幾。天子雍穆，與時咸和。於茲清暑，遂即素波。飛彩鷁以輕颺，垂翟葆而婆娑。建羽旗以搖曳，恍溯洄於銀河。或齊栧女，或縱櫂歌。優游容與，載咏載哦。亶瀛洲之蓬島，奚羨月殿之遊遨？乃聖王之偕物，調玉燭而陶陶。又其池之北，有萬歲之危峯。凌霄漢而隱闕，烟樹靄而蒼濛。又其峯之北，有海子之汪洪。望之若江鄉之渺渺，涵之乃樓閣之重重。是又世外之佳境，夐塵宇於罔同者也。爾其大則築四郊以分祀，通天地之神明。重則建九廟以追遠，格祖考之精英。斯皆勤則亭豳風以親耤，躬勸稼以叩觧。儉則開繭宫以視練，臨蠶館以勸嬪。要則宬皇史以崇録，鑑萬世以守盈。修累朝之曠典，補周儀而復增。破迂儒之沉惑，正舛廢於再清。乃躬修元默，夙夜踧踖。戒虎賁以清道，驅徒卒以除闢。乃召宗伯，酌儀損益。乃諭太常，修樂祝册。乃命御史，省牲視帛，以嚴褻瀆。乃命郎將，列屯布營，以森戈戟。至日乘玉輦，駕蒼龍。冠通天以崔嵬，服元袞而穆雍。執蒼璧，對蒼穹。奏鈞天，擊圓鐘。終九成而協律，舞八佾而翩躚。儼天帝之歆降，臨瓊臺而沖沖。柴既燔而神格，乃回鑾於紫宫。慶大禮之有成，謙羣僚而融融。伊方澤之將事，儀少變而齊同。既祀四郊，乃崇六典。當陽春之載熙，覩百卉之蔓衍。召農官以備耒，戒田夫以修畎。思無逸之攸重，爰命駕以乘輦。値馮相之卜吉，靈威首於芟剪。呼攝提以先驅，奔豐隆爲後殿。介士鳴鉦而建鉞，虎旅冠鶡而執戟。導被繡之髫髦，駙蒲梢而張幝。萬騎雲擁而分布，千師交戈而横揄。於是登龍路，植雲旗。紆皇組，佩玉螭。青屋列於原野，朱旄揚於郊畸。田畯歡騰而介馭，農正進耜而三推。始天田之芒芒，忽禾黍以離離。酌勤惰而勸錫，感萬姓而盱嬉。咸山呼以鼓舞，乃擊缶而力耔。歌豳風以環駕，亶追邁於皇羲。觀萬民之樂業，與輔臣而賡歌。分春醴以共飲，元老需而若酡。鐻耳之傑，髽首之豪，舉和鞮鞻之韻，而謳韎昧以陶陶。相與娛於化日，騁蹻舞以相高。於是皇輿返轡，駐於西苑。喜蠶事之方殷，命后妃而釋瑁。且從事於桑室，伺三眠而罔晏。天妃先效而親繅，諸嬪肅肅而獻繭。慕姬姜之儉修，脫昭陽之婉孌。斯德化於掖庭，而禮繼於丕顯。爾乃粢盛親畜，祭服親織。誠已洽於神明，胡饗祀而莫卽。神人協和，軌度罔忒。舉於九重，刑於萬國。一時聿新，千載作則。既月乃吉，辟雍實臨。釋菜先師，黌宫實升。徹聖像以破謬，崇正學以還淳。進司成以論道，何會裂而統真。環經生以拱聽，信帝王之學與韋布而罔倫。既乃静修天室，時幸文華。開經筵以進講，列學士而搜遐。探真腴於簡逸，測淵海於津涯。化延輔臣以諮問，若憲老而罔加。爾其九重拱乎堯舜，八座列於皐夔。禮行而民革，樂備而物怡。仁風拂而遐荒溢，化日長而幽谷曦。天子方崇文默，不事武奇。誠以憲祖，歡以偕時。與民睢睢，與物熙熙。遊田射獵之好不騁，吞刀吐火之技罔施。沙棠木蘭之舟弗制，魚龍角觝之戲奚施？於是黄河清，甘露凝。白兔皎皎，白雀來庭。白鹿呦呦，百禄是并。德協兩儀，瑞應千禎。聖王罔以爲寶，而加志於持盈。春秋代而彌隆，遐邇渥而益蒸。既賚賜乎農扈，乃勞賞於車從。薄五申，平三令。麾騎士而進弓，聊樹表而小畋，授鉦鼓而控驄。示以陣形，節以軍容。牙旗分布於烏雲，勢分鶩鶴而乘風。蒲且滿彀而不發，樓煩挾矢而窺狨。上將披騣而仰視，倏鳴鏑而墮雙鴻。遂命解罘弛罟，撤隊回騎。效三驅以成禮，不剪羽以窮奇。慕太乙之三面，懷萬物以化齊。且歸來乎履吉，迓滋至之天庥。爲無爲而德湛，與黄軒以優游。是故仁無不懷，德無不柔。文教與元風而並翔，至化與大造而默遊。太階平於八表，玉宇涵乎九州。亶登三而咸五，孰云遐遠而莫可以匹儔？況九廟郊陵之建，匪若阿房之事遊觀；謁陵恭祀之巡，匪若上林之縱射獵。蓋王者之典咸備，惟聖人異世而合轍。將使焕乎其有章，而陋百代於罔軼。彼蟋蟀之云何，抑齷齪於儉嗇。由是觀之，則地勝者居皇聖，國實者多賢良。兼東西與中都而並較，猶未若兹土之無量。然則宜奕世之神胤，咸作

京而坐朝堂者也。兩京賦

補盛時泰北京賦

巍巍燕都，冀州之紘。分在尾箕，析木之精。入燕朝以建上，肇丕迹於元軸。皇默運以持衡，扆潛祈而兆域。紫微韜約以含輝，太乙翕霅而拱率。故望氣者踧踖輪悃，命卜者屏營掩祝。蓋嘗覽夫形勝，總環瀛之要害，抗萬坙而建瓴。在高辛之遜世，已昉號乎幽陵。及下逭於軒轅，戰蚩尤而底平。虞夏商湯，易稱朔方。武封堯後，以冀爲疆。召公起燕，藩屏用昌。自秦漢而郡縣，歷晉唐之雲擾，實恭待乎宏造。邈惟南征，鞠旅而踐。既正厥稱，邦畿允奠。定理條疆，分途異縣。配南都肇北京。納儒臣之懇請，設行部之新名。易順天之崇號，應大興之符稱。於是丕蹟闓開，前後角掎。樹疆表袤，聯環並峙。左右起伏，矗幄連起。建學校，新宮囿。文武錯列，輞分輻輳。規肖矩倣，視南益詳。街衢巷術，宮宇橋梁。闤闠市廛，翼接鱗翔。塚廟庭宇，古今萃藏。將以獻歲，躬受方賀。肆赦蠲罪，蘇姦釋過。忻兩都之並錯，措天下於一家。商邑翼而靡頌，周京顯而匪誇。沛遐惠於西埏，遂都民之樂康。給農器於遠路，用樹植乎農桑。載男耕而女織，混樂土之相望。忻漕運之廣濟，儲邊嶠之積糧。貴竹貢而置輔，交趾悚其內降。伊絃歌而管誦，抑濟濟以蹌蹌。遂因官而論次，偉羣績之恢張。海宇顛其再輯，黎庶被以重光。覃疏流於外國，咸矯首以來王。大巖山呼，騶虞麒麟。野蠶作繭，元兔來馴。嘉禾屢穗，海宇和平。黎庶鞠育，欣然如春。於是郤封禪之請，謝金火之丹。毀方秘之譎，賜兔書之緘。集儒臣，纂經史。詮六經之要道，覈千古之精理。罷滄溟之轉運，藩郊圻之牧圉。因時屢登，大敞鼇山。宴輔弼以既醉，沛酺澤之宏寬。製新曲以示藻，又大惠乎鏹函。及乎午日，乃游東苑。觀毬作場，視射成讌。車騎集，鞬櫜韜。萬柳偃，旌旗高。賦聲詩以紀懽，永昭示於袠縹。念烽火之未靖，久爲患乎邊城。時跳梁而躑躅，敢窺覬以橫行。憫生民之被禍，將大肆乎遠征。嚴威迅發，萬輿遄啓。大漠荒陲，開營疊壘。迅刺擊之猛利。乃奏凱歌，擁衆以旋。塵凝警謐，威聲四埏。北斗南瞻，清泉神應。繼統承緒，端拱垂裳。致海宇之寧謐，降渥惠於四方。自乾清，御皇極。建九斿，臨萬國。雞人未唱，擊鼓定時。銅符初闢，魚鑰扃匙。宿衛紛其未散，羽衣聳以來齊。南象導路，代馬引逵。豹尾在後，森列徘徊。玉節止肅，寶纛示威。黃毛絳旛，旋繞相隨。班劍儼其冰雪，儀刀凜其錝錚。羽葆團以婉轉，金鉞耀以菁葱。團扇紛其掩映，曲繖屈以從容。龍戟列而如迅，熊旗繞而縱橫。大駕將陟，武備后列。丹陛之駕，馬步之輦，玉輅大輅，萬于于焉，簇簇焉，雲蒸而霧繞者，不可仰覰。於是司隸稱警，鳴以條狼。凜内外之井然，人持冰而沃湯。鴻臚傳唱，萬方畢集。宗伯捧函，嵩呼海溢。覺天地之高厚，忻日月之朗光。見蟬貂之濟簇，擁環佩之鏗鏘。既伏拜而舞蹈，又頡頏而翺翔。聳蹁跚而怵惕，見萬疊之翕張。垣墉峻峙，匝匼凌兢。翬翔穹赫，奕[illegible]峻嶒。聳金被錦，圖丹見青。色[illegible]煜而成紫，又霅灼以爲黃。或熛爌以爲赤，抑[illegible][illegible]以成光。肆罘罳之四繞，羌艷晶之煒煌。階盤旋而自轉，橋矗抗以回杭。廟婉逶而散陟，户鴻洞以崇祥。石瑩明而若琢，甃平直其似霜。堊烜爀其勝霰，粉皙白其若瑒。棟隆聳其上仰，梁嵯峨其橫當。粉海藻以爲飾，盤龍珠以吐光。豈倕般之人巧，殆雷電之天工。屯紫螭於刻桷，盤赤螣於雕楹。虹揚眉以指棟，鵬矯翼而飛甍。綺葩吐乎邃井，渥彩爛於疏櫺。絳霞彩，於網户，金雀棲乎觚稜。儼軼翺而下啄，疑軒揭而將騰。爾其華蓋承宇，亘中直連。謹身後接，邃密艷演。午門端門，承天大門。層列疊拱，[illegible]

[illegible]峥嶸。順掖之啓，左右崚嶒。東西華角，並帶同橫。立瓊樓於兩旁，分文武而各馳。錯朱彩以掩映，築峻牆以爲基。列御道以中敞，紛左右以爲墀。列直廬於其外，見栟櫚之對起。躡玉橋之長虹，湛瓊楹於金水。接萬栱之突兀，騰重簷而複宇。東有文華，扆以文淵。西有武英，巀嵲騰鶱。太廟齋宮，對聯社稷。廟街社街，繩平砥直。隆宗景運，月華日精。椒房椒風，六宮安貞。賁庸蒿柱，黼帳藻扃。疊複道於雲表，比鱗瓦而建璁。訝晨輝之閃雷，映旭日以上昇。於是祝萬壽，祈帝福。永羣方，澤四國。錫岡陵，同覆育。粉拜舞，躬踖肅。繪振羽衣，扉鞻褸襹。跟蹌[illegible]翹，同欣大造。屬虎豹之欄檻，見駝犀之脣脚。驚麞鹿之餐萃，駭麑兔之狂躍。仰睞眄而俯興，望翠華之拱翼。雜煇煌以奔趨，隨玎玲而緩曳。悚玉笋之嵯峨，仰石獅之凜慄。陟銅山以踆跔，渺金河之滔疾。天子方且肅朝覲之儀，明賞罰之典。大黜陟之公，重祖宗之憲。嚴邊防，置京儲。督漕運，謹市虞。罷游讌，御講筵。日淵默之燕居，豈輕輪之暫旋。凡諸可遊矚以備一時之旋駐者，莫不扃金鑰以鐍封，合魚符而不啓。恣草木之叢茂，任禽鳥之沐徙。[illegible]嵽凹凸，贔屭齦齶。樛葛蔚薈，苔封蔓絡。複磴洞巖，豁開磊落。達道委而暫閒，駟馬停而不駕。玉蝀峙以拱護，金鼇崒以孤騫。堆雲凝而不流，積翠高以生寒。瓊華窅其閴寂，承光艷以回環。廣寒虛其輪囷，飛鯨戢以羽翰。雖玉泉之縈抱，亦流水之空潺。蒲葦蒹葭，菱藕雕胡。鱗遊介泳，任其自如。於是散步環籞，觀於列署。則隨長安之左右，列文武之職廬。表裏森其對峙，咸拱繞而扶疏。擁前後而聳列，環玉河之通渠。見左右之並置，亦遠近之聯裾。仰以法乎周典，俯以效乎商模。列六卿於左省，建五軍於右隅，院以玉堂爲署，寺以奉常爲胥。醫藥星歷，太僕鴻臚。縣隨府而遠控，衛與學而各殊。內鈐各衛，外總諸營。繞貔貅之精鋭，簡戈鋋之旟旌。置給舍於廊廡，帶太學於隍閡。闢九門之通衢，週里坊之四十。峙萬雉於千層，莽縱橫而曲直。前列其奇，後峙以偶。左右並聯，各互爲耦。鎮以重樓，壓以飛甍。疊甃壘以曲檻，互欄楯以相通。跛蹬宛轉，睥睨蔽空。廬舍巡演，濠潢深崇。閘洞備其卒急，魚鑰司以晨鐘。抱關察其馳驟，衢衕貫其四衝。乃有九衢往涉，輿馬肆雄。沙堤平以曲折，昏曉湧其成蘩。市肆星羅，恣人耽玩。橋梁濟顛，萬邦酬券。冰蠶作繭，雪鼠成絲。火浣爲布，蛟龍織鬚。番絨蜀錦，烏連越絺。海陸俱腆，草蔴咸奇。伎藝精工，戎裘各宜。灑汗則帷幕生飈，摩肩則海濤成塹。阿氣則鬚柱消冰，轉目則睨光迅電。誠鋪集之盛區，乃閭閻之美翫。郛廓新築，用衛閭閻。乃環旋以拱護，益永壯乎神京。立七門以便出，增崔巍以峋嵤。路[illegible]蹩以敞遂，勢陡峻以崚嶒。設壘礮以作衛，儼電擊而雷轟。前恢日衍，後奠彌阬。豈漫作之是翫，實貽世以康寧。蓋嘗總而論之，圜畿甸，遠京輔。內都邑，外荒服。雖古昔之攸同，惟茲地之獨武。近則倚昌平以爲脊，敞范陽以爲胸。聯山海以爲帶，擁上谷以爲屏。惟玉河之澄澈，貫周迴以爲經。若諸水之蓄洩，視高下以流洑。百泉湧派而穴漩，孔洞元垂於深谷。遠則據岳鎮之中軸，匀東西之勢雄。西以華山爲虎，東以泰岱爲龍。南岳南鎮，益遠益隆。五嶺作案於嶺表，江河襟帶而朝宗。展明堂於奥海，拱朝拜於羣峯。以此而較往昔，疇堪與之比崇？自洪濛之初闢，奠河山以爲界。天勢崇於北極，地維虛於南蓋。引日星以上騰，導江河而下派。法天明以居高，控地維而作帶。故南北之相望，誠控馭之雄槩。昔姬周之豐鎬，每侈詠於詩書。豐距鎬而一水，又何有於雄圖？況嬴秦與劉漢，奚敢論乎訏謨？若嗣此之鼎建，咸分集於一隅。雖迭興於前世，誠遠讓乎雄紆。故散如布棋，聚如運掌。分列省以成疆，合連襟而成襁。如堂視地，類脛走項。誠高厚之拮据，乃金湯之修攘。方輿如此，是以足尚。若夫土風，則稟樸茂

之淳資，賦勁勇之正性。豪傑挺生，勳庸克靖。朗烈悲歌，沈鷙鎮静。文雅寬舒，俶宕平定。至於民俗，尤爲繁富。財貨充溢，四方罕覯。以貛獺爲輕肥，躭韜槖爲雄武。出則輜帷高搴，遊則金翠如堵。人幕面而障塵，士垂綃而避土。乘或睚眦以報仇，抑推埋而作旅。通名姓於禁中，任榮枯於吹詡。惟僭侈之是營，豈禮法之可阻？司察避其昬酣，乘驄難其羣伍。晨鬭雞於廣陌，暮躍馬於深聚。蹴踘則千里爲羣，鳴鏑則飛走成府。詎貴璫於要津，亦近戚與雄族。任俠者履不容旋，鼓篋者車不停軸。欣冠蓋之繽紛，總邸舍之填簇。節序則時當寅令，賀正爲始。彩燕爲簪，春盤成俎。祠太乙，禁火炬。春序將遒，墓祭成侶。逢午散騎，置巧陳瓜。騁望郊坰，乞巧天娃。因陽九而登高，爲冬朔而設炭。欣長至之屆臨，喜陽生於一線。迎臈祀竈，驅儺設宴。看冰池於署官，欲蓄育於鶩雁。雖舊俗之可傳，亦真贋之難辨。棄衣糜以送窮，燎草竹以成薦。本度朔以畫桃，因除虛而設奠。若日忌與月惡，亦隨方而異宜。總四時之全氣，合四方之所奇。風霾則塵沙瞇睫，霖雨則阡陌成泥。雪落則皸瘃裂掌，冰結則柱矗如旗。以臺榭爲登陟，用苑圃爲陂池。因衚衕爲環繞，庸沙渚爲藩籬。雜坊市而共處，隨冠笄而相嬉。五陵讓其豪俠，四姓失其光儀。地土山藪，厥類實繁。擾畜甲於四方，菓蓏疏其援植。虎刺班於榅桲，蘋婆甘於來禽。朱櫻素柰，香水黑芩。桃李梅杏，安榴丹椹。黃芽赤根，石菌天花。蕪菁莙薘，蕓苔茄瓜。薑芥蘆菔，水蘇韭芽。欺江南之蓴菜，邁南國之鮭鰕。列於一市，山貛海獺，原貂隰楚。姑略不言，用戒登俎。惟有人才，世所軒輊。三代而後，七雄爲烈。二京三國，扶剛抗節。左羊而後，代有其傑。樂毅以寸書報燕，荆卿以七首泣血。田光以刎頸實交，蔡澤以片言取捷。河間以被服擬儒，中山以聞樂選德。神佛方技，殆難指陳。至於古蹟，惜多湮淪。遺故都於軒轅，指孤竹之令聞。悲廢宮於碣石，想寧臺於荒荆。雖巨公之學所，亦蓁莽而沉淪。獨王鬱之釣臺，猶稱名於花村。雖有深谷，伊誰生黍，雖有甫田，伊誰種玉？徒紅螺之吐花，空青蛇之應祝。變幻無常，雜沓難述。故自薄海内外，綱條目定。較如畫一，整肅嚴翼，天旋地静。垂萬斯年，金甌罔競。勝周營洛，邁漢作京。視唐已拓，較宋實宏。建帝王之全業，成創守之令聲。合天維之四時，盡地埏之八瀛。蓋萬世而永寧也。二京賦

〔朱昆田原按〕余古峯、盛雲浦二賦，文不足存，慮博聞者以爲絓漏，故節録之。

補陳敬宗北京賦　惟聖皇之建北京也，紹高帝之鴻業，啓龍潛之舊邦。廓天地以宏規，順陰陽而向方。準四裔以布維，揭八表而提綱。粲星分於箕宿，映黃道之開張。壯天險於居庸，亘重關於太行。會百川於遼海，環河岳於封疆。拱北辰兮帝居，陋鞏固於金湯。均萬國兮會同，而適居天下之中央也。於是頒綸音，建皇極。布深恩，施廣澤。捐内帑之金錢，出天府之玉帛。賚工倕，錫匠石。歡聲傳衆，奔走萬國。雷動雲興，紛紜絡繹。忻忭踴躍，各供厥職。遂選材而度物，資百神以興集。魁奇挺拔，千仞之名材；五色五采，希世之珍特。輦載旁午，舟運充斥。紛河輸而海會，肆邱藴而山積。爾乃太史告吉，司空奉策。魯班運斤，公輸削木。智者獻謀，勇者宣力。精論巧思，悉就經畫。百堵皆作，奮擊鼛鼓之弗勝；庶民子來，咸頌靈臺之勿亟。巋壯麗於崇朝，睹崔嵬於瞬息。前朝後市之規，既肅肅而嚴嚴；左廟右社之制，復亭亭而翼翼。布列有序，不爽寸尺。妙合化工，莫究窺測。其正殿則奉天、華蓋、謹

身之尊嚴，翊以文樓武樓、左闕右闕之嶒嵸。開千門兮萬户，帶岩廊以廻縈。臺百尺以巀嵲，重三階以躋登。屹中天以層構，抗浮雲而上征。激日景以納光，耀丹碧於紫清。觀其瓊堦瑶砌，赤墀彤庭。青鎖金鋪，綺窗珠櫺。鏤檻文棍，玉碣繡楹。跱丹鳳於阿閣，棲金爵於觚稜。懸彩虹於修梁，躍蒼龍於飛甍。含靈曜以欲翔，望北辰而高興。飾華榱以璧璫，綴琱簷兮列星。彤霞映棻楣之葩蕚，薰香鬱椒壁之芳馨。日華麗文栱之玲瓏，空彩鏤罘罳之晶瑩。三光臨耀，五色璀璨。壯麗穹窿，莫罄名贊。憑鴻濛以特起，凌太虛之汗漫。岌業乎雲霞之表，巍峩乎層漢之半。篚天闕以益崇，炳祥光而增煥。目炫轉於仰瞻，神惝怳於流盼。雖使都盧之巧捷，不敢以躋扳；翔鵾之扶搖，不得以鼓翰。此誠所謂曠千古之希逢，而超萬代之奇觀者也。其前則九門洞開，輦路如弦。軒軒豁豁，坦坦平平。望圜丘兮岧嶤，接靈壇兮山川。昭神貺兮景彰，揚瑞彩兮雲烟。啓大明兮當中，翼長安兮東西。森拱衛之嚴密，列周廬之透迤。耀雪霜於戈矛，揚鷹隼於旌旗。選鶡冠之桓桓，精百萬兮熊羆。維方叔兮召虎，藴謀畧兮神奇。聯金貂與玉蟬，紛舄奕而光輝。雜冠佩兮趨蹡，蔚百司兮威儀。各攄忠兮獻納，亦覃慮而論思。天官之明衡鑑，司徒之謹度支。宗伯之修禮樂，司馬之整六師。秋官之邦刑是慎，司空之百工惟時。羣僚濟濟，各謹攸司。大小率職，庶績咸熙。其後則有太液之池，萬歲之山。琪樹敷榮，金芝芳妍。翼鳳飛兮絶巘，波龍鱗兮澄瀾。聳靈峯於天上，流惠澤於人間。其右則乾清坤寧之宫，太乙紫微之所。壯皇居於九重，肅勾陳兮天府。若夫蓬萊方丈之神區，閬苑瀛州之仙宇。臣實昧於見聞，不可得而殫數。其左則爲文華之殿，鶴禁清宫。玉葉金枝，儲副是崇。講道育德，惟孝與忠。體文王之三朝，謹視膳之禮容。又其左則有石渠天禄之閣，金馬玉堂之署。濟濟逢掖，峩峩章甫。講説六經之言，談論羣書之語。斟酌禮樂之文，涵泳仁義之府。莫不欲笙鏞乎治道，黼黻乎皇度。至若靈囿之所蓄，亦雜沓而紛綸。麒麟之振振，騶虞之霦霦。白象之瑩潔如雪，金猊之威猛如神。顯靈姿於龍馬，逞奇文於福鹿。絢綵霞於丹鳳，胚玄兔於蒼玉。鸜鵒之色維黄，素烏之質耀霜。紛珍異之炳煥，咸獻瑞而呈祥。他若内藏寶貨之充，金玉珠貝之富。象犀虎豹之雄，驊騮騏驥之庶。國家富有，萬國兹固。瑣瑣不足數也。其外則都城列兮萬雉，開十二兮通衢。蔚邦畿兮千里，比百萬兮民居。接棟連甍，溢郭填郛。藹藹鬱鬱，密而不疏。邑里錯分，別隧分區。四民樂業，室家歡娛。農務乎耕桑，士究乎詩書。維工及賈，懋遷有無。百寶之所充斥，百器之所崇積。粲金珠兮列肆，聯珠綺兮阡陌。珊瑚琳琅，璀璨赫奕。飛畫棟兮綵甍，謁王侯兮第宅。填車馬於闤闠，紛雜沓而絡繹。喧舞榭與歌樓，樂鐘鼓兮昕夕。載瞻辟雍，學宫逶迤。穆穆乎宣聖之廟，肅肅乎羣賢之祠。崇祀有典，釋奠有儀。歌棫樸以作人，偉髦士之攸宜。贊朝廷之禮樂，炳道德之光輝。於是經營既終，厥功告成。方青陽兮屆辰，逢吉旦於元正。於時萬象維新，三光以明。麗慶雲於璇霄，燭祥光於太清。皇上服衮衣，乘鑾輅。設警蹕，陳鹵簿。翠華葳蕤，颺雲飄霧。潔精誠，寡思慮。奏雅樂，諧韶濩。謁郊廟，告太祖。香苾芬其上升，靈昭昭兮來下。眷肸蠁兮方集，綏萬福兮純嘏。於是升金根，旋太常。御正殿，開明堂。朝百官，臨萬方。會諸侯，陳玉帛。旌淑慝，明黜陟。然後布德和令，行慶施惠。錫高年兮上尊，進賢達於庶位。敦唐虞之道德，厚湯武之仁義。興三代之禮樂，黜漢唐之功利。炳玉燭，調元氣。協重明於日月，侔化工於天地。使九州八荒含齒戴角之羣，四方萬國懷仁負義之士，莫不熙熙皥皥於泰和仁壽之域，仰事俯育於漸摩涵照之内。此誠所謂恢鴻業於千古，開太平於萬世。際輿圖而覆載，大一統而無外也。是知國家萬萬年

隆盛之慶，皇上萬萬年高厚之壽，聖子神孫萬萬年無窮之祚，蓋與天地同爲悠久也。澹然居士集

增桑悦北都賦 聞北之爲都，宿屬於箕，地名幽州。神堯之聖域，召公之賢邱。地勢累崇，蹠蹠捄捄。膊齊魯爲棡，綴趙遼作旒。東阬迻迴而左達，太行巍峞而右遒。瀰潑無涯，峻峭莫儔。天合其所，人凝其績。築城伊淢，作都伊匹。規乾準坤，以究安宅。五門環環，千廬扢扢。雙華嫚嫚，丹闕頷頷。峙以文武，列以順掖。東連宗廟，西建社稷。南薰仁智，前經後緯。思善翼善，左輔右弼。奉天前迤，齗齗特特。若圜倪之無極，華蓋中菈，鏘鏘磬磬。若春盎之可卽，謹身後擁，瓌瓌赫赫。若混沌之未劃。悉昒其桷，悉扛其楹。剡柱乳楣，巨纖創墿。榑櫨禁楄，疏戚劉迸。陽棲其正，陰止其冥。懸魚棍凜而下垂，拒鵲婞脾而上騰。彼棺棺之雄梁，夥崇墭而獨承。羣材膺職，渠渠迺成。游衍之區，爰營西苑。泓以太液之淼淼，峙以瓊華之宛宛。池則汪汪漫衍，湵演潭沱。裼以江蘺芙蓉，點以芳藻緑荷。含英吐華，馞馝薰波。島則巉巖磊砢，崩鬱危綳。太湖輸精，武康貢英。薄平泉而不卽，眇艮嶽而弗登。迺築崇基，殿以廣寒。古栢十圍，矮松百盤。俯雙橋之千柱，仰萬歲之層巒。南墉之中，亭館綿延。迷以綺鋺，複以粉胥。東南其户，寒暑攸偏。涼登洗髓之域，和躋浴沂之天。惟南有囿，釗釗媞媞。臺呼名鷹，鷁崽雲齊。規以槢垣，衞以危梐。佳實累杈，灌木垂梜。幻靈芝之蓓蕾，茁紫脱之萋萋。蚑息蟆動，鷙擊獷趨。或並命而比翼，或兩額而三蹄。以至大月一封之駝，黄支獨角之犀。昆明吐金之鳥，三佛吞火之雞。天山識樂之帝江，哈烈弄毬之狻猊。亦安薛公之鞠養，受毛邱之羈縻。環以靈沼，劃以崇溪。水禽淵魚隨方躍棲。悉涵負乎恩澤，動濡爛而敷祈。淵鑑類函

〔朱彝尊原按〕桑悦、馬斯臧、黄器先、帥機皆有兩都賦，因借抄未得，俟補録。

〔臣等謹按〕馬斯臧、黄器先賦俱無考。桑悦賦謹遵淵鑑類函所載增入。帥機賦據機所撰陽秋館集增於後。

增帥機北京賦 夫燕山之爲國也，分野躔乎箕尾，禹績首載於冀州，厥賦惟上。常山在其左，太行逶迤而迴障。夾右碣石，遼海入河而潢漾。是故蘇秦嘆其天府之國，杜牧稱得此而始王。爾乃壯枕三關，形勝百二。南界青齊，包絡晉魏。古北居庸，巉巘虎視。迹造陽而包元菟，首九關而維地脈。窺睨息心，狡焉辟易。其餘小關，聯比砂磧，山形緜亘峻深，通岡疊嶺。原野夷曠緬邈，其田可井。艮位東北，析木天津。萬物始終之所必因。東則冬春之交，蒼龍出震，北象衆星之拱辰。昔者軒轅氏體元立極，擒蚩尤於冀，此焉定都。訪道崆峒，國若華胥。攀龍髯兮上昇，墮遺弓而號烏。黄雲赤龍，唐侯之瑞，功德參乎天地。殂落而天下大寒，歷數千載而鶴語表異。後封於薊，嘉其爲神明之胄，帝王之首。召公分封於燕，千八百君，緜祀九百而獨久。原夫燕都黍谷，中原極北。兩漢以來，或得或失。晉氏渡江，此地胥淪。慕容、拓跋，後先竊據。李唐混一，始歸臨馭。禄山包藏不軌，起兵范陽。擁衆十萬，豕突

鴟張。糜沸雲擾，幾於亡唐。豈非負隅憑阻，十馬之精强歟？藩鎮跋扈，河北擾亂，王室遂卑，樊川以之而興歎。石晉欺孤無君，割盧龍十六州以媚人，尋反面違盟，俘其弱子，如搏豕鼠。實基禍稔惡，神人所憤怒。趙宋積衰，力不能取。耶律內訌，完顏欺侮。蒙古氏奄有四溟，統紀遂絶，豈非失此之故歟？太祖龍興濠淮，雷驅草昧。孕元媪之精，系顓頊之裔。受命穆清，聰明睿智。實應河圖之瑞，豈五百年所可見，生民以來未有二。天兵起於東南，所向無敵，席捲中土，長驅直北，出黎元於塗炭，謐四海之羣飛。貞觀於焉而顯定，懸象既闇而重暉，道格上元，功清下黷。紹神明之正緒，雪晉宋之詬辱。九邊延袤，規畫周全，豈一日忘敵而偷安哉？念勞民不可以重困，恐運餉之艱難，瘡痍甫定，蹔駐蹕於建康而息肩，匪誇衣繡而戀枌梓，計不得以已也。成祖龍章天表，珠斗玉衡。有命自天，受册北平。既靖君側之惡，成變通之能。神龍豈能甘於豢養，大鵬思奮於穹蒼。風流不足以羈哲后，榮色豈可以炫明王。習北平之風土，直俯視乎建康。愓五將之敗没，鑒江左之覆轍。北制南而一統，南委馭而幅裂。彼偏據而短祚，此傳舍與置奕。匪馳騖而詘財，冀暫勞而永逸。肇詒燕之遠猷，豈宴安之是卽。奉神考而以志，實丕承而善述。信順協於鬼神，謨畫堅於金石。猶懼夫遠道襄原，疲於饋餉之千里也，於焉旦夕圖維，君臣一體。遘會風雲，俊髦并起。陳瑄定策，三楊成美。宋禮周忱，順職勤事。謀匪盈廷，斷無私智。原隰陟降，俯仰睇視。近山逶迤而出泉，泉流相度而分水。乘間疏通，因勢疆理。泉重惜而如金，牐分布而錯綺。魯郊齊區，濁河清濟。沃野亘乎金堤，緑樹蔭於芳址。上接河淮，下引衛潞。始於涓滴，繼乃布濩。達乎京師，河名會通。吴稻雪擁，太倉陳紅。王委以足，邊儲以充。匪殘元之漂溺，異秦一石而費數鍾。成祖知其可以動衆而興功也。於焉司農度費，司空指畫。使胡寬而經營，命輸爾乃削墨。其餘攻木笵金，伐石設色，陶冶摶埴，百工匠作，莫不競勤赴功。譬雲雷興，而蟄蟲爲之振躍。天啓其心，巨靈作力。地産神木，山出文石。於焉因金元之遺趾，乃文乃質。倣南都之規模，伊減伊匹。壇廟首建，層城廣屹。五門洞闢，次第崚嶒。萬方之所輻輳，朝賀之所必經。爰有正陽大明，嚮離重光。奉天漸高，端門將將。樓名五鳳，下臨無地。冠雲飛窗。燕雀欲棲而恐墜，羣鳥朝暮而集翔。掖分左右，華設西東。複道縈紆而靓穆，萬户赫戲以焜煌。飾金碧而非泰，雜黝堊以景彰。殿則華蓋、謹身，文華、武英。皇極中極，世宗易名。青龍蚴蟉於東廂，白虎蹲踞於西清。前後覆蔭，夷墮周章。彈誰中於賁鼓，書或僊乎仲將。侈非井幹，儉陋斯干。晝虧赫日，夜接廣寒。察之無際，視之無端。擬天近而地邈，信鳳翥而龍盤。宫則慈孝仁壽，乾清坤寧。大内深秘，不可殫稱。莫不瓊窗繡户，寶樹瑶甍。順陰陽以開闔，辨方位而縱横。徵窈窕於桂闥，朝命婦於中闈。鳴環曳履，共瞻淑姿。統理陰教，實惟母儀。爾乃盛夏含凍，沆瀣冰壺。降冬負暄，温谷欒都。喬木千章百仞，蔭乎周廬。荷流香而感鼻，鶯聲雜乎笙竽。游烟泛乎蘭水，冷風薄於綺疏。雲漢迴於梁極，虹霓帶於棼楣。玉女攀星於網户，仙娥納月於璇題。西苑特盛，爰自世宗。殿名無逸，亭扁豳風。齋居決政，務本重農。我后好約，於焉休憩。雖遠殿廷，罔敢怠廢。又有金鰲玉蝀，御水分溝。波光摇漾，禁籞周流。駕鸛咬喋，鳧鷖沈浮。芳塘含春，曲沼澄秋。絲楊被浦，香杜盈洲。順時張弛，以遨以遊。乘龍舟而上下，疏飽滿以夷猶。又有南北海子，惟水泱泱。蕃畜鳥獸，澤洽泳翔。淵澄不濁，品物遂昌。義取三驅，樂無太康。非上林之侈奪，豈羽獵之淫荒？極北之地，四時代序。春深則燥土多暘，風融氣出。雉雊鶯遷，花穠草密。夏至則北陸臨胸，火德靡忒。伏陰莫干，雷雨滿溢。秋則大火初流，殘暑遂去。霜露以時，淒清順度。冬則沙漠織寒，長風負雪。層冰峩峩，膠勁膚裂。雖時過於虧盈，然未若東南之偏戾，夏霜而冬雷，春凋而秋榮也。唯燠少而寒多，故土密而氣厚。其人無不杼首箕口，高冠長袖。驍健武勇，沈毅質直。背如負鐘，豐偉頎碩。東望永平，孤竹風清。抗希代之奇節，擅百世之令名。引壁睨柱之壯，寒風易水之歌。望諸悲乎昌國，思趙泣乎廉頗。崔盧則濟美文獻，酈元則隰括山河。聖水連濕餘而阻關，仙臺望隱淪而嵯峩。出郭門而登眺，直憑陵乎宇宙。望宮闕乎雲浮，見山川兮錯繡。滄海之秋色泱漭，陵壑之風氣深茂。於是乎物力堅好，都鄙淡冶。烟樹連雲，黍麥被野。棗栗稱乎蘇秦，筋角著於爾雅。滮池浸香稻而薦御，泉源出西山而注瀉。冀之北土，素産良馬。牲牲紜紜，轠轠轔轔。羣飲源槁，迴食野赭。編户成羣，方春游牝。百里之間，輪蹄絡繹。馱鈴之聲，晝夜殷軫。引重致遠，摧鋒陷陣。雖駑駿之不同，然取之而莫盡也。至若九劇三條，五都之市。貨物隧分，珍玩鱗萃。富如武庫，爛若文肆。紅塵合沓，紛穠繁麗。於是五侯貴胄，游俠公子。子都姣好，魋瑕風美。黃金作埒，歌舞不已。鬬雞走馬，華佩霍靡。至乃花朝陌暖，月夕波長。燕姬趙女，靚飾明粧。經輦道而嬖珊，踏河橋而婀[女難]。托寧親其恣盼，駕驅疾以騰蛾。爾乃大小九卿，倣乎周制。門施行馬，廨聯闕雉。有要有繁，有統有隸。銅渾測曜，靈臺占氣。銓敍人才，籌儲國計。禮樂刑工，展采錯事。府部詰兵，魚書羽衞。臺省論思，出入禁近。職司封駁，官稱雄俊。時惟仲春，歲當會計。羣百郡之廉孝，集四海之計吏。共高桂玉之名，咸慶風雲之會。乃有翰林清選，秘籍探求。石渠紀述，天禄校讐。珥彤書笏，盈縑積籀。辟雝太學，育士成均。尊禮先師，統一聖真。内閣尊崇，實惟補袞。既備顧問，亦師政本。咫尺天顔，朝夕梐楯。腹心帷幄，統乎卿尹。乃若扶桑曉色，金闕曙鐘。仙掌承露，閶闔生風。清道若聞於天上，雞人似唱於雲中。星拱微垣，鷺振周雝。序列千班，快覩宸容。載御文華，陳説經史。堂陛泰交，公卿列侍。廣詢民瘼，講求治理。景移迴輦，朝下鳴騶。朱輪文茵，繹絡道周。蕭欣朱兮結綬，田怨竇而傾席。大澤并育乎龍蛇，深山兼藏乎玉石。小大異分，清濁殊質。巧拙邪正之不同，博雅孤陋之非一。蓋自昔而已然，又何怪乎今日也。若夫萬壽誕辰，元會殷禮。或有嘉淑，或逢慶喜。天子乃御正殿，負黼扆。冠通天，佩玉璽。廣樂翹襟，升歌盪耳。正位南面，垂拱北辰。受萬國之圖籍，膺四海之貢珍。日月袞旒，星辰簪笏。水蒼佩珩，山龍黼黻。遠邇爻間，左右雙闕。其餘鬈首貫胸，穴處鼻飲。非冠帶之倫者，莫不棧山航海，膜拜匍伏，厥角稽首而來賓。南綏哀牢，北極空峒。東至太平，西盡太蒙。是以珍禽異獸，奇物善馬，自周王會之所載，顔師古之所圖，無不充牣於府廄，結轍於象胥也。若乃一陽初復，天子有事於圜丘。於是乃宿齋戒，竭精誠。崇質樸，貴内心。躬九獻，奏八音。孤竹之管，雲和之琴。通爟火，燎芳薪。紫烟游，冠青雲。配太祖，邁思文。神之出，眷宗子。歆豆登，錫繁祉。又如祖陵鬱鬱，王氣所鍾。春雨秋露，享祀必躬。於是發鯨魚，鏗喤鏞。乘雲罕，駕虬龍。奉聖母，偕六宮。陳鹵簿，盛國容。侍從如雲，旌紛如虹。符彩耀輝，洪洞朗天。神魚舞河，榮光泛川。陟降松楸，愀然怵惕，肅然悽愴。獨太祖神靈之遠棲，望橋山而緬然興想。又如校車徒以講武，躬萬乘而大閱。司馬戒期，軍容具設。輶車霆擊，炮火虹起。奔電驅，遺風駛。繁弱之弓，忘歸之矢。既分營而列陣，亦簡力而程能。蓋所以張皇六師而撫安萬靈者也。肇考卜而至今，何篤慶而寖昌！紫氣浮乎陵寢，祥光燭於庭皇。乘利見而定天保，斂疇福而祝華封。獲豈同於寶雞？夢多協乎惟熊。天瑞降而地符升，景星耀而甘露零。十聖濟治，代光紹明。嗟乎！地靈人傑，氣化有常。是以頸處險而癭，齒居晉而黄。龍龜必靈於河洛，鸑鳳必鳴於高岡。原幽燕之地，高光爽塏，實爲沃壤神京。故能奔走六合，居重制輕。君身以强固，主德以清明。其視江左風流之地，浮薄柔軟，若瑶楫玉弧不可以涉險而及遠也。大哉乎皇都，允矣黄唐之居，四方之極。願主上思祖宗創業之艱難，益增修令德，以固皇圖於萬億陽秋館集

原揚雄幽州牧箴　蕩蕩平川，惟冀之别。北阸幽都，戎夏交偪。伊昔唐虞，實爲平陸。周末薦臻，迫於獯鬻。晉溺其陪，周使不徂。六國擅權，燕趙本都。東限濊貊，羡及東胡。强秦北排，蒙公域壃。大漢初定，介狄之荒。元戎屢征，如風之騰。義兵涉漠，偃我邊萌。既定且康，復古虞唐。盛不可不圖，衰不可或忘。堤潰蟻穴，器漏鍼芒。牧臣司幽，敢告侍旁。藝文類聚

原鄧林皇都大一統頌　天作神京，山河鞏固。聖皇宅之，永隆寶祚。大明啓運，定鼎金陵。皇上繼統，再營北京。維彼金陵，俯臨淮甸。龍飛渡江，洪基肇建。維此北京，冀域堯封。龍潛舊邸，王氣所鍾。昔在太祖，心存北顧。允惟聖王，是簡是副。聖皇文武，謨烈祇承。聿追來孝，聿觀厥成。歲在丁酉，星中營室。正於四方，元龜告吉。工師効力，山川獻材。四方和會，庶民子來。爰法天經，爰因地義。斷自宸衷，率由舊制。迺營三殿，三殿堂堂。乃立九門，九門將將。乃築圜丘，乃除方澤。父天母地，於焉昭格。乃嚴廟社，乃定市朝。規模位置，秩焉有條。龍樓中屼，鳳闕前峙。禁城萬雉，邦畿千里。乃廊阿閣，玉户金鋪。赫然壯觀，偉矣宏模。府第星羅，廬井櫛比。萬象一新，兩京駢麗。歲在辛丑，告厥成功。元日甲子，帝御九重。虎衛嚴宵，雞人報曉。雨露頒恩，絲綸下詔。萬國執玉，八蠻貢琛。天下一統，臣民同心。洪惟聖皇，與天合德。營此北京，象彼北極。維北有極，環拱衆星。維北有京，包舉八瀛。洪惟聖皇，德備文武。郡縣南交，衣冠朔土。洪惟聖皇，治備聖神。六合爲家，一視同仁。拜手稽首，聖皇萬壽。與天同長，與地同久。拜手稽首，聖皇萬年。博厚配地，高明配天。日月貞明，山河帶礪。聖子神孫，本支百世。簡編有紀，金石宜鐫。臣作頌章，永世其傳。退庵集

原郝經入燕行　南風緑盡燕南草，一桁青山翠如掃。驪珠晝擘滄海門，王氣夜寒居庸道。魚龍萬里入都會，澒洞合沓何擾擾？黄金臺邊布衣客，拊髀激歎肝膽裂。塵埃滿面人不識，骯髒偃蹇虹霓結。九原唤起燕太子，一樽快與澆明月。英雄豈以成敗論，千古志士推奇節。荆卿雖云事不就，氣壓咸陽與俱滅。何如石晉割燕雲，呼人作父爲人臣。偷生一時快一己，遂使王氣南北分。天王幾度作降虜，禍亂衮衮開其源。誰能倒挽析津水，與洗當時晉人恥？崑崙直上尋田疇，漠漠丹霄跨箕尾。陵川集

原宋本燕都詩　抛卻漁竿滄海邊，拂衣來看九重天。畫闌幾曲橋如月，緑樹千門雨似烟。南國佳人王幼玉，中朝才子杜樊川。紫雲樓上如澠酒，孤負春風二十年。繡錯繁華徧九衢，上林初賦漢西都。朱門細婢金條脱，紫禁材官玉鹿盧。萬里星辰開上界，四朝冠蓋翼皇圖。東鄰白面生紈綺，笑殺揚雄卧一區。盧溝曉月墮蒼烟，十二門開日色鮮。海上神山無弱水，人間平地有鈞天。寶幢珠珞瞿曇寺，豪竹哀絲玳瑁筵。春雨如膏三萬里，盡將嵩呼祝堯年。形勢

全燕擁地靈，梯航萬國走王城。狗屠已仕明天子，牛相寧知別太平？玄武鈎陳騰王氣，白麟赤雁入新聲。近來朝報多如雨，不見河南召賈生。至治集

原　宋褧詩　萬户千門氣鬱葱，漢家城闕畫圖中。九關上徹星辰界，三市横陳錦繡叢。玉盌金杯丞相府，珠幢寶刹梵王宫。遠人縱睹争修貢，不用雕戈塞徼通。豪傑紛紛白玉京，汗顔血指戰功名。九重見帝多因鬼，萬里封侯不用兵。肥馬塵深心獨苦，鮒魚波涸事難平。西山小隱烟蘿暗，依舊春犂趁雨耕。風物鮮妍飾禁城，豪家戚里競留情。花圍錦幄清明宴，香擁珠樓乞巧棚。叱撥馬摇金轡具，軿幪車颭繡簾旌。他年定擬持鉛槧，細數繁華紀太平。流珠聲調錦琵琶，韋曲池臺似館娃。羅袖舞低楊柳月，玉笙吹綻牡丹花。龍頭瀉酒紅雲灩，象口吹香緑霧斜。却笑西鄰蠹書客，牙籤緗帙費年華。燕石集

原　劉崧早春燕城懷舊詩　金水河枯禁苑荒，東風吹雨入宫牆。樹頭槐子乾未落，沙際草芽青已黄。北口晚陰猶有雪，薊門春早漸無霜。城樓隱映山如戟，笳鼓蕭蕭送夕陽。宫樓粉暗女垣敧，禁苑塵飛輦路移。花外斷橋支贔屭，草間壞壁綴罘罳。酒坊當户懸荷葉，兵壘緣渠插柳枝。不見當年歌舞地，空餘松栢鎖荒祠。海内蒼生困亂離，宫中舞女鬬腰肢。金渠水暖龍船出，彩檻花香翠輦移。松樹盤空皆偃蓋，柳枝拂地更垂絲。迷樓不獨江都恨，鳥竄龍沙更可悲。槎翁集

原　王廷相帝京詩　帝京南面俯中原，王氣千秋湧薊門。渤海東波連肅慎，太行西脊引崑崙。九皇天運坤維奠，萬國星羅北極尊。堯舜昇平見今日，按圖形勝不須論。家藏集

原　吴國倫燕京篇　擬賦燕京勝，三都未足誇。霸圖雄雁塞，古戍扼龍沙。北谷回陽令，西山擁帝家。天平恒嶽迥，地險薊門賒。秦楚慚雞口，侯王屬犬牙。重城開御氣，雙闕倚明霞。芳樹華陽館，高臺易水涯。談天曾碣石，望海即瑯琊。帶甲環三輔，梯航走八遐。風雲森劍佩，雨露足桑麻。紫陌新豐酒，紅樓宛洛花。輕塵飛白練，旭日麗青緺。雪色并兒劍，星杓漢使槎。羽林矜節俠，戚里競紛奢。接軫趨長樂，揚鞭過狹斜。悲歌聞擊筑，斥堠警鳴笳。七校傳清蹕，諸陵望翠華。豎儒何寂寞？抱影獨長嗟。甔甀洞稿

原　陶望齡帝京篇　地軸幽燕壯，星辰北極尊。向明開帝服，面勢敞天門。天門帝服何雄麗，到處烟花夾朱第。崔嵬古臺黄金築，迢遞離宫白玉砌。儲胥百萬護嚴更，十二交衢繞鳳城。見啓北門封將校，新開左掖召儒生。連艘千里吴陵粟，擐甲三營突騎兵。旗亭分隊起，輦路入雲平。摛車隱隱闐街轉，流汗窮冬氣猶喘。説劍相邀過慶卿，談天何處逢騶衍。走馬東門繡陌新，角弓珠彈鬬芳春。曾持紫綺裁行帳，共屑栴旜作遠塵。七貴豪奢何不有？材官導前蹶張後。蘭錡分將御仗陳，椒房自合君恩厚。董家小兒元賣珠，霍氏大奴公使酒。榮華銷落須臾事，盛滿尋常多怨忌。但見交游去翟公，空傳丞相過車騎。由來破甑難重炊，由來素髮難復緇。千金處囊意氣盛，一朝脱手爲人欺。君看世事共如此，獨傍悲歌高漸離。歇庵集

【原】徐熥帝京篇　文皇定鼎都燕冀，三輔黄圖誇壯麗。九重宫闕何嵯峨，百二山河咸拱衛。五鳳高樓逼太清，六龍御宇泰階平。曈曨曉日昇金闕，縹緲紅雲擁玉京。玉京金闕倚天開，隱隱鑾輿複道來。雲迷翠爐依龍衮，露滴金莖泛羽杯。平明長樂鐘聲響，九天日月開仙仗。豸史臺中聽曉烏，虎賁階下朝鞭象。月照彤墀環珮齊，風生青瑣旌旗颺。高臺突兀比章華，上苑紆迴同博望。我家京洛何煌煌，山河錦繡軼隋唐。反舌文身俱稽顙，雕題黑齒盡梯航。三載公車計偕吏，嚴樂鄒枚乘傳至。黄紙承恩金馬門，緑衣賜宴慈恩寺。敕賜當街上五花，金鞭絡繹更堪誇。市中春色濃如錦，身上宫袍爛似霞。粧臺舞榭層雲裏，粉白蛾黄兼皓齒。怙寵翻令女伴憎，承歡却得天顔喜。更有中涓美少年，朱顔白皙珥貂蟬。當筵解唱霓裳曲，出直常揮碧玉鞭。一代豪華稱戚里，回天轉日誰能比？薄暮酣歌閶闔門，平明取醉新豐市。繁華三五上元燈，蜀錦吴綾結作棚。任從玉漏催銀燭，不顧銀河轉玉繩。馬上佳人金絡索，筵前公子玉壺冰。懸得華燈燈七寶，構成綺閣閣千層。中宵露冷羅衣濕，姣童兩兩當筵立。夜永寧愁鳳腦殘，寵移豈顧龍陽泣。侯家繡柱玉盤龍，朝朝鼎食奏歌鐘。翠翹金鳳三千隊，畫閣雕闌十二重。繡枕春宵開菡萏，羅幃夜月絢芙蓉。五侯七貴豪華客，油壁香車過柳陌。花前調笑片時春，百萬黄金輕一擲。春風日日恣遨游，北里南鄰樂未休。玉顔到處堪迴轍，珠箔誰家不上鈎。青錢多買醉，紅袖暗藏鬮。投來青玉案，費盡錦纏頭。蹁躚紅袖人如玉，艷舞嬌歌歡不足。琥珀深杯醉玉樓，珊瑚寶樹羅金谷。灼灼桃花兩頰紅，娟娟柳葉雙眉緑。愁縈弱水遠重重，夢繞巫山高六六。王孫公子好游閒，往來射獵向西山。驅將鷹犬垂鞭去，射得狌狸帶箭還。九衢三市相迤邐，車塵白日連天起。六郡良家盡錦衣，四方賈客多紈綺。錦衣紈綺競豪奢，結俠追歡意氣賒。論交半是蕭朱輩，托命多於趙李家。但華堂宴會春風繞，一派絃歌聲嫋嫋。香氣頻聞寶鴨熏，漏聲忘却銅龍曉。春來春去自年年，聽盡笙歌與管絃。但知芳草春風滿，誰識鶯花歲序遷。自古奢華豈能久？轉眼紅顔成白首。往日堂前羅異花，於今門外生衰柳。世事悠悠未可知，桑田滄海須臾期。金張許史今何處，富貴驕奢空爾爲。幔亭集

【增】李攀龍燕京篇　燕京豪俠地，杯酒爲君陳。雙闕西山下，諸陵北海濱。薊門行雨雪，黍谷變陽春。騶衍初臨碣，荆軻故入秦。黄金來駿馬，白璧售佳人。定鼎從先代，千年正紫宸。滄溟集

【補】李益幽州詩　征戍在桑乾，年年薊水寒。殷勤驛西路，北去向長安。萬首唐人絶句

【補】李源道燕中懷古詩　燕王墓上草離離，郭隗臺前對落暉。戰國山川秋氣壯，中原豪傑曉星稀。乾坤納納無人識，南北年年有雁飛。説與盧溝橋畔柳，安排青眼送人歸。元詩體要

【補】孟思詩　箕尾分星野，軒轅肇帝墟。燕山蟠王氣，瀛海帶宸居。西北饒兵馬，東南富國儲。太平兹樂土，非夢亦華胥。龍川集

【補】陳泰朔方歌　朔方大野何寥哉！悲風慘憺從天來。初如巨璺吼陰浪，忽似晴空打怒雷。嚴風吹霜石爲裂，淅瀝飛沙砭人骨。萬里書生二十餘，匹馬來爲朔方客。朔方之人膽如斗，不關才華關身手。無復悲歌慷慨聲，猶能使氣屠雞狗。憑高仰視太行山，山氣空濛紫翠間。東西日月自吞吐，今古烟雲相往還。太行勢盡西山起，鳳舞龍蟠聳神偉。昨夜燕支雪作團，散落飛花漢宫裏。朔方猛士氣凌雲，白首防邊未策勳。馬上相逢淚如瀉，嗟我何爲朔方野？所

安遺
稿

補程旦幽燕行　太行亘西天，薊門控東海。山川何雄深，烈士多慷慨。千金重然諾，九死志無悔。憶昔荆軻子，英風赫如在。醉挽高漸離，悲歌燕市間。旁觀若無人，乃復涕汍瀾。太子跽避席，頃刻不遑安。朝送易水歌，夕入函谷關。秦王殿上走，羣臣仗下諠。把袖志莫遂，負劍已喪元。立名輕其身，報德安足言！至今少年者，甲騎獵平原。結客滹沱陰，剽吏長安道。殺人若刈麻，攫金如糞草。鼓鐘常達旦，終歲常醉飽。自視七尺軀，焉能牖下老？新都秀運
集

欽定日下舊聞考卷八

形勝

〔臣等謹按〕自金明昌中始有燕山八景之目，元明以來，著詠頗多。恭讀御製燕山八景詩，並疊舊作韻，煌煌乎如鐘律之載賡，星雲之相映。玉泉趵突一條，復邀睿裁釐定，祛舊說之傳譌，表靈淵之觱沸。瞻仰奎文，足使林泉增色矣。第原書中八景散見各門，檢閱未便。今謹總彙合一，載入形勝門，以便循覽，而備形勝之大全焉。

補自宋員外迪以瀟湘風景寫平遠山水八幅，一時觀者留題，目爲瀟湘八景。南渡詩人若陳允平衡仲、張槃叔安、周密公謹、奚淢倬然，皆有西湖十景詩。而北平舊志載金明昌遺事有燕京八景，元人或作爲古風，或演爲小曲。所謂八景者，居庸疊翠、玉泉垂虹、太液秋風、瓊島春陰、薊門飛雨、西山積雪、盧溝曉月、金臺夕照是也。至永樂間，館閣諸公相集倡和，更薊門飛雨爲薊門烟樹，和者相屬。因而十室之邑，三里之城，五畝之

園，以及琳宫梵宇，靡不有八景詩矣。寄園寄所寄録

增御製燕山八景詩　瓊島春陰：瓊華瑶島鬱嵯峨，春日輕陰景色多。雲護鳳樓松掩映，瑞凝仙掌竹婆娑。低臨禁苑滋苔蘚，遠带郊畿蔭麥禾。更向五雲最深處，好風時送九韶歌。太液秋風：秋到宸居爽籟生，玉湖澄碧畫橋横。荷風晚送殘香氣，竹露涼敲緑玉聲。翠合三山連閬苑，波涵一鏡儼蓬瀛。由來禁籞林泉好，行樂還同萬物情。玉泉垂虹：湧湍千丈落垂虹，風卷銀濤一望中。聲震林梢趨衆壑，光浮練影掛長空。跳波激石珠丸碎，濺沫飛花玉屑紅。自此恩波流處處，公田時雨澤應同。西山晴雪：銀屏重疊湛虚明，朗朗峯頭對帝京。萬壑晶光迎曉日，千林瓊屑映朝晴。寒凝澗口泉猶凍，冷逼枝頭鳥不鳴。只有山僧頗自在，竹爐茗椀伴高清。薊門烟樹：蒼茫樹色望中浮，十里輕陰接薊邱。垂柳依依村舍隱，新苗漠漠水田稠。青葱四合鶯留語，空翠連天雁遠遊。南望帝京佳氣繞，五雲飛護鳳凰樓。盧溝曉月：蘭若霜鐘斷續鳴，盧溝曉月正西横。蒼烟淡接平蕪迥，曙色纔分遠水明。傍岸人行聞犬吠，蹙波風動見魚驚。車馳馬驟長安道，何限低徊旅宦情！居庸叠翠：居庸天險列峯連，萬里金湯固九邊。雄峻莫誇三峽險，崎嶇疑是五丁穿。嵐拖千嶺浮佳氣，日上羣峯吐紫烟。盛世衹今無戰伐，投戈戍卒藝山田。金臺夕照：燕臺遥望澹烟濛，返照依稀禁籞東。是處人家圖畫裏，一川風

景夕陽中。溪頭棹響歸漁艇，牛背簫聲過牧童。千古望諸留勝蹟，幾回憑弔向西風。

增乾隆十六年御製燕山八景詩疊舊作韻　瓊島春陰：承光殿之北，孤嶼瞰臨北海，相傳爲遼之瓊華島。上多奇石，宋艮嶽之遺，金人輦致於此。今爲永安寺，悦心其便殿也。艮嶽移來石岌峩，千秋遺蹟感懷多。倚巖松翠龍鱗蔚，入牖篁新鳳尾娑。樂志詎因逢勝賞？悦心端爲得嘉禾。當春最是耕犁急，每較陰晴發浩歌。太液秋風：太液池在西苑，中亘長橋，列二華表，曰金鼇、玉蝀。北爲北海，南則瀛臺。西京賦所稱滄池漭沆列瀛洲夾蓬萊者，方斯蔑矣。微見商飈蘋末生，鏡瀾玉蝀影中横。非關細雨頻傳響，何事平流忽有聲？爽入金行閶闔表，波連瑶渚躍臺瀛。高秋文宴傳佳話，已覺犁然今昔情。玉泉趵突：西山泉皆洑流，至玉泉山勢中豁，泉歕躍而出，雪湧濤翻，濟南趵突不是過也。向之題八景者目以垂虹，失其實矣。爰正其名，且表爲天下第一泉，而爲之記。玉泉昔日此垂虹，史筆誰真感慨中。不改千秋翻趵突，幾曾百丈落雲空！廓池延月溶溶白，倒壁飛花淡淡紅。笑我亦甞傳耳食，未能免俗且雷同。西山晴雪：西山峯嶺層疊，不可殫名，因居京城右輔，故以西山概焉。高寒故易積雪，望如削玉。今構静宜園於香山，輒建標其嶺誌之。久曾勝蹟紀春明，叠嶂嶙峋信莫京。剛喜應時霑快雪，便教佳景入新晴。寒村烟動依林裊，古寺鐘清隔院鳴。新傍香山構精舍，好收積玉賁三清。薊門烟樹：水經注：薊城西北隅有薊邱。明人長安客話謂在今都城德勝門外，土城關卽其遺址。旁多林木，蓊翳蒼翠。十里輕楊烟靄浮，薊門指點認荒邱。青帘貰酒於何少？黄土埋人卽漸稠。牽客未能留遠别，聽鸝誰解作清游？梵鐘欲醒紅塵夢，覺生寺大鐘在此北。斷續常飄雲外樓。盧溝曉月：盧溝河卽桑乾河，水黑曰盧，故以名之。橋建於金明昌初，長二百餘步。由陸程入京師者必取道於此。茅店寒雞咿喔鳴，曙光斜漢欲參横。半鈎留照三秋淡，一蝀分波夾鏡明。入定衲僧心共印，懷程客子影猶驚。邇來每踏溝西道，觸景那忘黯爾情。易州建泰陵，來往必由之道。居庸疊翠：居庸爲九塞之一，見於吕覽、淮南子，其蹟最古。酈道元謂崇墉峻壁，山岫層深，路才容軌，爲得其實云。斷戍頹垣動接連，當時徒説固防邊。洗兵玉壘曾無藉，守德金城信不穿。泉出石鳴常带冷，日含峯暖欲生烟。鳴鞭阿那羊腸道，可較前兹獲有田？金臺夕照：黄金臺見志乘者有三，一在易州，都城有其二。輿地名勝志云：在府東南十六里。又有小金臺，相去一里。今朝陽門東南巋然土阜，好事者卽以實之。所傳古蹟，大率類是。九龍妙筆寫空濛，石渠寶笈有王紱燕山八景圖真蹟。疑似荒基西或東。要在好賢傳以久，何妨存古託其中？豪詞賦鶩誰過客，博辯方盂任小童。遺蹟明昌重校檢，睪然高望想流風。

〔臣等謹按〕燕山八景御製疊舊作韻内釐定玉泉趵突一條，永資垂信，今敬謹編輯卷內。其有節年分詠各題之什，茲不具録。

補胡廣北京八景圖詩序　明昌遺事有燕京八景，前代士大夫賦詠往往見於簡策。聖天子肇建北京，爲萬方會同之都。車駕巡狩，文學之臣多列扈從。翰林侍講兼左春坊左中允鄒緝仲熙曰：昔之八景偏於一隅，猶且見於歌詠。吾輩幸生太平之世，爲天子侍從臣，以所業而從游於此。縱觀神京鬱葱佳麗，山川草木，衣被雲漢昭回之光，昔與今又豈可同觀哉？烏可無賦以播於歌誦？衆咸曰然。遂命曰北京八景，間更其題一二，仲熙作詩爲倡。於是繼賦者國子祭酒兼翰林侍講胡儼若思，右春坊右庶子兼翰林侍講楊榮勉仁，右春坊右諭德兼翰林侍講金善幼孜，翰林侍講曾棨子啟，林環崇璧、翰林修撰兼右春坊右贊善梁潛用之，翰林修撰王洪希範、王英時彦、王直行儉，中書舍人王紱孟端、許翰鳴鶴，暨廣凡十有三人，得詩一百二十四首。乃寫爲圖，并集諸作置各圖之後，裝爲一卷，藏於篋笥。他時歸老，優游江村林屋之下，展而觀之，撫其景，誦其詩，豈無玉堂天上之思與夫生平出處交遊之感耶？胡文穆集

增楊榮題北京八景卷後　予嘗考天下山川形勝，雄偉壯麗可爲京都者，莫逾於金陵。至若地勢寬厚，關塞險固，總據中原之夷曠者，又莫過於燕薊。雖云長安有崤函之阻，洛邑爲天地之中，要之帝王都會爲億萬年太平悠久之業者，莫若金陵、燕薊也。昔太祖以金陵龍蟠虎踞，長江天塹，遂定都焉。皇上繼承大統，又以燕薊左環滄海，右擁太行，內跨中原，外控朔漠，宜爲天下都會。乃詔建北京。及今十有餘年，車駕凡兩巡狩。榮叨禄翰林，既嘗歷觀金陵之勝，今復忝扈從，得以徧閲北京山川之概，退而與諸僚友討論，莫不稱嘆，以爲斯文千載之奇逢也。既而翰林學士胡君光大偕侍講鄒君仲熙考求其蹟，以昔人有燕山八景之作，而簡策無聞。今天下一統，建都於茲，不可不賦詠以播於無極。於是仲熙倡爲北京八景之詩，光大兩和其韻而又序之。僚友同賦者凡十三人，榮亦厠名其間，抑何幸哉！竊自幼時嘗閲地誌，考其山川形勝，心目爲之開明，精神爲之飛動，思欲遨遊覽觀而不可得。及今得以循歷兩京，又屢承上命，奉使西北，由江淮道大梁洛邑，踰關中以達玉關之外，及兩率師出塞，北至極漠，西抵和林。觀兩京之地，王氣所鍾，實爲天下形勝之最，東西南北，道里適均，真足以控制萬方而爲萬世磐石之安也。茲以北京八景圖并詩裝潢成卷，舉足跡所至書於卷末，且以諸景所以得名者疏於各題之後。誠非欲誇耀於人人，將以告夫來者俾有所考，則不惟知天下山川形勝之重，而又有以知八景所在如目親覩，有若余輩之菲薄，叨承國家眷遇之厚，樂其職於優游，得以歌詠帝都之勝於無窮者，皆上賜也。然則觀於是者豈無感發興起以自奮於明時者哉！姑書此於末簡，以誌歲月云。楊文敏集

增瓊島在皇城西北苑中。下瞰池水，環以雉堞，地勢坡陀，疊石爲山，嶄岩磊砢，層疊而上，石磴陰洞，縈紆蔽虧，喬松古檜，深翳森蔚，隱然神仙洞府也。謂之大山子。山頂有廣寒殿，殿之四隅各有亭。左二亭曰玉虹、方壺，右二亭曰金露、瀛洲。山半有三

殿，中曰仁智，東曰介福，西曰延和。其下太液池，前有飛橋，以通儀天殿，東有石橋以通瓊林苑。山之上常有雲氣浮空，氤氳五采，郁郁紛紛，變化翕忽，莫測其妙，故曰瓊島春雲。燕山八景圖詩序

原 陳孚瓊島春陰詩 一峯亭亭湧寒玉，露華不墮瑶草緑。朱樓千里星漢間，天風吹下笙韶曲。萬年枝上槲葉滿，小鳳伥伥繞龍管。金根曉御翠華來，三十六宮碧雲暖。觀光集 此條原在宮室門，今移改。

增 明楊榮瓊島春雲詩 仙島依微近紫清，春光淡蕩暖雲生。乍經樹杪和烟濕，輕覆花枝過雨晴。每日氤氳浮玉殿，常時縹緲護金莖。從龍處處施甘澤，四海謳歌樂治平。燕山八景圖詩

增 明金幼孜瓊島春雲詩 蓬萊東望近扶桑，冉冉春雲接下方。隔水樓臺通御氣，半空草樹發天香。花間駐輦霓旌濕，海上傳書鶴夢長。映日龍文還五色，殿頭常得近清光。同上

增 太液池在城之右，東瞰瓊華島，而西北南三面極深廣。芰荷菱芡，舒紅卷翠，魚躍鳥浮，上下天光，真勝境也。東南有儀天殿，中架長橋以通往來。又有土臺，松檜蒼蒼然，天氣清明，日光滉漾，而波瀾漣漪，清徹可愛，故曰太液晴波。燕山八景圖詩序

〔臣等謹按〕元一統志八景内有太液秋波，明人亦曰晴波，後改爲太液秋風，仰荷宸章屢經題詠，益昭畫一矣。

又按：瓊島太液池殿亭制度及名額，凡經本朝更定者，皆詳宮室門西苑條下，茲不復綴。

增 明楊榮太液晴波詩 太液晴涵一鏡開，溶溶漾漾自天來。光浮雪練明金闕，影帶晴虹繞玉臺。蘋藻摇風仍蕩漾，鼉魚向日共徘徊。蓬萊咫尺滄溟上，瑞氣氤氳接上台。燕山八景圖詩

增 明金幼孜太液晴波詩 禁苑香風散紫埃，晴光漾日自沿洄。天光下映銀潢淨，雲影遥涵玉鑑開。舊日曾隨仙仗到，幾時還載酒船回？從知弱水通三島，應有羣仙獻壽來。同上

增玉泉在宛平縣西北三十里。山有石洞三，一在山之西南，其下有泉，深淺莫測。一在山之陽，泉自山而出，鳴若雜佩，色如素練，澄泓百頃，鑑形萬象，莫可擬極。一在山之根，有泉涌出，其味甘洌。洞門刻玉泉二字。山有觀音閣，又南有石巖，名吕公洞，其上有金時芙蓉殿廢址，相傳以爲章宗避暑處。以兹山之泉，逶迤曲折，蜿蜿然其流若虹，故曰玉泉垂虹。燕山八景圖詩序

〔臣等謹按〕玉泉垂虹之稱，蓋鄒緝、楊榮輩相延舊説，一時倡和，不免耳食之談。

恭讀御製玉泉山天下第一泉記，並經睿裁釐定玉泉趵突之名，今謹録卷内。

增御製玉泉山天下第一泉記　水之德在養人，其味貴甘，其質貴輕。然三者正相資，質輕者味必甘，飲之而蠲疴益壽。故辨水者恒於其質之輕重分泉之高下焉。嘗製銀斗較之，京師玉泉之水斗重一兩，塞上伊遜之水亦斗重一兩，濟南珍珠泉斗重一兩二釐，揚子金山泉斗重一兩三釐，則較玉泉重二釐或三釐矣。至惠山、虎跑則各重玉泉四釐，平山重六釐，清涼山、白沙、虎邱及西山之碧雲寺各重玉泉一分。是皆巡蹕所至，命内侍精量而得者。然則更無輕於玉泉之水者乎？曰有。爲何泉？曰非泉，乃雪水也。常收積素而烹之，較玉泉斗輕三釐。雪水不可恒得，則凡出山下而有洌者，誠無過京師之玉泉。昔陸羽、劉伯芻之論，或以廬山谷簾爲第一，或以揚子爲第一，惠山爲第二，雖南人

亨帚之論也，然以輕重較之，惠山固應讓揚子。具見古人非臆説，而惜其不但未至塞上伊遜，並且未至燕京。若至此，則定以玉泉爲天下第一矣。近歲疏西海爲昆明湖，萬壽山一帶率有名泉，溯源會極，則玉泉實靈脈之發皇，德水之樞紐。且質輕而味甘，廬山雖未到，信有過於揚子之金山者。故定名爲天下第一泉，命將作崇煥神祠以資惠濟，而爲記以勒石。夫玉泉固趵突山根蕩漾而成一湖者，詩人乃比之飛瀑之垂虹，卽予向日題燕山八景，亦何嘗不隨聲云云？足見公道在世間，誣辭亦在世間。籍甚既成，雌黄難易。泉之於人，有德而無怨，猶不能免訛議焉，則挾德怨以應天下者，可以知懼，抑亦可以不必懼矣。

原陳孚玉泉垂虹詩 雪波碧擁千崖高，落花點點浮寒瑶。日斜忽有五采氣，飛上太空横作橋。古寺殘鐘塔鈴語，回首前村猶急雨。輕綃欲剪一幅秋，又逐西風過南浦。觀光集 此條原在郊坰門，今移改。

增明金幼孜玉泉垂虹詩 宛宛垂虹引玉泉，縈巖出澗淨娟娟。細通樹底映初日，遥轉湖陰涵遠天。魚動翠紋生雨後，鷗翻細浪起風前。源源自是歸滄海，添作恩波遍九埏。同上

增明楊榮玉泉垂虹詩 一派清泠螮蝀懸，涵雲浴霧自年年。聲迴曉閣鳴清佩，影落秋崖濕紫烟。石罅轉來幽澗裏，瑶池分出御橋前。汪洋長比恩波闊，萬古東流會百川。燕山八景圖詩

原西山來自太行，連岡疊岫，上干雲霄，揖抱迴環，争奇獻秀。值大雪初霽，凝華積素，若屑瓊雕玉，千巖萬壑，宛然圖畫。戴司成集

原西山諸蘭若，白塔無慮數十，與山隈青靄相間。流泉滿道，或注荒池，或伏草逕，或散漫塵沙間。春夏之交，晴雲碧樹，花香鳥聲，秋則亂葉飄丹，冬則積雪凝素，信足賞

心，而雪景尤勝。長安客話　以上二條原在郊坰門，今移改。

【原】陳孚西山積雪詩　凍雀無聲庭檜響，冰花灑簷大如掌。平明起視巖壑間，插天瓊瑤一千丈。夕陽微漏光嵯峨，倚欄更覺爽氣多。雲間落葉有徑否？想見樵叟披青蓑。觀光集

【原】元無名氏西山晴雪折桂令詞　玉嵯峨高聳神京。峭壁排銀，疊石飛瓊。地展雄藩，天開圖畫，户列圍屏。分曙色流雲有影，凍晴光老樹無聲。醉眼空驚。樵子歸來，蓑笠青青。太平樂府　以上二條原在郊坰門，今移改。

【增】明楊榮西山霽雪詩　西山日上雪初晴，素壁銀屏萬疊明。高樹迎風霏玉屑，小橋流水澀琴聲。恍疑滄海通三島，絶似崑崙見五城。但使年年足豐稔，桑麻燕雀遂生成。燕山八景圖詩

【增】明金幼孜西山霽雪詩　海上雲收旭景新，連峯積雪淨如銀。晴光迴入千門曉，淑氣先回上谷春。瑶樹生輝寒已散，瓊林消凍暖偏勻。玉堂相對題詩好，移席鉤簾坐夕曛。同上

【增】薊門在舊城西北隅。門之外舊有樓館，雕欄畫棟，淩空縹緲，遊人行旅，往來其中，多有賦詠。今並廢而門猶存。二土阜樹木蓊然，蒼蒼蔚蔚，晴烟拂空，四時不改，故曰薊門烟樹。燕山八景圖詩序

【原】陳孚薊門飛雨詩　黑雲如鴉漲川谷，雲湧雹躍風折木。半天萬點捲海來，森森映窗如銀竹。鳳城無數笙歌樓，珠簾半捲西山秋。誰知羈客家萬里，一燈正擁寒衾愁。觀光集

【原】楊榮薊門烟樹詩　薊門春雨散浮埃，烟樹溟濛霽欲開。十里清陰連紫陌，半空翠影接金臺。東風葉暗留鶯語，落日林深看鳥迴。記得清明攜酒處，碧桃花底共徘徊。楊文敏集

【原】金幼孜薊門烟樹詩　野色蒼蒼接薊門，淡烟疏樹碧氤氲。過橋酒幔依稀見，附郭人家遠近分。翠雨落花行處有，緑陰鳴鳥坐來聞。玉京盡日多佳氣，縹緲還看映五雲。金文靖集　以上三條原在郊坰門，今移改。

〔臣等謹按〕薊門烟樹，元一統志作薊門飛雨，明楊榮等倡和詩始改烟樹，陳孚作蓋仍其舊也。

【原】盧溝本桑乾河，俗曰渾河，在都城西南四十里。有石橋橫跨二百餘步。橋上兩旁皆石欄，雕刻石獅，形狀奇巧，金明昌間所造。兩崖多旅舍，以其密邇京師，驛通四海，行

人使客，往來絡繹，疏星曉月，曙景蒼然，亦一奇也。戴司成集

原盧溝曉月爲京畿八景之一。破夢閒譚

原陳孚盧溝曉月詩　長橋彎彎眠海鯨，河水不濺冰峥嶸。遠雞數聲燈火杳，殘蟾猶映長庚横。道士征車鐸聲急，霜花如錢馬鬣濕。忽驚沙際金影摇，白鷗飛下黄蘆立。觀光集

原趙寛題盧溝曉月圖詩　銀河半落長庚明，城高萬户皆雞聲。長橋卧波鼇背聳，上有車馬蕭蕭行。蒼烟淡接平蕪迴，沙際朦朧見人影。舉頭一望天宇高，殘月蒼蒼在西嶺。半江集　以上四條原在郊坰門，今移改。

增明楊榮盧溝曉月詩　河聲流月漏聲殘，咫尺西山霧裏看。遠樹依稀雲影淡，疏星寥落曙光寒。石橋馬跡霜初滑，茅屋雞鳴夜欲闌。北上已看京闕近，五雲深處是金鑾。燕山八景圖詩

增明金幼孜盧溝曉月詩　盧溝杳杳出桑乾，月照河流下石灘。茅店雞聲斜漢曙，江沙雁叫早霜寒。水光微帶山烟白，野色遥連塞草殘。千古長橋枕南北，憶曾題柱倚闌干。同上

增居庸去北京九十里，在昌平縣西北三十里。關之中延袤四十餘里，兩山夾峙，一水旁流，騎通連駟，車行兼輛。先入南口，過關入北口。關中有峽曰彈琴，道旁有石曰仙枕，兩崖峻絶，層巒叠翠。又有石城，横跨東西兩山，南北設二門，敵臺十二，置軍衛以守之。淮南子云，天下有九塞，居庸其一焉。南眺臨軍都，亦謂之軍都山。以兹山蒼翠秀麗，故曰居庸疊翠。燕山八景圖詩序

原陳孚居庸疊翠詩　斷崖萬仞如削鐵，鳥飛不度山石裂。嵳峩老樹無碧柯，六月太陰飛急雪。寒沙茫茫出關道，駱駝夜吼黄雲老。征鴻一聲起長空，風吹草低山月小。觀光集　此條原在邊障門，今移改。

增明楊榮居庸疊翠詩　羣山聳列勢峥嶸，日照峯巒積翠明。高出烟霞通絶塞，低徊城闕擁神京。休論函谷雙崖險，絶勝匡廬九疊横。扈從常時經此處，坐看天際白雲生。燕山八景圖詩

增明金幼孜居庸疊翠詩　巀嶭天關復幾重，龍飛鳳翥勢偏雄。千山黛色落平野，萬里烟光明遠空。峽口人行春雨外，樹邊鳥度夕陽中。北巡記得隨鑾馭，曾上雲間第一峯。同上

增金臺有三處，並在易州，易水東南。去縣三十里者曰大金臺，今在大興縣境。去縣東

南十六里者曰西金臺，去縣東南一十五里者曰小金臺。昔燕昭王尊郭隗，築宮而師事之，置千金於臺上，以延天下士，遂以得名。其後金人慕其好賢之名，亦建此臺，今在舊城内。後之遊者，往往極目於斜陽古木之中，徘徊留戀，以寄其遐思，故曰金臺夕照。燕山八景圖詩序

補 春秋後語：燕昭王曰：安得賢士以報齊讎？郭隗曰：王能築臺於碣石山前，尊隗爲師，天下賢士必自至也。王如其言，作臺以金玉崇之，號黄金臺。述異記：臺在幽州燕王故城中；上谷圖經：臺在易水東南十八里；其説不同。草堂詩箋

原 林環金臺夕照詩 高臺曾此置黄金，人去臺空碧草深。落日未窮千里望，青山遥映半城陰。雁將秋色來平野，鴉帶寒光過遠林。昭代賢才登用盡，不須懷古動長吟。絅齋集 以上二條原在郊坰門，今移改。

增 明楊榮金臺夕照詩 猶攜尊酒上金臺，尚想當時國士來。落木千章寒日下，長空萬里暮雲開。春風寂寂飛桃李，夜雨瀟瀟瘞草萊。却笑一時空買骨，只今才駿總龍媒。燕山八景圖詩

增 明金幼孜金臺夕照詩 迢遞高臺近日邊，儻來登覽向依然。萬家禾黍秋風外，十里旌旗落照前。遠郭砧聲來杳杳，平原歸騎去翩翩。黄金漫説能招士，千載猶傳郭隗賢。同上

補 司馬光燕臺歌 萬古蒼茫空盛衰，燕臺賢客姓名誰？君看碣石嵓中草，寧似昭王擁篲時！傳家集

補 王惲望黄金臺歌 君不見孔子修春秋，二百四十有二年。燕人歃血纔一見，下逮戰國尤茫然。惟南聲教恥不與，苦羡齊魯多英賢。黄金不惜築此臺，當時何限郭隗才！政緣市駿售其骨，雲烟轉盼龍媒來。古稱得士國無小，甘棠世業如天開。悲風蕭蕭易水暮，往事不復令人哀。昭王之名傳永世，黄金高臺安在哉！秋澗集

欽定日下舊聞考卷九

國朝宮室

〔臣等謹按〕從來立國者必首隆廟社之規，崇建闕廷之制。所以象辰極，撫寰區，昭誠敬而敷化理，典綦鉅也。洪惟世祖章皇帝定鼎燕京，順治元年肇定大清門名額，有若殿廟宮闕制度，皆丕振鴻謨，因勝國之舊而斟酌損益之。聲靈赫濯，炳耀維新。聖祖仁皇帝、世宗憲皇帝，聖聖相承，勤塈茨而施丹雘。皇上御極以來，紹庭繼志。凡兹外朝、内朝營建繕葺之舉，道在因時者，則必飭所司董治，俾敬謹蕆厥事。煌煌乎肯構鴻圖，創垂億萬年之盛軌也。今謹編録國朝宮室，釐爲二十卷，列於原書宮室門之前，而附録原宮室卷帙於後。其有可考辨者，仍於原條下一例加按以資互證焉。

正陽門之内爲大清門，三闕，上爲飛檐崇脊，門前地正方，繞以石闌，左右石獅各一，下馬石牌各一。大清會典乾隆十九年御製大清門詩有序　我太祖神武明哲，創業開基，日不暇給，而勤於庶政。建二木於門，俾下情欲達者書之以進。法貽百世，澤永萬年。令許投書異鉅篇，無聲聽俾下情通，古風淳噩非緣襲，謗木堯年聖制同。

〔臣等謹按〕大清門御製詩，恭載首見之篇，餘不備録。

大清門外俗稱棋盤街，乾隆四十年修葺，周圍石闌，以崇體制。

大清門之内，千步廊東西嚮，各百有十間，又折而北嚮各三十四間，皆聯檐通脊。大清會典

〔臣等謹按〕凡吏兵兩部月選官掣籤，刑部秋審，禮部鄉會試磨勘，俱集於廊房之左右。廊房之外，東爲户部米倉，西爲工部木倉。

千步廊東接長安左門，西接長安右門，門各三闕，東西嚮，兩門之中南嚮者天安門，五闕，上覆重樓九間，彤扉三十有六，爲皇城正門。大清會典

〔臣等謹按〕天安門初仍明舊，曰承天門。順治八年重建，改今名。凡宣布覃恩慶典詔書，於門樓上設金鳳銜而下焉。乾隆十九年，於東西長安門外增築圍牆，各設三座門，規模尤爲閎整。

皇城四門，南即天安，北曰地安，東曰東安，西曰西安。天安門前環御河跨石梁七，即外金水橋。大清會典

〔臣等謹按〕皇城内河流四面環繞，其由地安門西步梁橋流入者，經景山西門引入，環紫禁城，是爲護城河。護城河西面之水，自紫禁城西南隅流經天安門外金水橋，東南注御河，是爲外金水河。又西闕門下有地溝，引城河水經午門前至東闕門外，循太廟右垣南流，折而東注太廟戟門外筩子河，東南合御河，此係乾隆二十五年奉諭新開水道。至其由地安門東步梁橋流入者，經東安門内望恩橋流注御河，又别爲一道也。

外金水橋前立華表二，門之内立華表二，東西兩廡各二十六間，東廡正中爲太廟街門，西廡正中爲社稷街門。大清會典

〔臣等謹按〕天安門内西嚮者爲太廟街門，東嚮者爲社稷街門，端門内西嚮者爲廟右門，亦稱神廚門，東嚮者爲社左門，闕左門外西嚮者爲太廟西北門，東嚮者爲社稷東北門。

太廟在闕左南嚮。圍垣一重，琉璃甎門三間，左右門各一。戟門五間，崇基石闌，中三間前後均三出陛，中九級，左右七級，門内外列戟百有二十，左右門各三間，前後均一出陛，各五級。前殿十有一間，重檐，階三成，繞以石闌，五出陛，一成均四級，二成均五級，三成中十有一級，左右九級。東西廡各十有五間，階均八級，燎鑪二。中殿九

間，後殿九間，兩廡各十間。後殿東廡南燎鑪一，戟門外石橋五。橋北井亭二，六角，間以朱欞。橋南神庫五間西嚮，神廚五間東嚮。廟門外之西南，奉祀署三間東嚮，左右房各三間，垣一重，門一北嚮。東南宰牲亭三間，前治牲房五間，均西嚮，垣一重，門一西嚮。井亭一，六角，間以朱欞。西南爲太廟街門五間，西北爲太廟右門三間，均西嚮。大清會典則例

順治元年，定太廟時饗，每歲孟春於正月上旬卜日，孟夏、孟秋、孟冬於朔日行禮。孟春時饗，如遇祈穀齋戒之期，皇帝詣太廟，出入導迎，樂均設而不作。上同

順治四年，定歲除前祫祭，大建於二十九日，小建於二十八日行禮。上同

乾隆元年諭：國家式崇太廟，妥侑列祖神靈，歲時祇薦明禋，典禮允宜隆備。今廟貌崇嚴，而軒欞榱桷久未增飾，理應敬謹相視，慎重繕修，以昭黝堊示新之敬。著該部會同內務府詳議具奏。欽此。上同

〔臣等謹按〕繕修太廟，於乾隆四年工竣。

中殿供奉太祖高皇帝、太宗文皇帝、世祖章皇帝、聖祖仁皇帝、世宗憲皇帝列聖列后神位。每遇時饗及祫祭之期，恭請奉安前殿，禮成復送至中殿供奉。

後殿供奉肇祖原皇帝、興祖直皇帝、景祖翼皇帝、顯祖宣皇帝列聖列后神位。每歲祫

祭，恭請奉安前殿，禮成復送至後殿供奉。其四孟時饗，則遣親王於後殿行禮。大饗前一日，樂部設中和韶樂於前殿第一成階上，分左右懸。祭日，皇帝御祭服，乘禮輿出宮，内大臣侍衛前引後扈如常儀。至太和門階下降輿乘輦，駕發警蹕，午門嚴鼓，法駕鹵簿前導，導迎鼓吹，設而不作。皇帝由太廟街門左門入，至外垣南門外神路右降輦。贊引太常卿二人恭導皇帝，由太廟南門左門入，至戟門幄次盥洗。贊引太常卿恭導皇帝由戟門左門入，陞左階，入前殿左門，就拜位前北嚮立。典儀官贊樂舞生登歌，執事官各共乃職，武舞八佾進。贊引官奏就位。皇帝就拜位立，迺迎神。司香官各奉香盤進，司樂官贊舉迎神樂，奏貽平之章。贊引官恭導皇帝詣太祖高皇帝香案前上香，以次詣列聖香案前上香。奏復位，皇帝復位。奏跪拜興，皇帝行三跪九拜禮，王公百官均隨行禮。奠帛爵，行初獻禮，宗室司帛官奉篚，司爵官奉爵，各詣列聖列后神位前，奏敉平之章，舞干戚之舞。司帛官跪奠帛三叩，司爵官立獻爵奠正中，皆退。司祝至祝案前跪，三叩，奉祝版跪案左，樂暫止。皇帝跪，羣臣皆跪。司祝讀祝畢，奉祝版詣太祖神位前跪安於案。三叩，退，樂作。皇帝率羣臣行三拜禮，興，樂止。武功之舞退，文舞八佾進。行亞獻禮。奏敷平之章，舞羽籥之舞。司爵官獻爵，奠於左，儀如初獻。行終獻禮，奏紹平之章。司爵官獻爵奠於右，儀如亞獻。樂止，文德之舞退。太常官贊賜福胙，光禄卿二人就東案奉福胙進至太祖位前拱舉，降立於皇帝拜位之右。侍衛二人進立於左，皇帝跪，左右執事官咸跪。右官進福酒，皇帝受爵拱舉授左官。進胙、受胙亦如之。三拜興，率羣臣行三跪九拜禮。徹饌，奏光平之章。徹饌畢，太常官跪告禮成於神，舉還宮樂，奏乂平之章。皇帝率羣臣行三跪九拜禮。有司奉祝，次帛，次香，恭送燎所。皇帝轉立拜位旁西嚮，候祝帛過，復位。樂作，祝帛燎半，奏禮成，恭導皇帝由戟門左門出。皇帝至外垣南門外神路右，陞禮輿，法駕鹵簿前導，導迎樂作，奏祐平之章。午門鳴鐘，皇帝還宮。大清會典

〔臣等謹按〕恭遇時饗、大祫，聖駕恭詣太廟及還宮儀注，乾隆三十六年，大學士等原奏以上春秋已逾六旬，宜稍節勞，得專於誠敬。奉諭，量爲更定。其稍别於舊儀者，乘輦入西北門，至太廟北門外，御禮轎入左門，循東牆行，至戟門外東階下降輿，步入左門，至幄次。迨禮成，由戟門左門出陞輿，如上儀。

乾隆五年御製孟秋時享太廟詩　玉斗迴旋屆指庚，金輿夙駕紫鸞鳴。喬皇禮樂陳清廟，糺縵雲霞焕寶楹。陟降儼臨神鑒赫，顯承佑啓泰階平。禮成肅穆瞻霄漢，何限依遲霜露情！

乾隆九年御製孟冬時享太廟禮成述事詩　滌志齋三宿，精禋舉質明。奉時修禴祀，考樂

叶韶譔。馨薦忱爰託，心忪禮欲成。假思不可度，顒若有餘誠。如在音容感，孔懷霜露情。橋山凝望處，愾僾達三京。國朝舊制，每於十月朔日，興京盛京燕京諸陵皆有祭焉。

乾隆十二年御製孟冬時享太廟禮成有述詩　午門鼓響散晨光，凡祭日，出午門皆鳴鐘，惟祭太廟則伐鼓。太室修烝繼履霜。優愾心源承一脈，躬親祭典重三王。宗潢執事邐鉶肅，韶樂陳庭磬管將。詎止祈年兼卜世？繩繩奕禩奉其薌。

乾隆十三年御製孟冬時享太廟詩　元英纔節届，烝祭以時將。太室卿雲煥，五朝帝烈光。追思曷有極？一脈永流慶。制治慚成泰，書年幸告康。今歲各省告豐多而報災少，用是稍慰云。惕乾心久切，儀式志寧遑！愾優相通處，惟祈我武揚。是時金川餘孽未靖，正值命將出師，故云。

乾隆十六年御製孟春時享太廟詩　魯論欽與祭，周雅詠於昭。太室修精禴，王春報始韶。瓞瓜綿益衍，本木接非遥。濟濟趨三獻，宗廟之祀皆宗室奉爵。依依眄九霄。優聞希歔戾，顯相肅鵷僚。啓佑鴻規遠，丕承仰五朝。

乾隆二十二年御製孟冬時享太廟禮成紀事詩　吉朔修嘗進吉蠲，假思仰冀意顒然。洋如在上原一脈，勿替引之於萬年。三獻禮成八佾舞，小春律在五絲絃。午門迎送增蘇對，外藩貢使例於午門前迎送，是日哈薩克使臣在列。祖烈今揚西海邊。

乾隆二十三年御製孟冬時享太廟述事詩　質明徂位展虔思，職事天潢式禮儀。追遠丕綿一脈𢌿，靖遐耆定萬年基。不遲廢徹迴瞻廟，有肅冠裳列迓墀。昔厠大宛今布露，（去歲哈薩克來朝，今年布魯特繼至，並以秋獮迴鑾，攜入京師，適當冬嘗大典，于午門陪百官迎送。）延庥孰匪祖威貽？

乾隆二十四年御製歲暮袷祭太廟述事詩　璇璣臨歲暮，太室袷冬烝。九廟萃神爽，一躬凛繼繩。瞻羹惜徹饌，傳火驗懸燈。冪䨲祥花布，（是日適逢瑞雪。）天恩倍敬承。

乾隆二十六年御製孟夏有事太廟禮成詩　撰日惟中朔，協時逮正陽。天經欽與祭，世德永延昌。優見神容對，駿奔宗子襄。一灣引金水，（先是太廟沿明舊制，戟門外有溝橋而無水，茲命引金水橋之水流經橋下成河，允協形勝云。）萬葉衍銀潢。

乾隆二十七年御製孟冬時享太廟詩　午門嚴左鼓，廟享致欽崇。思孝奉先切，維親執事同。（獻帛酒皆宗親執事。）萬年福綿奕，三獻樂沖融。優愾寧常語？誠知一脈通。

乾隆三十一年御製孟夏有事太廟述事詩　鼛鼓肅寅牌，午門雨濕街。（是日復雨。）有顒需澤思，（去聲。）無那奉先懷。燕翼貽庥永，𢌿支執事皆。祭歸不作樂，（凡祭祀，禮成有導迎樂，齋則不作。）雩祀又臨齋。

乾隆三十八年御製孟冬時享太廟禮成有述詩　齋宿舉冬禋，躬承追慕申。瓣香均致炷，（去歲袷祭，例自中位上香畢，迭至列祖列宗前上香，往返八度，慮涉瀆褻。且步履亦太多，因更定儀注，親詣中位，餘命諴親王率皇子等各分上香，茲孟冬時饗，祇因五位同堂，仍依舊例，均親詣上香，所謂禮以義起，且均致思慕之忱。）清酒惜三陳。宗室濟蹌助，明庭禮樂彬。告成更頒朔，律協海西濱。（今歲頒朔，憲書中增歸順土爾扈特和碩特汗王等所居之地及烏里雅蘇台附近諸部，凡二十五處。）

乾隆四十年御製歲暮祫祭太廟禮成述事詩　或問禘之答，不知義最精。存誠心果篤，出治掌如平。源本宗溯祖，趨蹌弟與兄。（壬辰冬，因予春秋已逾六十，命閣部諸臣議，正位躬致瓣香，列祖各位則派近支諸王及皇子恭代，以節繁縟。內惟裕親王爲朕兄，餘皆弟姪及孫曾輩矣。）禮成忻以戚，肯俾代而行。

乾隆四十二年御製孟秋時享太廟禮成述悲詩　歲月迅如流，忽忽屆孟秋。祔來祭斯始，（自聖母升祔以來，初值時享，是以親詣行禮。而既虞後此爲吉祭之始。追憶慈恩，倍增悲慕。）虞後憶從頭。易吉敢違禮？思恩益結憂。禘嘗具深義，夫子必從周。

又御製孟冬時享太廟詩　每歲躬冬享，（每歲自熱河奉聖母還駐暢春園，孟冬時享太廟，必親詣行禮，隔數日一往問安。迴思此景，不可復得，曷勝悲慕？）今年倍溯思。豐於何敢爾？（母豐於昵，義莫大焉。然久近之間，終覺有殊，亦人情之常，雖聖人能異此乎？）續莫大乎斯。久近究情異，趨蹌以禮持。禘嘗關治國，夫子昔言之。

乾隆四十三年御製孟冬時享太廟禮成有述詩　陪京返時馭，清廟舉冬烝。惟切奉先思，敢忘開創曾？無文六英樂，（南郊樂九奏，北郊樂八奏，宗廟樂六奏，禮也。）不和太羹鐙。繩繼萬年願，惕乾一意兢。

〔臣等謹按〕節年時饗、祫祭太廟，親詣行禮者，俱有御製詩，謹繹有關紀述事實者，恭載卷內，餘不備錄。

欽定日下舊聞考卷十

國朝宫室

社稷壇在闕右，北嚮。壇制方二成，高四尺，上成方五丈，二成方五丈三尺，四出陛，皆白石，各四級。上成築五色土，中黄、東青、南赤、西白、北黑。土由涿、霸二州，房山、東安二縣豫辦解部，同太常寺驗用。内壝四面各一門，楔閾皆制以石。朱扉，有櫺。門外各石柱二，壝色亦各如其方。壝北門内西北瘞坎二，北爲拜殿。又北爲戟門各五間，戟門内列戟七十有二，均覆黄琉璃，崇基三出陛。壝外西南神庫五間，神廚五間，井一，均東嚮。壇垣周百五十三丈四尺，内外丹雘，覆黄琉璃。北門三間，東西南門各一間。循垣東北隅東嚮正門一，左右門各一，相對闕右門爲乘輿躬祭出入之門。壇西門外宰牲亭三間，東嚮。井一，垣一重，門一，北嚮。西南奉祀署東西各三間，垣一重，門一，東嚮。東遣官房一間，南嚮。東南爲社稷街門五間，東北爲社稷左門三間，均東嚮。大清會典則例凡祭社稷之禮，歲春祈秋報皆以仲月上戊日祭太社、太稷之神，以后土句龍氏、后稷氏配。太社位右，太稷位左，均北嚮。后土句龍氏東位西嚮。后稷氏西位東嚮。祭日，鑾儀衛陳法駕鹵簿於午門外，陳金輦於太和門階下，日出前四刻，太常卿詣乾清門告時。皇帝御祭服，陳禮輿出宮，内大臣侍衛前引後扈如常儀。至太和門階下降輿乘輦。駕發警蹕，午門鳴鐘，法駕鹵簿前導，導迎鼓吹，設而不作。皇帝由闕右門至壇北門外神路右降輦。贊引太常卿二人恭導入壇北門右門，詣戟門幄次。禮部尚書率太常官恭請神位安奉畢，太常卿奏請行禮。皇帝出幄次盥洗，贊引官恭導皇帝至内壝北門外拜位前南嚮立。武舞八佾進。贊引官奏就位，皇帝就拜位立。迎神，樂奏登平之章。贊引官恭導皇帝進内壝北門陞壇，詣太社位前上香，次詣太稷位前上香。奏復位，皇帝復位。贊引官奏跪拜興，皇帝行三跪九拜禮。王公百官均隨行禮。奠玉帛，行初獻禮。司玉帛官奉篚，司爵官奉爵，各升壇詣太社、太稷位前，奏茂平之章，舞干戚之舞。司玉帛官跪奠玉帛，三叩。司爵官跪獻爵，奠正中。司祝至祝案前跪，三叩，奉祝版，興，升壇稍西跪。樂暫止，皇帝跪，羣臣皆跪，司祝讀祝畢，詣太社位前跪，安於案，三叩，退。樂作，皇帝率羣臣行三拜禮，興，樂止。武功之舞退，文舞八佾進。行亞獻禮，奏育平之章，舞羽籥之舞。司爵官詣神位前跪，獻爵奠於左，儀如初獻。行終獻禮，奏敦平之章，司爵官跪獻爵奠於右，儀如亞獻。樂止，文德之舞退。太常官贊賜福胙，光祿卿二人自壇下西案奉福胙升壇，進至神位前拱舉，降階出内壝北門，立皇帝拜位之右，侍衛二人進，立於左。皇帝跪，左右執事官皆跪。右官進福酒，皇帝受爵拱舉，授左官，進胙、受胙亦如之。三拜興，率羣臣行三跪九拜禮。徹饌，奏博平之章，有司奉方珪退。送神，奏樂平之章，皇帝率羣臣行三跪九拜禮。有司奉祝，次帛，次饌，次香，恭送瘞所。皇帝轉立拜位旁西嚮，候祝帛過復位，迺望瘞，奏徵平之章。恭導皇帝詣望瘞位望瘞，奏禮成，恭導皇帝由戟門出。禮部尚書率太常官恭請神位還御。皇帝至壇北門外神路右陞禮輿，法駕鹵簿前導，導迎樂作，奏祐平之章，午門鳴鐘，皇帝還宫。大清會典

〔臣等謹按〕聖駕恭詣社稷壇及還宫儀注，乾隆三十六年大學士等奏，以聖壽周甲晉增，而昭事之忱愈貞悠久，當略裁縟度，益萃精心。奉諭更定。其稍别於舊儀者，有司先設幄次於拜殿内，皇帝乘輦由闕右門入東北門，至壇北門外御禮轎，入左門，循戟門東行，至拜殿東階下降輿至幄次。迨禮成，由幄次至東階下升輿，如上儀。

乾隆六年御製仲春躬祭社稷壇詩　秩宗尊百祀，斂福錫羣黎。典重明禋盛，心殷望歲齊。牲牷陳俎豆，南雅奏金鼙。六出新飄瑞，公田正好犁。

乾隆九年御製仲春上戊恭祭社稷壇詩　東陸暾將曙，熙春日載陽。明禋遵振古，崇德佐維皇。香霧霏神鼎，卿雲擁帝觴。見蘇軾詩。絲匏方合奏，綴兆早成行。物備九州貢，土分五色方。壇内繚垣土色各以其方，壇上土亦如之。一束虔致願，慶錫我年康。

乾隆十一年御製秋祭社稷壇詩　祈報遵先制，虔寅倍已增。豐年振古慶，神貺信今承。直隸今年秋收豐稔，何莫非明神之賜耶！祝史辭無忝，帝觴露正凝。燎烟霏起處，晴旭恰東昇。

乾隆二十一年御製春祭社稷壇禮成述志詩　鑾輿鳳闕向西旋，敬舉春祈吉戊涓。素積烟融雪以後，陽烝脈發社之前。是月二十日春分始社。於論鐘鼓調宮徵，誕降秠穈薦豆籩。更冀厖褫錫昭假，獻俘指日外壝邊。凡獻俘者，白組繫俘陳於外壝旁，時阿睦爾撒納尚未就獲，故云。

乾隆二十三年御製仲春社稷壇親祀詩　展幣由來例仲春，百年右社聿維新。丙子春勅所司敬謹繕修壇工，閱歲告竣。瘞坎舊在壇内，重加相度，命更置壇外西北隅，並增望瘞樂章，永垂令典。鴻功今古垂鼇永，佐配馨香肸蠁均。處陸什三司后土，食艱稼穡立烝民。戊朝祭喜戊年值，豐楙殷希錫祉申。

乾隆二十四年御製社稷壇禱雨詩　敢云久矣愬予心，躬禱靈壇重去聲。致忱。加玉義緣祈芘蔭，社稷壇春秋常祀本用玉，相沿禱祀乃不用。夫玉以芘蔭嘉穀，使無水旱之災，傳記所稱，於義最著。特勅所司，仍用玉將事。升香敬用佇居歆。祝辭請命出衷曲，因情迫勢急，請命明神，屏詞臣撰擬之文，直抒衷曲，告虔申祝，以祈鑒佑。皇樂調和冀答陰。五日爲期難更緩，油雲卽待霈甘霖。

乾隆二十八年御製仲春祭社稷壇詩　春有事巡狩，代儀已隔年。去歲壬午南巡，遣官恭代，未得親祭。茲當躬毖祀，無任意夔虔。五戊遵今古，三牲卜吉蠲。祝釐懷歲際，迴憶歉秋連。益用增慚德，惟祈利大田。載芟誦周雅，示本見真詮。

乾隆三十三年御製仲春恭祭社稷壇詩　蠲吉舉禋宗，春祈總爲去聲。農。三牲獻博碩，一意致虔恭。問樹嗤賢對，苴茅罷土封。封建雖古禮，後世實不可行。即周因以過其歷，而東遷以後王如綴旒，亦安用此苟延爲哉？漢之七國，明之靖難，甚且操室中之戈矣。至鑿土苴茅，更循名而無所取義，故並識於此。戊午修戊祭，豐楙籲重重。

乾隆三十四年御製仲春躬祭社稷壇詩　當春舉祈祭，先月沐優恩。今歲新正，兆占三白。屢被渥雪，土膏甚潤。祇此誠爲瑞，其他非所論。撰辰應上戊，仰德配元坤。歲歲躬承祀，春祭社稷壇，非有事每歲必躬行。攄茲敬意存。

乾隆三十八年御製仲春祭社稷壇禮成述事詩　春祈秋舉報，秋每事行蒐。每歲仲秋吉戊，正當出口行圍之時，是以每歲春祈，率躬親展事。以此恒躬禱，原非爲去聲。己求。佑民宜稼穡，福國遍寰陬。佇俟壝門外，平番俘獻囚。會典獻俘儀，先期擇吉遣大臣告祭太廟、社稷壇，押所解俘至廟壇街門外跪獻畢，次日於午門樓檐楹正中行受俘禮。

乾隆四十一年御製仲春祭社稷壇禮成述事詩　立社本通禮，酌尸非正論。通典周祭社用尸，此禮久不行，亦弗當。戊干迎享合，申歲酒漿繁。農諺：歲逢申酉，乞漿得酒。是日並值戊申，庶徵歲美。五土色原備，三牲博以尊。崇朝值甘雨，是日雨。祇懼沐神恩。

乾隆四十二年御製秋仲恭祭社稷壇禮成述事詩　每歲春祈奉，今年秋報承。每年春祭社稷壇，俱親詣行禮，秋祭時以行圍塞外，駐蹕熱河，例遣諸王恭代。今歲因居憂，未舉秋蒐之典，故得躬承秋祀。幸無值二蒱，惟有祝三登。壝外獻功罷，昨春平定金川，俘逆酋索諾木等解京師，于社稷壇門外行獻俘告功禮。壇中奏樂應。二十七月之内，郊社大祀仍用樂，至御前導引及鹵簿大駕則樂設而不作，禮也。禮成詠良耜毛詩序：良耜，秋報社稷也。似續念猶兢。

乾隆四十三年御製春祭社稷壇齋居有作　去歲闕春祈，其闕不可言。昨歲春祭社稷壇，正當百日縞素期内，不能躬詣行禮。兹當過小祥，大祭躬始安。預齋應從吉，素衣易舊觀。二十七月内，凡遇壇廟大祀齋戒，例當暫易素服，從吉御常服。惟是廟堂制，補衣更百官。羣臣已過期年，服色例應如舊，朔、望及逢五、逢十應易補服，諸王大臣以爲請。因朕躬尚在二十七月素服期内，對之心覺不安。命宫内爲正朝所在，勉從其議，在圓明園則仍如去歲例。對之意不懌，踧踖鼻爲酸。一愧非素心，一傷歲月殫。守禮豈易云？斯卽爲君難。

〔臣等謹按〕節年祀社稷壇親詣行禮者，俱有御製詩，謹繹有關紀述事實者，恭載卷内，餘不備録。

天安門内兩廡之北，正中南嚮者爲端門。門制與天安門同。門之内東西兩廡各五間，其北東有太廟右門，西有社稷左門，迤北兩廡各四十二間，均聯檐通脊，爲六科垣舍及部院府寺監朝房。大清會典

〔臣等謹按〕六科垣舍及部院府寺監朝房分列之制，詳見官署門。

朝房北東出者爲闕左門，西出者爲闕右門。門北東西廡各三間，爲王公朝集之所。〔大清會典〕

〔臣等謹按〕凡九卿會議，揀選人員，驗看月官，俱集闕左門下，八旗都統會議俱集闕右門下。

午門爲紫禁城正門。門前左設嘉量，右設日圭。〔大清會典〕

御製嘉量銘　皇予聖祖，建極憲天。叶度律鈞鐘，洞契元聲。微顯闡幽，何天衢亨。小子纘緒，寰區撫臨。叶協時月正日，同律度量衡。製兹法器，列於大廷。匪作伊述，大猷敬承。遵鐘得度，率度量成。量爲權輿，律谐六英。猗聖合天，天心聖明。七政是齊，爲萬世法程。如衡無私，如權不凝。如度節制，如量祇平。律得環中，紹天明命。叶永寶用享，子孫繩繩。我日斯邁，而月斯征。中元甲子，乾隆御銘。

紫禁城四門，南卽午門，北曰神武，東曰東華，西曰西華，四維角樓各一。午門三闕，上覆重樓九間，南北彤扉各三十有六。左右設鐘鼓樓，明廊翼以兩觀，傑閣四聳。左右各一闕，西嚮者曰左掖，東嚮者曰右掖。〔大清會典〕

〔臣等謹按〕午門爲順治四年建，凡文武官出入由左，其右門惟宗室王公得行之。左右掖門各折而北，不常啓。惟陞殿視朝，百官各以東西班次由掖門入。殿試文武進士，鴻臚寺按中式名次引入。一名由左二名由右，餘倣此。凡視朝則鳴鐘鼓以爲節，親祀壇廟，出午門則以鐘，祭享太廟則以鼓。如遇凱旋獻俘諸大典，皇上御午門樓行受俘禮。午門之前，凡頒朔宣旨，及百官常朝，俱集於此。

凡獻俘之禮，擇日皇帝遣官獻俘於太廟。兵部官率解俘弁兵，以白組繫俘頸，由長安右門、天安門右門入，至太廟街門外北面立，候遣官至，皆跪。遣官入廟行禮，復獻俘於社稷壇，兵部官仍以俘跪候於社稷街門外。遣官詣壇行禮畢，兵部官率弁兵解俘出，獻俘。次日行受俘禮，於先期工部設御座於午門樓正中。至日質明，內大臣率侍衛咸采服立兩觀翼樓階上，護軍統領率護軍立階下，均佩刀環衛。武備院張黄蓋於樓檐外。鑾儀衛設丹陛鹵簿於闕下，丹墀鹵簿於闕左右門南，金鼓鐃歌於鹵簿前，樂部和聲署設丹陛大樂於鹵簿之末。王公文武各官分班立，均與太和殿大朝禮同。兵、刑二部尚書侍郎立於右翼丹墀鹵簿外，兵部官率解俘將校押俘立竢於右翼金鼓外，刑部官立於兵部之次。禮部堂官詣乾清門請駕。皇帝御龍袍衮服，乘輿出宫，午門鳴鐘，前引後扈如常儀。駕至太和門，鳴金鼓，奏鐃歌。皇帝陞午門樓，至檐前降輿，陞座，樂止。宣旨，大臣二人立於階下，鴻臚官贊排班，引解俘將校進至御道西，北面立。樂作，將校行三跪九叩禮畢，退立原位。受俘兵部官率將校引俘至金鼓下跪。兵部尚書跪奏：平定某地，所獲俘囚等謹獻闕下。宣旨大臣宣制曰：所獻俘交刑部。刑部堂官跪領旨，兵部官引俘出金鼓外，交刑部官，刑部官械俘出施行。若得旨赦俘罪，宣制釋縛，俘叩首畢，將校引由天安門右門出。丹陛大樂作，王公百官各就拜位，行三跪九叩禮畢，樂止，禮成，鳴金鼓，奏鐃歌，皇帝乘輿還宮。 大清會典

乾隆二十年御製六月十八日午門受俘詩 雷霆申宿令， 是夜大雷雨，曉即晴霽。 閶闔受新俘。詎乃恩全背， 巴朗、孟克忒木爾去年隨都爾伯特親王策凌等歸化者，至六月間二人乃叛去。 安能誅竟逋？ 羅卜藏丹津雍正二年反去者，我師至伊犁，彼即請降，以事既久，赦而弗誅。 緝兇新附奮， 巴朗等皆新降諸宰桑所緝獲者。 宥命舊奸瞿。 謂羅卜藏丹津。 白練陳班末，雙頑肆市衢。 謂巴朗、孟克忒木爾。 快晴天意順，大禮衆情愉。益切欽心鏡，永懷鞏帝圖。

又御製定北將軍班第遣人解達瓦齊至御午門受俘詩 鴛瓦繽紛積瑞銀，受俘軍禮舉重新。 今夏獲叛臣巴朗，曾御門受俘。 丹墀羣辟齊肩侍，白組名王繫頸陳。天德好生還貸死， 達瓦齊雖虐亂準噶爾部，實未敢犯我戎索。故特寬其死，祇令幽繫都中。 海濱多蹇又逢屯。 準噶爾部邇年屢遭兵燹，今俘至達瓦齊，意謂自今畧定，不意阿睦爾撒納負恩潛逃，雖不日成擒，而目下窮夷不免沙蟲之歎。 刑曹憲典聊遲待， 例應兵部奏獻俘囚後，付刑部行刑，以赦達瓦齊死故，祇令付理藩院安置。 指日歐刀剸叛臣。

乾隆二十五年御製御午門受俘馘詩 函首霍占來月窟，傾心素坦欸天閶。理官淑問寧須試？驃騎窮追實可臧。西海永清武大定，午門三御典昭詳。從今更願無斯事，休養吾民共樂康。

乾隆四十一年御製金川平定御午門受俘馘事成什 畏威赦罪昔己巳，偕德致俘今丙申。真

首函呈非或首，生人組繫是孚人。馘字從或從首，蓋或者疑辭，函首以獻，其真僞原在疑似之間。至俘字從孚從人，孚者信也，執人以來，其生獲實爲可信。六書會意俱有深義，顧昔人無論及者。茲當俘馘並陳，適得是聯，天然切對，因並詮釋之。陳儀凱獻聲靈赫，偃武歡騰禮樂彬。四沐天恩際時泰，乙亥六月，征勦準噶爾，先獲青海數酋羅卜藏丹津及新投順復叛去策凌孟克之子巴朗、孟克忒木爾等來獻。是年十月，因平定準噶爾，復獲達瓦齊等，檻解京師，並御午門行受俘禮。庚辰正月，平定回部，函霍集占之首以獻，復御午門受之，皆賦詩以紀。並有從今更願無斯事之句。茲以兩金川負恩反噬，不得已而用兵，幸賴天佑，集勳奏凱，且逆酋黨羽全就俘獲，實爲盡善盡美。通計前後凡四舉是典，從此益願洗兵長不用矣。盈虛默念倍惶寅。

〔臣等謹按〕受俘獻馘之禮行諸午門，所以欽鴻貺崇武功也。我皇上御極以來，威德遠揚，疆圉式廓。粵自乙亥勦平準部，一歲而再行斯典。其後庚辰底定回疆，丙申討平攢拉促浸，皆遞舉盛儀，神人胥洽。恭讀節年御製受俘詩，原委瞭然。仰覩聖天子撫順鋤逆，不得已而用兵之至意。謹備録卷内以昭盛業焉。

凡頒朔之禮，歲以孟冬一日頒來歲十有二月之朔。欽天監官設黄案於午門外正中，又設二案於御道左右，奉恭進皇帝時憲書於中案，奉頒給王公百官時憲書於左右案。陳設畢，舉中案由午門中門入，監正監副從，至太和門陳於左右階。監正等於丹墀左行三跪九叩禮，畢，授内務府掌儀司官奉至乾清門恭進。是日王、貝勒、貝子、公以下文武百官咸朝服集闕下。鴻臚寺鳴贊贊排班，王、貝勒、貝子、公序立御道上，文武百官序立御道左右，皆北面，東班西上，西班東上。贊有制，衆咸跪，宣讀官西面宣制訖，衆行

三跪九叩禮。王公百官皆以次跪領，遂頒布於畿甸以前民用。大清會典

乾隆五年御製十月朔日頒時憲書詩　九瀛咸奉朔，四海正同文。禮特遵先制，時惟授大君。令頒懸度地，澤被鷺鴛羣。欽若心恒凜，釐工政益勤。

〔臣等謹按〕御製午門頒朔詩恭載首見之篇，餘不備録。

欽定日下舊聞考卷十一

國朝宫室

外朝之制，午門内東西兩廡各二十二間，皆崇基。東廡之中爲協和門，西廡之中爲熙和門，門各五間，東西嚮。兩廡之北，正中南嚮者爲太和門，九間三門，重檐，崇基，石闌，前後陛各三出，左右陛各一出。門前列銅獅二，其南環以金水河，跨石梁五，即内金水橋。大清會典

〔臣等謹按〕午門内東西兩廡，東爲稽察上諭處及内閣誥敕房，西爲繙書房及起居注公署。東南隅爲内閣公署，西南隅舊爲國史館，今爲膳房庫，俱詳見官署門内。金水橋之水由神武門西地溝引護城河水流入，沿西一帶經武英殿前，至太和門前，是爲内金水河，復流經文淵閣前，至三座門從鑾駕庫巽方出紫禁城。

太和門左右各一門，皆南嚮，左曰昭德，右曰貞度，門各三間。大清會典

〔臣等謹按〕昭德、貞度兩門廡爲侍衛直宿處，詳見官署門。

太和門之内東西兩廡各三十二間，東廡之中爲體仁閣，西廡之中爲弘義閣。東廡之北爲左翼門，西廡之北爲右翼門，各五間，皆東西嚮。大清會典

〔臣等謹按〕體仁閣、弘義閣兩廡爲内府銀、皮、段、衣及瓷、茶六大庫，詳見官署門。

太和殿基高二丈，殿高十有一丈，廣十有一間，縱五間。上爲重檐垂脊，正吻二，旁吻四。前後金扉四十，金瑣窗十有六。殿正中一間設御座。殿前爲丹陛，環以白石闌，陛五出各三成，列鼎十有八，銅龜銅鶴各二，日圭、嘉量各一。丹墀爲文武官行禮位，笵銅爲山形，鐫正從一品至九品清漢文，東西各二行，行十有八，列於御道兩旁。大清會典

〔臣等謹按〕康熙八年重建太和殿，三十四年再建，皇帝大朝御焉。每歲元旦、冬至、萬壽三大節及國家有大慶典，則御殿受賀。凡大朝會、燕饗、命將出師、臨軒策士及百僚除授謝恩皆御焉。其元日筵宴之禮，歲不常舉。惟乾隆三年筵宴一次，又十五年二十五年三十五年俱以恭遇萬壽大慶舉行。至殿試策士則列試於殿前丹墀。恭遇圜丘大祀前一日，皇帝於殿内視祝版，祈穀常雩大祀亦如之。殿内皇上御題額曰建極綏猷。聯云：帝命式于九圍，兹惟艱哉，奈何弗敬；天心佑夫一德，永言保之，遹求厥寧。

凡大朝之禮，元日長至次日萬壽聖節皆豫月由部疏請御殿受賀。得旨，先期戒百執事。至日五鼓，鑾儀使率官校至太和殿前陳法駕鹵簿，樂部率和聲署陳樂懸，儀制司郎中奉在京王公百官賀表入殿内陳左楹表案，内閣中書奉筆硯陳右楹案上，皆退。質明，鴻臚官引王公暨一二品官入右翼門，引三品以下官入左右掖門，東班由昭德門，西班由貞度門，外國使臣從西班，咸入就位立。禮部堂官二人詣乾清門奏請御殿。午門鳴鐘鼓，領侍衛内大臣二人率豹尾班執槍，侍衛十人，佩刀侍衛十人，立於乾清門外。禮部堂官二人立於乾清門階下，前引大臣十人立於太和殿後階下祗竢。導引皇帝乘輿出乾清門，後扈内大臣二人及御前乾清門侍衛從。禮部堂官二人恭導由保和殿御中和殿座，侍班導從官於殿前行三跪九叩禮，不贊。禮畢，侍班官趨出，各就班位立。駕興，禮部堂官二人暨十大臣前導後扈如初。中和韶樂作，皇帝御太和殿，陞寶座，導從官各就位立，樂止。鑾儀衛官進至中階之右，三傳鳴鞭，階下三鳴鞭。退，復位。鳴贊官贊排班，丹陛大樂作，鴻臚官引王公百官各就拜位。班齊，贊進，衆進，贊跪，衆跪。贊宣表，宣表官入殿左門，詣表案前奉表出，大學士二人同至殿檐下。宣表官正中北面跪，大學士二人左右跪，展表。樂暫止，宣表官宣訖，奉表還於案，復位立，樂作。鳴贊官贊叩興，王公百官行三跪九叩禮畢，樂止，引退，復位立。次引外國使臣就拜位，樂作，贊跪叩興，各行三跪九叩禮畢，樂止，引退，復位立。賜羣臣坐，諸王公由殿左右門入，大學士由殿左門入，就位，内大臣等各就本位立，均跪，行一叩禮，坐。賜王公以下，文官三品、武官二品以上暨外國使臣茶，受茶及坐飲畢，皆行一叩禮。鑾儀衛官傳鳴鞭如初，衆皆興，階下三鳴鞭，駕興，中和韶樂作。還宫，樂止，鴻臚官引王公百官各以次退。大清會典

頒詔之禮，禮部鴻臚寺官豫設詔案於太和殿内左楹之南及丹陛正中，鑾儀衛設黄蓋雲盤於丹墀内，龍亭香亭於午門外，工部豫設金鳳朵雲於天安門上堞口正中，設宣詔臺於東第一楹，設黄案於臺上，奉詔宣詔各官咸朝服恭竢，領催耆老咸齊集天安門外金水橋南。屆時内閣學士奉詔至乾清門，恭用御寶畢，奉至太和殿，陳於東案。皇帝御殿，羣臣朝賀，行禮畢，儀別具。大學士一人入殿左門詣案，奉詔由中門循左闌出，至殿檐下，授禮部尚書。禮部尚書跪受，興，由中階左降，至丹陛正中陳於案，行一跪三叩禮。跪奉詔興，由中階降置雲盤内。禮部儀制司官奉雲盤，張黄蓋，由中道出。太和門文武百官由昭德門、貞度門隨出。詔至午門外，禮部官奉雲盤設龍亭内，鑾儀校舁亭，前列御仗，導引樂作。禮部尚書率屬隨至天安門登城，陳詔書於宣詔臺案上，文武各官於金水橋前按翼序立，鴻臚官贊排班，文武官按班次北面立，領催耆老序立於後。宣詔官登臺

西面立，鴻臚官贊有制。衆皆跪。宣詔畢，文武各官領催耆老均聽，贊行三跪九叩禮。奉詔官奉詔承以朶雲，由金鳳啣下，禮部官祗受，仍設龍亭内鑾儀校舁行，前列黄蓋御仗，導迎樂作，由大清門出至禮部。禮部尚書侍郎率屬跪迎於儀門，陳詔於大堂，行三跪九叩禮畢，恭鐫詔書，謄黄頒行天下。同上

凡命將之禮，皇帝命大將軍統帥軍旅，擇吉出師，先期臨軒授勅印。是日鑾儀衛陳法駕鹵簿，大將軍率從征諸將咸采服，集午門外。内閣豫陳敕印於太和殿内東旁黄案。皇帝御殿，王公百官咸朝服侍班。鴻臚官引大將軍出左階，升至殿檐下。大學士一人奉敕，一人奉印，出授大將軍。大將軍跪受，轉授内閣官跪接畢，行三跪九叩禮興，隨奉敕印官降左階出太和門中門，皇帝還宫。至日遣官祗告於奉先殿，所司張黄幄於長安左門外，設御座。皇帝率大將軍詣堂子行禮拜纛，均如儀，禮畢，御黄幄，陞座，賜大將軍巵酒。大將軍跪受，飲畢，屬櫜鞬乘馬。文武大臣承詔餞於郊，設祖帳。禮、兵二部堂官奉茶。大將軍率從征將士望闕謝恩，乃率大軍進發。既莅營，申明軍令，肅隊啓行。同上

乾隆十四年御製季夏視朝詩　詰旦奎中夜易闌，罘罳曙色上金鑾。宫懸樂應林鍾律，舊制，凡御殿奏樂皆用黄鍾爲宫，朕定以三大節用黄鍾，其常月視朝用旋相爲宫之法，六月卽用林鍾爲宫，始無啞鍾之誚云。拜舞班齊九品官。何必舍人稱絶唱？所希

多士副其難。漫言例事鴻臚掌，拱手垂衣敢自安。

乾隆十七年御製暮春太和殿視朝詩　詄蕩天門開曙曦，彤墀香靄露華滋。禮章樂亮誠何有？拱手垂衣念在兹。百辟都遵博士制，七言誰繼舍人詩？昭容已褻貂璫僭，未可明廷贊盛儀。（唐詩有户外昭容紫袖垂之句，明制司禮監預朝會，本朝一革陋制，惟用外廷諸臣執事。朝儀肅清，誠善制也。）

乾隆二十二年御製冬日視朝詩　百寮劍佩集明廷，班末陪臣贊謁聆。（是日哈薩克使臣行禮。）黄道星辰聯畢昴，小陽節候靄元冥。東鶼西鰈誰分域？（琉球使臣適亦隨班叩闕。）北極南荒一太寧。遠服邇安心敢肆？敬天勤政訓聰聽。

乾隆二十五年御製太和殿朝會賡作歌　晨參晝會肅朝儀，正殿春融赤羽旗。考夏綜周原舊典，戛球舞籥迓新禧。十年一舉寧爲數？（正殿朝會雖舊典，然率不舉行。庚午以平定金川，又朕四旬之慶，故一舉行。兹西師武成，綏服回部，拔達克山安集延哈薩克布魯特皆稱臣入貢，兼值五旬大慶，故命循例宴饗。）萬國來同倍切寅。吏治民生屢宵旰，問方詎止藉斯時？祥花瑞葉玉樓棲，慶恰占年景福禔。耆定不期來默克，安和惟是洽羣黎。漫陳漢殿魚跳水，却聽天方鳳奏西。（時將軍兆惠自葉爾奇木得回部樂，奏送適至，因命於大饗所陳諸部末肆之。其器有大小鼓簫管提琴洋琴之屬，其伎有倒刺都盧及承盌轉碟之屬。）簪筆誰成元會賦？持盈應悉敬彌躋。

乾隆二十六年御製季夏太和殿視朝詩　一夜陰晴雲未消，朝氛斂盡旭光昭。或緣敬事蒙天佑，雖喜宜農戒意驕。恭己奉三欽扆御，宅中圖治慎衣宵。林鍾東序聲韶樂，應月詳求律呂調。先是設朝皆用黃鍾宮，樂部奏定十二月各用其律，從之。

乾隆三十一年御製太和殿視朝詩　五更微雨鷄鳴止，袞袞千官肅侍儀。金鼎烟中三殿曙，林鍾律裏八音披。中和韶樂六月律應林鍾。陛遷畢謝萃朝彦，職貢例瞻引海夷。時暹羅國貢使在京，例于御殿日引行禮。蕆事更衣向西苑，出城欲趁曉涼宜。

乾隆三十六年御製太和殿視朝詩　曈曨曉闕啓芙蓉，香擁金鑪露氣濃。禮具以時臨黼座，樂鳴應月奏林鍾。六月以林鍾爲宮，鎛鐘擊以起樂，編鐘從之。敢云會極還歸極？惟奉天宗與地宗。三十六年斯一志，遑因日久懈虔恭。

〔臣等謹按〕節年視朝俱有御製詩，謹繹有關紀述事實者，恭載卷内，餘不備録。

乾隆十七年御製御殿臚唱有作　秋榜原春榜，恩科乃特科。慈寧欣壽永，師濟冀材多。大對誰忠告？旁求此廣羅。午門開詄蕩，日麗小春和。

乾隆二十六年御製四月二十五日御殿傳臚紀事詩　雅化作人祝壽慈，金階臚唱麗晴曦。既求真學頒新制，亦體常情改近期。去歲以磨勘需日，定於五月五日殿試，初十日傳臚。兹念多士守候時久，命速行磨勘，於四月二十一日殿試，二十五日傳臚。公舉不教存己見，明敭還預定其辭。命讀卷者毋得存己見，俟榜後別令大臣覆勘去取同異。又新定引見之例，然先進其文；朕就其文定甲乙後，乃令按名引見，於是殿試之制簡而益備矣。西人魁榜西平後，今歲狀元陝西韓城縣人王杰，國朝百年以來乃創見也。可識天心偃武時。

乾隆三十一年御製御殿傳臚詩　三年一舉右文儀，未可尋常例視之。衆對策皆攄所學，親掄頌在不忘規。昨閲前列十卷，親爲掄定，條對雖皆詳贍，而原擬之第六卷尚知頌不忘規，因特擢第一。或逢甘雨隨金榜，時頗望雨。且喜微風靖綵旗。必有真材濟實用，殷吾渴念竚於兹。

乾隆四十六年御製御殿傳臚六韻

龍虎傳臚唱，是日恰值戊辰。太和曉日暾。國朝經百載，春榜得三元。我朝開國百四十年以來，會、狀聯元及鄉試、殿試兩元者已不乏人，而三元尚未見。昨會試榜發，第一名錢棨即鄉試解元，及廷對又復舉首。不特科名之盛，亦覘文運之隆云。文運風雲壯，清時禮樂蕃。載洛中四義，昨策十以愛民勤政、吏治民風、學術真僞、弼教協中四條爲問。敷奏近千言。詎止求端楷？廷試對策，讀卷官例於佳卷中取書寫端楷者擬置前例。錢棨此卷列於第四，因其條對較諸卷詳切，特拔第一。既而開彌封視之，乃知其爲會元也。所期進讜論。王曾如可繼，違弼我心存。

〔臣等謹按〕節年御製傳臚詩，謹繹有關紀述事實者恭載卷内，餘不備録。

欽定日下舊聞考卷十二

國朝宮室

太和殿之後，東西兩廡各三十間。正中南嚮者爲中和殿，縱廣各三間，方檐圓頂。金扉瑣窗各三十有四。南北陛各三出，東西陛各一出。大清會典

〔臣等謹按〕凡遇三大節，皇帝先於中和殿陞座，内閣、内大臣、禮部、都察院、翰林院、詹事府各堂官及侍衛執事人員行禮畢，然後出御太和殿。恭遇方澤大祀及祀太廟、社稷之前一日，皇帝俱於殿内視祝版。親祭歷代帝王廟、先師孔子。朝日、夕月亦如之。每歲耕耤，則於殿内閱視農器及穀種青箱。殿内皇上御題額曰允執厥中。聯云：時乘六龍以御天，所其無逸；用敷五福而錫極，彰厥有常。

中和殿之後爲保和殿，九間，前陛各三出，與太和殿丹陛相屬。殿後陛三成三出，北嚮。殿左右各一門，左曰後左，右曰後右，皆三間，南嚮，前後出陛。大清會典

〔臣等謹按〕每歲除夕，皇帝御保和殿筵宴外藩，每科朝考新進士，翰林院引入殿内

左右列試。殿内皇上御題額曰皇建有極。聯曰：祖訓昭垂，我後嗣子孫尚克欽承有永；天心降鑒，惟萬方臣庶當思容保無疆。殿後陛級迤北十餘武，崇基列陛，南嚮者爲乾清門，乃内朝正門，謹詳載後卷。

協和門東出爲文華殿，後爲主敬殿。大清會典

〔臣等謹按〕文華殿門五楹，南嚮，崇階三出，九級，内丹陛與露臺相直，臺左右二出陛，各十一級。殿制五楹，康熙二十二年重建。殿内皇上御題額曰緝熙明德。聯曰：道脈相承，經籍昭垂千聖緒；心源若接，羹牆默契百王傳。屏聯云：詎爲飾其貌；還因尊所聞。東西配殿各五楹，東曰本仁殿，西曰集義殿，後殿五楹是爲主敬殿。

凡經筵之禮，以大學士、尚書、左都御史、侍郎、學士、詹事充經筵講官，滿漢各八人，歲由部疏請得旨，翰林院列講官名具奏，以滿漢各二人分講經書，掌院學士暨直講官擬篇目撰講章，奏請欽定。至日黎明，鴻臚官設御案於文華殿御座前，南嚮；設講案於御案之南，北嚮。翰林院官奉講章及進講副本，左書、右經，各陳於案，退。記注官四人立西階下東面；滿講官暨侍班之大學士，吏部、户部、禮部尚書、侍郎，通政使、副使，詹事，少詹事立丹墀左西面；漢講官暨侍班之兵部、刑部、工部尚書、侍郎，左都

御史，左副都御史，大理卿、少卿立丹墀右東面。糾儀給事中、御史各二人，鴻臚寺鳴贊二人，立侍班官稍後，東西面，均南上。如衍聖公入覲，恭遇經筵，立於東班之首。至時，禮部堂官詣乾清門奏請御經筵。皇帝御常服，乘輿出宮，導引扈衛如常儀。由後左門出左翼門，至文華殿丹陛上降輿入，陞座。記注官陞西階入，立殿內右楹之西。鳴贊升立東西檐下。贊排班，講官暨侍班官咸就拜位北面立。贊跪叩興，行二跪六叩禮畢，鴻臚卿東西各一人引講官暨侍班官分行，升自東西階，滿講官由殿左門之右，漢講官由右門之左入，立於東西楹之南。東侍班官由左門之左，西侍班官由右門之右入，立於講官後，糾儀官隨入，立東西隅，均東西面北上。鴻臚卿退立於殿檐下。鳴贊贊進講，滿漢直講官四人出至講案前，東班西上，西班東上，行一跪三叩禮，復位立。滿講官一人出就案左北面展講章，進講四子書畢，復位。漢講官一人趨過案左，進講如之。皇帝闡發書義，宣示臣工，講官暨侍班官跪聆畢，興。又滿講官一人趨過案右，漢講官一人出就案右，先後進講經義畢，皇帝闡發經義，各官跪聆亦如之。鴻臚卿引出殿，至丹墀各就拜位立，鳴贊贊如初，行二跪六叩禮畢，鴻臚卿引講官侍班官仍升東西階入殿內，賜坐，賜茶，儀與常朝同。大清會典

〔臣等謹按〕向例經筵由部疏請，今每歲皆先期奉特旨舉行。屆期講臣進講皇上宣示

御論，諸臣跪聽，行禮畢以次引入殿内列坐，賜茶，自建設文淵閣，命於閣内賜茶，實稽古之榮遇也。

康熙二十四年，定以大學士、尚書、左都御史、學士、詹事由翰林出身者充經筵講官。大清會典則例

雍正三年諭：自古修己治人之道，載在經書，帝王御宇膺圖，咸資典學。我聖祖仁皇帝天亶聰明，而好古敏求，六十餘年，孜孜不倦。朕幼承庭訓，時習簡編。自卽位以來，更欲以研經味道之功，爲敷政寧人之本。顧以亮陰之際，未舉經筵。今八月二十三日爲釋服之期，爾部可擇日舉行經筵典禮。欽此。同上

乾隆五年諭：經筵之設，原欲敷宣經旨以獻箴規。朕觀近日所進講章，頌揚之辭多，而箴規之義少。殊非責難陳善、君臣咨儆一堂之意。人君臨御天下，敷政寧人，豈能毫無闕失？正賴以古證今，獻可替否，庶收經筵進講之益。若頌美過甚，不能實踐躬行，反滋朕心之愧。此後務剴切敷陳，期有裨於政治學問，勿尚鋪張溢美之虚文，而無當於稽古典學之實義。欽此。同上

乾隆七年諭：今日舉行經筵典禮，禮部據向例以天雨奏請改期。朕思魏文侯將出獵而雨，左右不欲行，文侯曰：吾已與虞人期矣，豈可無一期會哉？乃往身自罷之。夫田獵

之娱尚不以遇雨失期，况經筵大典，業經祭告，自應舉行。但執事諸臣例應在丹墀内行禮，未免衣冠沾濕。著衣雨服列班，駕到卽入殿進講，講畢卽奏禮成。其階下行禮、殿内賜茶諸儀停止。嗣後遇雨皆照此例。欽此。同上

乾隆五年御製秋日經筵詩 皎日麗中天，金風拂細旃。右文遵舊制，典學重經筵。爲進邦家彦，爰咨經史詮。探淵思汲古，望道未忘筌。制事應惟義，執中猶在權。是日進講中庸執其兩端用其中於民，尚書以義制事以禮制心。心恒期洞洞，志每勵乾乾。緬想萬民上，端資百爾賢。周行須示我，莫漫頌豐年。

乾隆八年御製二月初六日經筵詩 風色雲容淡淹春，廣筵鵷侶列華茵。欲衡今古惟時敍，藉澡身心與日新。別苑漫傳花似綺，甫田喜積屑如銀。是月初四日雪。自慚致治非三五，夢想蕭曹房杜臣。是日講頤卦聖人養賢以及萬民章。

乾隆九年御製仲春經筵詩 講席啓文華，熙春景物嘉。古今學有別，天地德無涯。是日講四書古之學者爲己、今之學者爲人章，並易經天地之大德曰生句。内外應非二，知行要並加。儒臣同坐論，不覺日西斜。

乾隆十年御製春季經筵詩 棽麗翠鸞臨，文華廣殿深。三春開講幄，兩序列朝簪。立政思民瘼，存誠勵口箴。是日講論語子路問政章，易經修辭立其誠句。豈云循典故？藉以澡身心。黼座風颺德，霞天旭散陰。咨詢交泰陛，揖讓萃儒林。道岸緊常企，文淵或可尋。研精憶良弼，孰與下

砭鍼？大學士鄂爾泰侍講幄有年，今以病不與，故及之。

乾隆十一年御製仲春經筵詩　晴旭曈曨散曙寒，文華廣殿會衣冠。從來聖道通參贊，況復余衷企治安。是日講中庸致中和天地位焉、萬物育焉一節，虞書闢四門、明四目、達四聰三句。心所會時原自易，學惟行處始知難。寄言魚雅談經侶，謾作崇儒故事觀。

乾隆十二年御製仲春經筵詩　講幄啓芳春，文華紫禁闉。鵷班分列進，綈几一編陳。治道籌教養，躬勉知仁。是日講魯論樊遲問仁節，及易經臨卦大象辭。豈惟遵典故，端籍淑心身。易簡抽經秘，從容咨席珍。擴充還有待，夙夜矢虔寅。

乾隆十四年御製春仲經筵詩　瑞日輝春曉不寒，特開廣殿集衣冠。舞干未逮重華德，放馬何期遠服安？近因金酋稽顙乞命，特命允降班師故云。小往大來成泰運，推人盡己具心官。是日講四書夫子之道忠恕而已矣，及易經上下交而其志同也句。中咨魚雅章縫侶，莫作崇儒例事看。

乾隆十七年御製春仲經筵詩　間闊經筵意未安，去歲以巡狩，未舉是典。東風廣廈集儒官。不惟勤學因時勗，要復存羊俾後觀。制事期無適莫見，知人更念惠懷難。是日講尚書知人則哲四句，論語君子之於天下也一章。春卿儀注百寮式，詎道從容禮數寬？

乾隆十八年御製經筵卽事詩　清暉玉宇寬，廣殿集衣冠。要欲分陰惜，寧同舊例看？繹思還戒頌，切己率知難。兩論雖言概，每進講經書，輒各製論發明之。是日講論語視其所以一章，易君子體仁足以長人一句。吾斯意未安。

乾隆二十一年御製仲春經筵詩　泉汲靈源蕉剥芽，春風又復啓文華。惜陰所重恒於此，隔歲猶嫌忽已賒。去歲未行經筵。一日萬幾天命勅，性誠明教聖功加。是日進講尚書勅天之命惟時惟幾，中庸自誠明謂之性、自明誠謂之教。儒冠采服魚魚者，典學虚文莫漫誇。

乾隆二十三年御製仲春經筵詩　書文經訓義揄揚，魚雅儒簪晉兩行。篤志近思研學問，思艱圖易劭農桑。是日進講論語博學而篤志一節，尚書思其艱以圖其易兩句。春臺共喜時方邕，廣厦寧惟例舉常？周孔吾師游意切，推行獨慚去聲未云遑。

乾隆二十四年御製仲春經筵詩　講學文華例仲春，經書次第几端陳。夫乾易矣夫坤簡，成物知焉成己仁。是日經筵書題成己仁也、成物知也，經題易簡而天下之理得矣。紬繹從知位中理，贊參惟仰至誠神。漫言故事循禮典，修業輝光勉日新。

乾隆二十五年御製仲春經筵詩　文華廣殿御香芬，啓迪疇咨大雅羣。詎止循名欲求實，敢因戢武忘崇文！飛潛動植堪觀化，和一慎難總屬君。是日書題四時行焉二句，經題其難其慎兩句，講官各就本條衍義。朕以時行物生，蓋孔子知命耳順以後示學者真實至當之理，非因子貢以言語觀聖人徒爲是不待言而可見之語。又諸家解尚書率以難慎屬君，和一屬臣，不知太甲不惠阿衡是不和，庸罔念聞是不一，邇訓允德是和且一，則和一亦當屬君，始非泛訓之辭。因抒所見著論折衷，非欲與訓詁家爭堅白異同也。畧述會心非逞臆，躬行惟是勉尊聞。

乾隆二十六年御製仲春經筵詩　和凝風日仲春初，廣殿文華敞碧疏。經解傳詮闡要道，衣寬帶博戒虚車。人倫物理行仁義，巽養震爲濟疾徐。是日書義舜明于庶物四句，經義益動而巽二句。詎曰年年遵典故，化民成俗目蒿予。

乾隆二十八年御製仲春經筵詩　春風東壁啓文軒，書蘊經微細討源。自是鴻儒曾有詁，孔懷赤子未能言。是日講大學如保赤子三句，易經咸速也二句。咸恒實具乾坤體，速久惟應天地尊。訓詁家向泥六子長少相配，以世俗夫婦窺聖人序卦曲爲損益，不首下經之論，自生支節，不知下經首咸恒，咸即天行之速，恒即地道之常，其爲乾坤具體本直截了當，因儒臣講畢詳論示之。闡繹豈徒修令典？欽哉絜矩箇中存。

乾隆二十九年御製仲春經筵詩　文華春講集羣英，精義嘉言與論評。四海耕桑因所利，萬幾勑毖省其成。是日進講論語因民之所利而利之，尚書屢省乃成。詎惟守註毋甚解，亦曰尊聞在力行。内外交修非二事，鄰哉思日贊治平聲。平。

乾隆三十一年御製春仲經筵詩　講筵又隔一年春，乙酉春日南巡，未御經筵。翰典文華舉令辰。緝學詎云循故事？樂羣相與集諸臣。義無適莫惟君子，福有斂敷厥庶民。是日講論語無適也、無莫也、義之與比，書經皇建其有極、斂時五福用敷、錫厥庶民。御論聊抒心所會，斯之未信頌休頻。

乾隆三十二年御製仲春經筵詩　翰典彬彬舉仲春，輪番進講列儒紳。誠明盡性斯先覺，盛德甄心在日新。進講四書不逆詐一節，易經日新之謂盛德一句。嚴若要偕經義守，同然無取頌聲頻。撰良喜勝常年者，兆啓文昌壁值辰。是日適值壁宿。

乾隆三十三年御製春仲經筵詩　塗雘文華新落工，宮殿丹雘自雍正庚戌油飾之後，至今將及四十年，故命所司以改修理，兹文華殿新值落成。

講筵輝煥柍桭紅。時惟長善春臨仲，典以興賢歲舉隆。絜矩恕忠籌國治，敕幾兢業亮天工。是日進講大學是以君子有絜矩之道也，尚書一日二日萬幾。親裁御論抒心會，無取都俞稱頌同。

乾隆三十四年御製春仲經筵詩　列筵寧衹禮文崇？玩味經書義不窮。毋自欺惟慎己獨，勗胥欽迺亮天工。時進講大學所謂誠其意者毋自欺也，尚書欽哉惟時亮天工。君臣要在交相儆，心意由來本是同。二語闡是日御論意。衍聖許教陪講席，衍聖公孔昭煥以新修太學親臨釋奠來京陪祀，至是並命侍筵觀禮。黽哉何以繼家風？

乾隆三十五年御製春仲經筵詩　儒臣廣殿共云云，何異書齋此樂羣？明物由行述虞舜，養賢以及玩周文。是日進講孟子由仁義行二句，易頤卦彖傳聖人養賢以及萬民句。兩行玉椀分茶味，一對金鑪裊篆紋。勗在聞知致高大，詎惟典故取斯勤？

乾隆三十八年御製春仲經筵詩　師古仍惟舊典式，清書漢語各分曹。凡進講先書、次經，書與經各先清、次漢，每講官一巡畢，卽發御論一通，則以清漢語分講。龍香近護黃帷案，鷺序雙排綵袖袍。是日講官及侍班官並補服，惟講官加服領袖袍。好惡同民可不慎？酢酬慮善敢從慆？是日進講大學民之所好好之、民之所惡惡之，說命慮善以動、動惟厥時二章。講筵謾擬頌崇學，並進知行勉正勞。

乾隆三十九年御製春仲經筵詩　朶殿彬彬羣彥羅，右文大典舉春和。兩題著論寧勞我？一例輟爲奚示他？後獲先難詮以獨，功崇業廣解休訛。是日進講論語仁者先難而後獲，書經功崇惟志、業廣惟勤。余作御論，以克己復禮釋書題，而解經則以用卿士引爲爲君者之責，義似親切。載咨朗誦篇章者，頌語漫陳願琢磨。

乾隆四十年御製二月六日經筵作　輕雲釀雪仲春和，廣廈談經儒彥羅。詎曰崇文循典故？欲因體道互研磨。新民要在於修已，惠我還須勿問他。（是日進講大學日日新、又日新，易經有孚惠我德。）殿後文淵將建閣，（文淵閣向僅沿襲虛名，今擬於文華殿後建閣，爲貯四庫全書之所。）待成四庫貯書多。

乾隆四十一年御製春仲經筵詩　經年講席一躬臨，龍袖儒臣喜盍簪。（經筵講官滿漢各八員，進講侍班服領袖袍以別於衆，此舊例也。）日麗風和春藹吉，周書魯語義抽尋。（是日進講論語百姓足、君孰與不足，書經君子所其無逸。）撫民時切不足志，勑已惟懷無逸心。後閣文淵新慶洽，（殿後度地建文淵閣爲貯四庫全書之所，今始落成。）俾觀合有共賡吟。

乾隆四十四年御製春仲經筵詩　經筵兩歲闕臨諸，撫帙猶然意戚予。（丁酉戊戌兩年未舉經筵之典，茲已踰大祥，進講惟允。雖戚未能忘而禮不敢過也。）況閱大祥應講習，相將精義繹經書。先勞勞更期無倦，上下下斯光有餘。（是日論語進講先之勞之請益曰無倦，易經進講自上下下其道大光。予所製御論於論語則以爲夫子此言爲有司親民者而發，而人君爲政之道實不外此。臣之勞在身，君之勞在心。於易經則以爲自上下下二語非止申明損上益下，蓋言爲上者當不自恃崇高，應虛己撝謙，尊賢納諫，乃由上以下其下，其道有弗大光者乎？雖文臣皆以爲確論，而斯之猶未能信耳。）著論聊因抒己見，盈廷咨爾莫虛譽。

〔臣等謹按〕節年恭逢經筵，俱有御製詩，謹繹有關紀述事實者恭載卷內，餘不備録。

文華殿之東爲傳心殿，中祀皇師、帝師、王師、先聖，先師殿之前爲景行門。（國朝宮史）

〔臣等謹按〕傳心殿東西設兩角門，北嚮者五楹爲治牲所，南嚮者三楹爲景行門。院東井亭一，殿五楹，其後祝版房三楹，神廚三楹，再後直房五間。殿內祀皇師伏羲王、王師周文王、王師周武王，均正位南嚮，先聖周公東位西嚮，先師孔子西位東嚮。每歲皇帝御經筵，先遣官祗告。惟乾隆六年仲春經筵，上親詣傳心殿行禮。

文華殿之後爲文淵閣。國朝宫史

〔臣等謹按〕明代置文淵閣，其地在内閣之東，規制庳陋。又所儲書帙，僅以待詔、典籍等官司其事，職任既輕，散帙多有。逮末葉而其制盡廢，遺址僅有存矣。本朝定制以文淵閣爲大學士兼銜，第仍其名而未議建設之地。乾隆三十九年，命於文華殿後規度方位所宜，創建文淵閣，用貯四庫書籍凡三萬六千册。復諭令仿宋時三館秘閣官制，自大學士以下置領閣事二員，總司典掌；提舉一員，用資管理；直閣事六員，司典守釐輯之事；校理十六員，分司注册點驗；檢閲八員，隨時點閲。其閣内收發宿直諸職，於内府司員、筆帖式内分派掌管。煌煌乎館閣之宏規、文明之盛治矣。至同時並建者，則有圓明園之文源閣，避暑山莊之文津閣，皆仿浙省范氏天一閣之制，崇構而鼎峙焉。凡以攬勝蓬山，珍儲秘籍，爲伊古以來所未有。兹按文淵閣制凡三重，上下各六楹，層階兩折而上，瓦用青緑色。閣前甃方池，跨石梁一，引御河水注之。閣東恭立皇上御製文淵閣記碑亭，閣内設寶座，恭懸御書額曰匯流澄鑑。聯曰：薈萃得殊觀，象闡先天生一；静深知有本，理賅太極函三。又聯曰：壁府古含今，藉以學資主敬；綸扉名副實，詎惟目仿崇文？又聯曰：插架牙籤照今古；開編雲氣吐芳芬。皆皇上御書。閣後叠石爲假山，山後垣門一，北嚮。門外稍東設直房數楹，爲直閣諸臣所居。恭遇經筵進講畢，聖駕親臨，賜茶於殿内，自乾隆四十一年始遂爲定制。

乾隆四十一年六月初一日，奉上諭：昨四庫館進呈裒集永樂大典散篇，内有麟臺故事一編，爲宋待制程俱撰，具詳當時館閣之制。所載典掌三館秘閣書籍，以執政領閣事，又有直秘閣秘閣校理等官，頗稱賅備。方今蒐羅遺籍，彙爲四庫全書，每輯録奏進，朕親披閲釐正。特於文華殿後建文淵閣弆之，以充策府而昭文治。淵海縹緗，蔚然稱盛。第文淵閣國朝雖爲大學士兼銜，而非職掌。在昔並無其地。兹既崇構鼎新，琅函環列，不可不設官兼掌，以副其實。自宜酌衷宋制，設文淵閣領閣事總其成；其次爲直閣事，同司典掌；又其次爲校理，分司注册點驗。所有閣中書籍，按時檢曝，雖責之内府官屬，而一切職掌則領閣事以下各任之，於内閣翰詹衙門内兼用。其每銜應設幾員及以何官兼充，著大學士會同吏部、翰林院定議，列名具奏，候朕簡定。令各分職繫銜，將來卽爲定額，用垂久遠。至於四庫所集，多人間未見之書。朕勤加採摘，非徒廣金匱石室之藏，將以嘉惠藝林，啓牖後學，公天下之好也。惟是鐫刻流傳僅什之一，而抄録儲藏者外間仍無由窺覩，豈朕右文本意乎？翰林原許讀中秘書，即大臣官員中有嗜古勤學者，並許告之所司，赴閣觀覽，第不得攜取出外，致有損失。其如何酌定章程，並著具議以聞。上諭簿

御製文淵閣記　國家荷天庥，承佑命，重熙累洽，同軌同文。所謂禮樂百年而後興，此其時也。而禮樂之興，必藉崇儒重道以會其條貫。儒與道匪文莫闡。故予蒐四庫之書，非徒博右文之名，蓋如張子所云，爲天地立心，爲生民立命，爲往聖繼絶學，爲萬世開太平，胥於是乎繫。故乃下明詔，敕岳牧，訪名山，搜秘簡，并出天禄之舊藏以及世家之獨弆，於是浩如淵海，委若邱山，而總名之曰四庫全書。蓋以古今數千年，宇宙數萬里，其間所有之書雖夥，都不出四庫之目也。乃掄大臣俾總司，命翰林使分校。雖督繼晷之勤，仍予十年之暇。夫不勤則玩日愒時有所不免，而不予之暇，則又恐欲速而或失之疏畧，魯魚亥豕因是而生。語有之，凡事豫則立。書之成雖尚需時日，而貯書之所則不可不宿構。宮禁之中不得其地，爰於文華殿後建文淵閣以待之。文淵閣之名始於勝朝，今則無其處，而内閣大學士之兼殿閣銜者尚存其名。兹以貯書，所爲名實適相副。而文華殿居其前，乃歲時經筵講學所必臨。於以枕經葄史，鏡己牖民，後世子孫奉以爲

家法，則予所以繼繩祖考，覺世之殷心，化育民物，返古之深意。庶在是乎，庶在是乎！閣之制一如范氏天一閣，而其詳則見於御園文源閣之記。

乾隆四十一年御製題文淵閣　每歲講筵舉，研精引席珍。文淵宜後峙，主敬恰中陳。舊有殿名主敬，在文華殿之後，其後隙地新建文淵閣。四庫庋藏待，層樓結構新。肇功始昨夏，斷手逮今春。經史子集富，圖書禮樂彬。寧惟資汲古？端以勵修身。巍煥觀誠美，經營愧亦頻。綸扉相對處，國朝大學士兼銜三殿三閣，有文淵閣之名，而無閣之實，今新建於文華殿後，且與內閣相近，適當其地。頗覺叶名循。

乾隆四十四年御製經筵畢臨文淵閣有作　文淵咫尺近文華，禮蕆經筵此賜茶。文華殿進講畢，御文淵閣，召講官及侍班諸臣入，列坐賜茶。新署冰銜協名實，新設文淵閣領閣事二員，以大學士兼掌院者充之。提舉一員，以內務府大臣充之。直閣六員以內閣學士、詹事、少詹事、學士充之。校理十六員，以庶子、侍讀、侍講、編修、檢討充之。檢閱八員，以內閣中書充之。待藏四庫煥雲霞。次排雖畢事求覈，於永樂大典散篇內集輯成編不下三百八十餘種，多有世不經見之書。命館臣詳加校勘，分別應抄應刊，以公同好。檢校宜精期與賒。佇遲去聲功成開慶宴，木天佳話更堪誇。

乾隆四十七年御製經筵畢文淵閣賜宴以四庫全書第一部告成庋閣內用幸翰林院例得近體四律首章卽疊去歲詩韻　長律昨春示程督，昨年經筵，四庫全書第一部未竣，故有咨爾校讎總羣輩，可宜淹過浹旬期之句，以示程督。茲第一部書已於昨冬告蕆，而第二、三、四部全書亦俱繕就萬册以上，此後照鈔，較易成書矣。迅成膏晷竟前移。書多二酉本難究，歲始浹旬原弗遲。庫四羣欣贍有蕆，奉三我自凜無私。繁於永樂醇於典，按明永樂大典一萬一千九十五册，凡五年書成。今四庫全書每部三萬六千册，又薈要每部一萬二千册，自癸巳年起至今壬寅，將及十年間，薈要兩部及全書第一部共六萬册均已蕆事，裝潢貯閣，較之永樂大典數多五倍。又按湧幢小品載，編輯供事者凡二千一百六十餘人；今纂修謄録等不過千人，而五年期滿，卽予甄敍録用，是以人皆踴躍，事半功倍。又大典於經史皆依韻編次，割裂淩舛，漫無統紀，有乖柱下藏書之義。茲四庫全書悉以經史子集爲部次，體例尤較醇整云。嘉矣儒臣善副期。百年禮樂合興哉，禮樂原從經史來。溯此津源淵已得，（四庫全書共鈔録四部，今第一部已得者弆文淵閣，其第二、三、四部則分庋盛京之文溯閣、避暑山莊之文津閣、圓明園之文源閣。）述茲言行德猶該。共殷劉向校書志，寧數相如獻賦材？諸子雖曾預董事，（皇六子、皇八子、皇十一子，並命充總裁，閲四庫全書，近復命諸皇子暨師傅等選録明臣奏議。）祇當二宋速賓陪。（用宋祁延客修唐書事。是日賜宴，即令諸皇子侑諸臣酒，並頒賞。）丙申高閣秩千歌，今喜書成鄴架羅。宋輯明修彼有爲，（去聲。宋太宗踐位後，恐世人譏其慙德，因集文士修册府元龜、太平御覽、文苑英華三大書，欲以疲其力而箝其口。明永樂亦以得位不正，集文人爲大典，以弭草野私議。今所輯四庫全書，惟在蒐輯遺佚，以廣流傳，爲萬世藝林津逮，實非彼用意所可比也。）重熙累洽此無他。較其三萬猶富矣，即此十年詎久麽？鼓瑟吹笙筐將是，（二月初二日春仲經筵禮畢，即於是日賜四庫全書館總裁、總纂、總校、分校、提調各官等宴，併徧賞總裁九人、總纂各官等七十七人如意、雜佩、文綺、筆墨、研箋等物。其謄録等不得與宴者，令頒賜宴席果品食物。至辦理全書之總纂紀昀，先是已屢遷至内閣學士，陸錫熊屢遷至光禄寺卿，陸費墀屢遷至少詹事，茲並將孫士毅擢爲太常寺少卿，韋謙恒陞授贊善，曹錫寶、王太岳均陞授國子監司業，其編修吴省蘭等記名遇缺陞用，以示優奬。）慶茲日麗與風和。從來舉事待時節，四庫修書未預籌。癸巳經營謂遲也，（癸巳歲始思及依經史子集爲四庫全書，並命輯永樂大典中散篇成帙。然朕臨御已三十餘年，亦望七之歲矣。斯事體大，而物博，時晷嫌遲，故甲午聯句詩有逢會晷嫌遲歲月，就將惟亹願觀成之句。今壬寅甫及十年，薈要兩部及全書第一部均已蒇事，裝潢貯閣。適當春仲經筵錫宴行慶，適觀厥成，實堪喜慰爾。）壬寅慶落可歌不？副吾志矣志誠愜，勵我爲哉爲正悠。迴憶四章吟翰苑，即今宴祇一人留。（乾隆九年十月幸翰林院賜宴，彼時賦詩者共三十八人，閲今三十餘年，重與陪此宴者，惟大學士嵇璜一人，不無今昔之感。）

〔臣等謹按〕文淵閣御製詩，謹繹有關紀述事實者恭載卷内，餘不備録。

欽定日下舊聞考卷十三

國朝宮室

文華殿之後西向爲上駟院署。國朝宮史

〔臣等謹按〕上駟院詳見官署門。

上駟院署又北南向爲箭亭。國朝宮史

〔臣等謹按〕箭亭廣五楹，周以檐廊，中設寶座。寶座東卧碣一，恭刊乾隆十七年

上諭。

乾隆十七年三月二十日上諭曰：朕恭閱太宗文皇帝實録，内載崇德元年十一月癸丑日，上御翔鳳樓，集諸親王、郡王、貝勒、固山額真、都察院官，命弘文院大臣讀大金世宗本紀。上諭衆曰：爾等審聽之！世宗者，蒙古漢人諸國聲名顯著之賢君也。故當時後世咸稱小堯舜。朕披覽此書，悉其梗概，殊覺心往神馳，耳目倍加明快，不勝嘆賞。朕思金太祖、太宗法度詳明，可垂久遠。至熙宗合喇及完顔亮之世，盡廢之，耽於酒色，盤

樂無度，效漢人之陋習。世宗卽位，奮圖法祖，勤求治理，惟恐子孫仍效漢俗，預爲禁約，屢以無忘祖宗爲訓。衣服言語，悉遵舊制，時時習練騎射，以備武功。雖垂訓如此，後世之君漸至懈廢，忘其騎射。至於哀宗，社稷傾危，國隨滅亡。乃知凡爲君者，耽於酒色，未有不亡者也。先世儒臣巴克什達海庫爾禪屢勸朕改滿洲衣冠，效漢人服飾制度。朕不從，輒以爲朕不納諫。朕設爲比喻，如我等於此聚集寬衣大袖左佩矢，右挾弓，忽遇碩翁科羅巴圖魯勞薩挺身突入，我等能禦之乎？若廢騎射，寬衣大袖，待他人割肉而後食，與尚左手之人何以異耶？朕發此言，實爲子孫萬世之計也。在朕身豈有更變之理？恐日後子孫忘舊制廢騎射以效漢俗，故常切此慮耳。我國士卒初有幾何？因嫻於騎射，所以野戰則克，攻城則取。天下人稱我兵曰立則不動摇，進則不回顧，威名震懾，莫與爭鋒。此番往征燕京出邊，我之兵威竟爲爾八大臣所累矣。故諭爾等，其謹識朕言。欽此。朕每謹讀聖謨，不勝欽凜感慕。深惟國家開創之時，我祖宗躬親勞瘁，勤求治理，矩矱相傳，罔敢渝越，以立萬世之丕基。至於今咸受無疆之福者，皆仰遵明訓所致也。我朝滿洲先正遺風，自當永遠遵循，守而勿替。是以朕常躬率八旗臣僕，行圍較獵，時時以學習國語，熟練騎射，操演技勇，諄切訓誨。無非率由舊章，期以傳之奕禩，永綿福祚。惟是我皇祖太宗聖訓所垂，載在實録。若非刊刻宣示，則累朝相傳之家法，外庭臣僕何由共悉？且自古顯謨令典，多泐之金石，曉諭羣工。我皇祖太宗之睿聖，特申誥誡，昭示來兹，益當敬勒貞珉，永垂法守。著於紫禁箭亭、御園引見樓及侍衛教場、八旗教場，各立碑刊刻，以昭朕紹述推廣至意。俾我後世子孫臣庶，咸知舊制，敬謹遵循，學習騎射，嫻熟國語，敦崇淳樸，屏去浮華，毋或稍有怠惰，式克欽承彝訓，冀億萬世子孫共享無疆之庥焉。特諭。欽此。

文華殿東稍北有石橋三，過橋有殿宇三所，凡大内俱黄琉璃瓦，惟此用緑，爲皇子所居。其前爲王公文武大臣輪班宿衛直房。國朝宮史

〔臣等謹按〕文華殿東北度石橋爲三座門，東爲鷹房、狗房，西爲御馬廐舊地。今移廐於上駟院署之南，其地皆屬之文淵閣矣。三座門北殿宇三所，是爲擷芳殿。稍西夾道内爲茶膳房庫宇，其東南一帶爲花馬廐、藥房等處。按鷹房、狗房、茶膳房、花馬廐、藥房各條，俱詳見官署門。

文華殿東南爲户部内庫，爲鑾儀衛鑾駕庫，稍北即東華門，門外有下馬碑石，紫禁城之東門也。國朝宮史

〔臣等謹按〕東華門内稍北爲國史館，舊在午門内熙和門西南，後移置於此。

熙和門之西爲武英殿，規制如文華。門前御河環繞石橋三。殿前後二重皆貯書籍。凡欽

定命刊諸書俱於殿左右直房校刻裝潢。西北有浴德堂，爲詞臣校書直次，設總裁統之。國朝宮史

〔臣等謹按〕武英殿五楹，殿前丹墀東西陛九級。乾隆四十年御題門額曰武英，東配殿曰凝道，西曰煥章，後殿曰敬思。東北爲恒壽齋，今爲繕校四庫全書諸臣直房，西北爲浴德殿，卽舊所稱修書處也。浴堂在其後，西爲井亭。

乾隆三十九年御製題武英殿聚珍版十韻有序　較輯永樂大典內之散簡零編，並蒐訪天下遺籍不下萬餘種，彙爲四庫全書。擇人所罕覯，有裨世道人心及足資考鏡者，剞劂流傳，嘉惠來學。第種類多則付雕非易。董武英殿事金簡，以活字法爲請，既不濫費棗梨，又不久淹歲月，用力省而程功速，至簡且捷。考昔沈括筆談，記宋慶曆中有畢昇爲活版，以膠泥燒成。而陸深金臺紀聞則云毘陵人初用鉛字，視版印尤巧便。斯皆活版之權輿。顧埏泥體麤，鎔鉛質輭，俱不及鋟木之工緻。茲刻單字計二十五萬餘，雖數百十種之書，悉可取給，而校讐之精，今更有勝於古所云者。第活字版之名不雅馴，因以聚珍名之，而系以詩。　稽古搜四庫，於今突五車。開鐫思壽世，積版或充閭。張帖唐院集，周文梁代餘。同爲製活字，用以印全書。精越鵰冠體，昨歲江南所進之書有鵰冠子，卽活字版，第字體不工，且多訛謬耳。富過鄴架儲。機圓省雕氏，功倍謝鈔胥。聯腋事堪例，埏泥法似疏。毀銅昔悔彼，康熙年間

編纂古今圖書集成，刻銅字爲活版，排印藏工，貯之武英殿。歷年既久，銅字或被竊缺少，司事者懼干咎，適值乾隆初年京師錢貴，遂請毀銅字供鑄，從之。所得有限而所耗甚多，已爲非計。且使銅字尚存，則今之印書不更事半功倍乎？深爲惜之。刊木此慙予。既復羨梨棗，還教慎魯魚。成編示來學，嘉惠志符初。

〔臣等謹按〕武英殿惟聚珍版蒙御題篇什，今恭載卷内，餘不備録。

武英殿北爲内務府公署，爲果房，爲冰窨，爲造辦處。國朝宫史

〔臣等謹按〕内務府公署、果房、冰窨、造辦處各條，俱詳官署門。

武英殿西爲尚衣監，其後殿宇二層爲皇子所居。再西爲咸安宫，教習八旗大臣子弟肄業處。國朝宫史

〔臣等謹按〕尚衣監、咸安宫學詳官署門。武英殿西咸安宫東夾道内舊時皇子所居者，今爲清字經館。其北有河流，自西北而東南，爲内金水橋之經流，俗稱筩子河。筩子河東隨牆門内爲三通館。又東當武英殿之後南嚮，門内爲方略館。並詳官署門。

武英殿南爲瓷器庫，爲南薰殿。乾隆十四年，詔以内府所藏歷代帝后圖像尊藏於此。國朝宫史

〔臣等謹按〕瓷器庫詳官署門。

南薰殿前卧碣一，恭刊御製南薰殿奉藏圖像記，並御製詩。

御製南薰殿奉藏圖像記 内府藏列代帝后圖像，傳自勝國，典在有司，歲以盛夏曝而庋之，扃鑰惟謹。朕於幾暇，省閲内庫積儲，敬得展觀，則裝池之以歲久渝脱者已多矣。因思我朝崇禮前代，建廟京師，春秋禋享。且爲之護陵寢，禁樵蘇，聖賢名臣咸秩祀典。凡以篤高山景行之思，抒望古興懷之慕。而況流傳有自，縑素猶新，日角珠庭，冕旒秀發，德容可挹，英表如生，其奚忍夷諸繪事供几席珍鑒者比。爰命工重加裝潢，自太皞伏羲氏而下，帝后圖像爲軸者六十有八，爲册者七，爲卷者三，先聖名賢圖册五。舉襲以緹錦，尊藏於紫禁西南之南薰殿。大學士會同領内務府王大臣等詳定位置，謹其籍識，次第甲乙，秩然有章。明諸帝玉册，廟中所陳，當時實爲宗器者也；今貯工部外庫，慮不免散軼，附藏殿之西室，俾庋視焉。既竣事，因備紀之，勒石前榮，以示帝統相承，道脈斯在，朕之隨在盡其誠敬，不敢苟且褻越有如此。圖像自唐宋以下缺十之二三，溯而上之，存者僅矣。時久而易晦，幸其存也，可弗保持使可及久歟？缺者弗復追補，遠無徵也，懼失真也，以致慎也。

乾隆十四年御製詩并序 朕既藏歷代帝后名臣像於南薰殿，爲文以記之，并成是詩 寫照應非古，羲軒誰所傳？儼兹瞻日角，敬與保天全。暑雨寧侵幌，薰風尚入絃。罕然興景仰，籌治勉勤乾。

〔臣等謹按〕南薰殿歷代帝后名臣像御製詩恭載卷内，餘不備録。

武英殿西爲御書處，凡御書法帖皆於此鐫刻。稍北西華門，門外有下馬碑石，紫禁城之西門也。國朝宫史

〔臣等謹按〕御書處詳官署門。

乾清門，廣宇五楹，中門三陛三出，各九級，前列金獅二。皇帝御門聽政，則於門下陳設御座黼扆，部院以次啓事，内閣面承諭旨於此。凡召對臣工，引見庶寮，俱由門之右門出入，内廷行走之大臣官員俱得由之。國朝宫史

凡御門聽政之禮，先期内閣得旨傳知各部院官，至日黎明咸集竢。侍衛傳旨宣入，迺魚貫以進。皇帝陞座，記注官由西階升，翰林科道至西階下，咸就位立。部院奏事官由東階升，尚書一人奉疏折旋而西，餘入就位面西，跪。奉疏者至正中北面，進詣黄案前跪，恭設於案，興，少退，趨至左楹，轉入班，跪奏某事畢，興，少退，循東階左降。其次各班，依序進奏如前儀。吏部引見各部院屬官畢退，内閣侍讀學士二人升東階，詣案前跪，奉奏疏退，降階，翰林科道暨侍衛皆退。大學士、學士升自東階，以次跪御榻之左，西面北上。記注官進立御榻之右，滿内閣學士一人奉折本至黄案前，北面跪奏。每奏一事，皇帝降旨，大學士、學士承旨訖，興，由東階降，記注官由西階降。皇帝還

宮，皆退。大清會典

聖祖仁皇帝御製宮門聽政示閣部諸臣詩　中書天下本，六官庶寮首。絲綸委寄隆，分職慎所守。上相列天階，喉舌筦北斗。乾象方昭垂，古來詎虛受！軒皇置六相，姬文擇四友。得人邦乃昌，此事諒非偶。曰予既寡昧，欿然謝哲后。聽政日不遑，望道遠何有？啓沃藉臣鄰，匡贊資左右。雖云際昇平，民物豈康阜？圖終貴謹始，治安莫予狃。廣業惟克勤，勵精期永久。作詩一相勖，敬哉庶無負。

乾隆十二年御製御門詩　凌晨御內朝，咨采接羣彥。嘉言孰予告？庶政惟爾贊。稍釋望雨愁，未愜求治願。周公古元哲，猶坐以待旦。欽哉與日深，敢恃天恩眷？

乾隆十六年御製御門日作時閏五月五日　勅幾咨卿尹，宅俊引庶士。勤政勉居諸，家法匪今始。瑣禁及林苑，一例無二理。作所凜書義，行健玩易旨。御門實舊典，孜孜廑治體。雨後曉氣清，殿閣薰風美。庶務既裁繁，獨對亦察邇。傍午試豫遊，觀農心爲喜。閏月不閏節，龍舟鬧可已。近試新進士，朕命以閏月定四時爲題，應試者有競渡繼清音之句。雖詩人詠景別裁無所不可，然譏賞亟則敬勤弛，故不命重陳龍舟之嬉，末句並及之。

乾隆二十一年御製御門口號　御門六部奏封章，進止疇咨不厭詳。一日萬幾寧止是？要因愛禮亦存羊。本朝家法，日接廷臣，宮中行在蓋無間時。不藉御門然後爲對敭勤政也。故偶及之。

乾隆三十一年御製御門口號　折本積黃扉，明庭待指揮。每因遵典故，益切慎幾微。綏屢心誠慰，持盈意敢違？如云虞穀賤，進退定何依？連歲遇稔，有慮穀賤傷農者，斯則無一而可矣。人之不知足，有如是哉！

乾隆四十三年御製御門日作　廿七月中簡吉禮，二十七月之內，凡遇大祀躬行，中祀則遣官。其經筵、耕耤諸典例皆停止。惟御門聽政及御殿視朝爲勤政要務，例當如常舉行，并服色是日亦易，素服不御。御門御殿例無刊，勑幾以此實政繫，修典寧其虛數觀。去聲却有待儀節相預，大學士高晉入覲在京，已命回兩江總督任。渠以備位綸扉，從未得瞻御門大典，懇請於是日隨班與觀儀節，再行起程，從之。每看背本省郎難。內閣學士奏摺本率係背誦。凡記憶未熟及清語生疏者，往往遺忘訛舛，視爲難事。臨軒降旨惟清語，每奏一摺本畢，降旨悉以清語，漢大學士中曾習清語者亦能領會，誠國朝善制也。法祖由來見一端。

（臣等謹按）節年御門御製詩，謹繹有關紀述事實者恭載卷內，餘不備録。

（又按）會典凡恭遇齋戒之日，太常寺進銅人陳於乾清門扉左。

乾清門之旁左爲內左門，右爲內右門。軍機大臣、南書房翰林、內務府大臣官員出入亦得由之。墀下東出者爲景運門，西出者爲隆宗門。皆五楹，門各三。內左門之東、內右門之西，周廬各十二楹，東爲文武大臣奏事待漏之所，西爲侍衛房及內務府、軍機處直舍，皆南向。其南相對周廬各五，東爲宗室王公奏事待漏之所，西爲內繙書房。國朝宮史

（臣等謹按）內左門外內右門外南北向各直廬，皆乾隆十二年建。

乾清門之內爲乾清宮，皇帝召對臣工，引見庶寮皆御焉。宮廣九楹，深五楹，正中設寶座，左右列圖史璇衡彝器。殿前露臺列龜鶴各二，晷影、嘉量各一，寶鼎四。中爲甬道，與乾清門相屬。左右丹陛南出者二，東西出者各一。東西丹陛之下有文石臺二，上

安設社稷江山金殿。國朝宮史

〔臣等謹按〕乾清宮順治十二年建，康熙八年重建。宮内恭懸世祖章皇帝御筆額曰正大光明。聖祖仁皇帝恭跋云：皇考世祖章皇帝御筆正大光明四字，結構蒼秀，超越古今。仰見聖神文武，精一執中，發於揮毫之間，光昭日月，誠足媲美心傳，朕罔不時爲欽若，敬摩勒石，垂諸永久，爲子孫萬世法。康熙十五年正月吉旦恭跋。兩楹恭懸聖祖仁皇帝御書聯曰：表正萬邦，慎厥身修思永；弘敷五典，無輕民事惟難。北兩楹皇上御書聯云：克寬克仁，皇建其有極；惟精惟一，道積於厥躬。

聖祖御製乾清宮讀書記　二帝三王之治，夐然尚矣。後之人興於千百世之下，而欲遐稽往烈，以爲多聞畜德之資，非載籍是賴，厥道無由。顧載籍極博，大而道德之淺深，政理之因革，小而聲名度數采章文物之繁，靡弗該也，靡弗悉也。若徒習其文詞，侈其浩博，而不深考其道法之大原，得諸心而致諸用。古人之言皆陳迹耳，於我何與焉？朕自沖齡，性耽學問。踐阼迄今，罔自暇逸。未明求衣，待旦視事，講臣執經，羣工入奏，未嘗一日不與相接。既退，裁決庶務，披覽章疏，有間則書册翰墨之外無他嗜好。又上端居乾清宮，取六經之書發而讀之，以求契夫古聖人之心，將以致其用而未能也。又上下古今盱衡數千載，思昔人之所以致其用者，而求之乎紀志表傳編年紀事之文，將以考其用，而知其心之所存。朝斯夕斯，怡然忘倦。蓋浩乎其未有涯，悠然其未有艾也。比者海宇乂安，國家閒暇，而風俗人心未能登進淳良，聿臻上理。每一念之，憫然於懷。將以得之於心者而實致諸用焉。積晦明，閲寒暑，展卷吟誦，神理淵穆，如晤古人。夫乾爲健，天得一以清，所貴執中而建極也。自强不息以希天，遜志好學以希聖，朕雖不敏，詎弗勉旃！

又聖祖御製寶座五屏風銘　惟天聰明，惟聖時憲。惟臣欽若，惟民從乂。首出庶物，萬國咸寧。愷悌君子，四方爲則。功崇惟志，業廣惟勤。知人則哲，安民則惠。

皇上御製乾清宫五屏風銘有序　予年十二時，始解文義。每侍皇祖於乾清宫，得瞻御座後屏風集諸經銘語，卽知綜括治道無遺而爲君者必如是，然後可謂盡君道也。踐阼後，益用以自勵。思欲衍繹諸句，各爲一銘，而理精義博，日引月長，三十六年於兹，予亦六旬有一矣。昔衛武公作抑戒，老而自警也。予侍聖母，不宜言老，而自警之意則不可無。夫此集諸經語誰不能成誦？然言之易而行之難。語云：適百里者半九十里。苟所行不符乎所言，予愧不滋甚哉！銘曰：自我民聽，天以爲聰。自我民視，天以爲明。叶無曰高高在上，惟命不於常。奈何弗敬，夙夜不遑。純佑惟休，惟恤亦無疆。右惟天聰明　粵我列祖，憲天惟聖。宅中圖治，敬勝義勝。允兹克明。佛時仔肩，以似以續。惟曰欲至於萬年。（右惟聖時憲）予有股肱，予有心膂。恤小民之依，惟予與汝。曰惟欽哉，厥欽匪從。陳善弼邪，無私則公。（右惟臣欽若）至弱而不可勝，至愚而不可欺。心焉懷保，庶其從治。厥類有四，厥數無萬。暑雨祁寒，曰咨曰怨。思艱圖易，遹求厥寧。用顧畏于民喦，遹觀厥成。（右惟民從乂）百姓注耳目，一人孩之。萬幾凛旦明，一人裁之。惡乎危？於不知。惡乎失？於好逸。惡乎損？招於矜驕。（右首出庶物）人莫不衣食也，足之則寧。民猶水也，澄之則清。使菽粟布帛如水火，亦其難矣，豈可虛詡昇平？（右萬國咸寧）和樂且湛，君子之愷。叶平易近民，君子之悌。君子終日乾乾，體仁長人，大都爲爲君者而言。（右愷悌君子）譬如北辰，居其所而衆星拱之。德斯要矣，爲則者心誠奉之。苟失其德，孰與爲則？戒之慎之，斯焉惕息。（右四方爲則）在昔文王，卽康功田功。志厪惠鮮，受命惟崇。詰戎固要，黷武非賢。以是爲功，失之天淵。（右功崇惟志）曰宵衣，豈誠宵衣乎？曰旰食，豈誠旰食叶乎？卽誠宵旰，而心不在焉，亦得謂之真勤叶乎？君者臣之師乎，將以督人，而已固可遺乎？（右業廣惟勤）爲君奚難？難於知人。唐虞已然，而況而今。叶忠邪莫辨，善惡紛陳。貌不易察，心更難諶。叶量材授職，各有分司。廣諮博訪，或稱不知。在彼則可，在我則遲。蒿目焦心，分憂其誰？（右知人則哲）三代以下，治世常稀。其故云何？安民莫爲，安民若何？莫如惠施。惠心弗問，元吉易辭。（右安民則惠）

又御製宮殿四銘有序　宮殿者所以受之祖考，傳之子孫，建極撫辰，以治四海。且鴻稱煌煌，顧名思義，常恐羞之。共視盤盂几杖日用之物，不綦重乎？因讀韓愈五箴有警，倣其體爲四銘焉。大哉至健，純粹而精。昭昭成象，蕩蕩難名。四德嬗用，六位時乘。靜專動直，資始大生。我祖我考，奉是丹楹。五福敷錫，萬國咸寧。敢恃崇居，惴惴矜矜。益慎體乾，惟皇永清。右乾清宮銘　萬物致養，是曰厚坤。安貞廣大，配天爲元。昔在盛京，清寧正寢。建極熙鴻，貞符義審。思媚嗣徽，松茂竹苞。神罔時恫，執豕酌匏。廣博無疆，黄中正位。以繼以繩，惟曰欲至於萬世。右坤寧宮銘　四德何以首元？四時何以首春？仁者人也，要莫大於親親。刑寡妻以至兄弟，民同胞而物吾與，皆由此施，關痛癢而肫肫。然其所包者廣。是以孔子對門人之問不同，而莫非由己之所存。人盡宜勉，又何況乎爲君！吾用是居昭仁之殿，怵然惟恐有愧乎斯言。右昭仁殿銘　求全之毁，吉德也。辯之不已，是惑也。不虞之譽，凶德也。居之不疑，是惑也。知惑不爲，直言其來。知惑而爲，諛言其滋。諛滋悔生，直來其亨。宜已而辯，汝奚爲善？宜疑而居，汝惑奚祛？屏乎營乎，其思德之所宏乎！右弘德殿銘

〔臣等謹按〕宫殿四銘，恭繹御製序文，體製本相連屬，未便分析編載，今謹備録於乾清宫卷内。至宫殿各條制度，仍另詳後卷。

聖祖御製元夜與諸王宴乾清宮詩　今夕丹帷宴，聯翩集懿親。傳柑宜令節，行葦樂芳春。香泛紅螺重，光摇絳蠟新。不須歌湛露，明月足留人。

世宗御製恭侍乾清宮詩　殿閣參差際碧天，玉階秋色静芊綿。雲開北闕祥光滿，雨過西山霽色鮮。寶座金爐香靄靄，彤墀仙掌露涓涓。承顔頻荷温顔接，凜惕趨蹌繡扆前。

皇上御製九日乾清宮侍宴恭紀詩　繡錯仙枝焕彩霞，重陽侍宴佩萸華。牋分御筆親標韻，席撤皇恩别賜瓜。一德賡歌仁壽世，太和景象聖人家。獻詩爵躍追天保，宴畢歸來日未斜。

〔臣等謹按〕御製九日乾清宮侍宴詩載於樂善堂集，兹恭録卷内。

乾隆四年御製新正二日召集羣臣於乾清宮賦柏梁體詩朕既首倡又成七言一章　泰交堂陛列鴛聯，日暖彤墀淑景鮮。祇以賡歌鳴喜起，非誇宴樂沸絲絃。觴浮柏葉添吟興，筆灑瓊華映綺筵。更慶元正飄六出，又增新瑞紀瑶編。

〔臣等謹按〕乾清宮筵宴御製詩，謹繹有關紀述事實者，恭載卷内，餘不備録。

〔又按〕向例元旦宴諸王於乾清宮，次日宴羣臣，自乾隆二十四年以後，皆於上元後一日賜羣臣宴於圓明園，惟諸王仍筵宴於乾清宮，如舊儀。

欽定日下舊聞考卷十四

國朝宫室

乾清宫之東爲昭仁殿。國朝宫史

〔臣等謹按〕昭仁殿内恭懸皇上御書額曰天禄琳琅。聯曰：風奏南薫調玉軫；霞懸東壁燦瑶圖。殿後西室聯曰：有秋歷覽登三輔；旰食惟期協九經。又聯曰：獨喜惜陰澄静照；更因稽古契遐心。室之北額曰慎儉德。聯曰：亦曰欽哉貫謨典；允惟難矣作君師。又聯曰：瓊枝春意足；縹帙古香多。皆御書。

〔又按〕昭仁殿御製銘已恭載前卷乾清宫條内，兹不複綴。

聖祖仁皇帝御製昭仁殿詩　雕梁雙鳳舞，畫棟六龍飛。崇高惟在德，壯麗豈爲威？

乾隆十二年

御製昭仁殿詩有序　乾清宫之東簃爲昭仁殿，皇祖在御時，日夕寢興之温室也。朕弗敢居焉，乃貯天禄琳瑯宋元鐫本於内，時一徘徊，曷勝今昔之思？芸帷木榻想貽淳，聖日常懸麗栱棖。六十一年滋惕息，百千萬世永昭仁。好書敢謂承先志？新德惟期澡我身。

簷向周廬列書室，昭仁殿正對上書房，諸皇子讀書處也。每聞佔畢達楓宸。

〔臣等謹按〕昭仁殿御製詩，恭載首見之篇，餘不備録。

乾清宮之西爲弘德殿。國朝宮史

〔臣等謹按〕弘德殿内恭懸皇上御書額曰奉三無私。聯曰：二典三謨，法堯舜之道；五風十雨，協天地之心。殿後額曰太古心。皆御書。東室閣上恭懸世宗憲皇帝御書聯曰：惟以一人治天下；豈爲天下奉一人？皇上御書聯曰：九疇勤省歲；萬寶協書雲。閣下聯曰：得句因新意；耽書是宿緣。又聯曰：墨汁潤分瑶草緑；篆文清帶筆花香。後室額曰懷永圖。聯曰：雲霞紛綺麗；文物共葳蕤。又聯曰：心爽天宇豁；情欣理境融。皆御書。

〔又按〕御製弘德殿銘已恭載前卷乾清宮條内，兹不複綴。

乾隆六年御製弘德殿詩　高閣傳銀箭，朝暾散綺疏。憂心周蔀屋，豈隔九重居？

〔臣等謹按〕弘德殿御製詩，恭載首見之篇，餘不備録。

乾清宮之東廡内直廬三楹。國朝宮史

〔臣等謹按〕内直廬恭懸聖祖御書額曰御茶房。

内直廬稍南爲端凝殿。國朝宮史

〔臣等謹按〕端凝殿恭懸聖祖御書額曰執事。

聖祖御製端凝殿齋居詩　肅肅羣籟屏，裊裊爐烟舒。諏日躬禋祀，濯祓臨齋居。輝輝閣西日，流影照綺疏。坐久微風來，泠然吹衣裾。齋心觀萬象，默見天地初。感神在至誠，寧俟灌鬯餘？

端凝殿南爲舊設自鳴鐘處。國朝宮史

〔臣等謹按〕舊設自鳴鐘處恭懸聖祖御書額曰敬天。皇上御書聯曰：簾縈香篆齋心久；座殷鍾聲問夜遥。

舊設自鳴鐘處又南東出者爲日精門，門之南爲御藥房。國朝宮史

〔臣等謹按〕御藥房恭懸聖祖御書額曰藥房，曰壽世。

御藥房南一室奉至聖先師及先賢先儒神位。國朝宮史

〔臣等謹按〕奉至聖先師室恭懸皇上御書額曰與天地參。聯曰：開洙泗心傳，聖由天縱；集唐虞道統，德合時中。

奉至聖先師室轉南向北者爲上書房，皇子、皇孫肄業處也。國朝宮史

〔臣等謹按〕上書房恭懸世宗御書聯曰：立身以至誠爲本；讀書以明理爲先。皇上御

書額曰養正毓德。聯曰：念終始典于學；於緝熙單厥心。

皇上御製上書房恭紀詩有序 己酉冬十一月二十一日，皇父御書立身以至誠爲本，讀書以明理爲先一聯，恩賜懸掛書齋，以寓訓誨至意，恭紀。文明雅化敷重譯，咫尺奎章賁玉除。妙義只須十四字，至言已勝萬千書。天顏有喜龍鸞動，緗案承恩雨露舒。從此就將當益奮，敢違提訓負居諸！

〔臣等謹按〕御製上書房恭紀詩載於樂善堂集，茲恭録卷内。

乾隆七年御製壬戌仲冬御門後至上書房因示弘瞻輩詩 緗帙芸編散古香，經帷舊學重商量。憂心未釋勑幾暇，樂志旋生味道長。時講學而時習之章。 緹室灰飛新景物，瑣窗日上昔年光。吟餘改抹前題句，未得筌蹄頓兩忘。

〔臣等謹按〕上書房御製詩，謹繹有關紀述事實者恭載卷内，餘不備録。

乾清宫西廡向東與端凝殿相對者爲懋勤殿。國朝宫史

〔臣等謹按〕懋勤殿恭懸皇上御書額曰基命宥密。聖祖仁皇帝沖齡曾讀書於此。今爲懋勤殿翰林侍直處，凡圖史翰墨之具皆貯焉。每歲秋讞時，刑科覆奏本上，皇上御殿，親閱招册，内閣大學士、學士及刑部堂官面承諭旨於此。

聖祖御製懋勤殿讀尚書至無逸篇有作詩 元化斡四運，淑景催芳年。乾乾總萬幾，寸陰

惜屢遷。綈几散瑶帙，阿閣颺爐烟。澄懷求至理，孔壁存遺編。公旦訓無逸，則古多所宣。言念小民依，田功稼穡先。天命良匪易，敬德省厥愆。法戒備近王，炯炯斧扆前。寤寐希古人，千祼精意傳。端居不遑暇，三復期勉旃。

懋勤殿南爲批本處。國朝宫史

〔臣等謹按〕批本處恭懸聖祖御書額曰慎幾微。凡内閣擬票本章俱經本處進呈御覽，然後票寫清文交閣。

批本處又南西出者爲月華門，門之南爲内奏事房。國朝宫史

〔臣等謹按〕每日内外臣工所進奏章，由外奏事諸臣接入，於此交内奏事進呈。得旨後仍由此交出。

奏事房轉南向北者爲南書房。國朝宫史

〔臣等謹按〕南書房爲内廷詞臣直廬。

南書房之東爲宫殿監等辦事處。國朝宫史

〔臣等謹按〕宫殿監等辦事處恭懸聖祖御書額曰敬事房。

昭仁殿之左東出者爲龍光門，弘德殿之右西出者爲鳳彩門，乾清宫後爲交泰殿。國朝宫史

〔臣等謹按〕交泰殿滲金圓頂，制如中和殿。殿内恭懸聖祖御書額曰無爲。皇上御書

聯曰：恒久咸和，迓天休而滋至；關睢麟趾，立王化之始基。殿中設寶座，左安銅壺刻漏，右安自鳴鐘。國朝御用寶璽二十有五，俱尊藏於殿中。

皇上御製寶譜序　國朝受天命，采古制爲璽。掌以内閣，承收以宫殿監正。襲以重盝，承以髹几。設交泰殿中，以次左右列。當用則内閣請而用之。其質有玉，有金，有旃檀香木。玉之品有白，有青，有碧。紐有交龍，有盤龍，有蹲龍。其文自太宗文皇帝以前專用國書，既乃兼用古篆。其大小自方六寸至二寸一分不一。嘗考大清會典載御寶二十有九，今交泰殿所貯三十有九。會典又云，宫内所貯者六，内庫收貯者二十有三，今則皆貯交泰殿，數與地皆失實。至謂皇帝奉天之寶卽傳國璽，兩郊大祀及聖節宫中告天青詞用之，此語尤誕謬。大祀遵古禮用祝版，署名而不用寶。聖節宫中未嘗有告天事，或道籙祝釐時一行之，亦不過偶存其教耳，未嘗命文臣爲青詞，亦未嘗用寶。且此璽孰非世世傳守？而專以一寶爲傳國璽，亦不經。蓋緣修會典諸臣無宿學卓識，復未曾請旨取裁，只沿明時内監所書册檔，承譌襲謬，遂至於此。甚矣記載之難也！且會典所不載者，復有受命於天既壽永昌一璽，不知何時附藏殿内，反置之正中。按其詞雖類古所傳秦璽，而篆法拙俗，非李斯蟲鳥之舊明甚。獨玉質瑩潔如截肪，方得黍尺四寸四分，厚得方之三，以爲良玉不易得則信矣。若論寶，無問非秦璽，卽真秦璽亦何足貴？乾隆三年，高斌督河時奏進屬員濬寶應河所得玉璽，古澤可愛，文與輟耕録載蔡仲平本頗合。朕謂此好事者仿刻所爲，貯之別殿，視爲玩好舊器而已。夫秦璽煨燼，古人論之詳矣。即使尚存，政斯之物何得與本朝傳寶同貯？於義未當。又雍正年故大學士高其位進未刻碧玉寶一。文未刻則未成爲寶，而與諸寶同貯，亦未當。朕嘗論之，君人者在德不在寶。寶雖重，一器耳。明等威，徵信守，與車旗章服何異？德之不足，則山河之險，土宇之富，拱手而授之他人。未有徒恃此區區尺璧足以自固者。誠能勤修令德，繫屬人心，則言傳號涣，萬里奔走。珍非和璧，制不龍螭，篆不斯籀，孰敢不敬信承奉尊爲神明？故寶器非寶，寶於有德。古有得前代符寶，君臣動色矜耀，侈爲瑞貺者，我太宗文皇帝時獲蒙古所傳元帝國寶，容而納之，初不藉以爲受命之符。由今思之，文皇帝之臣服函夏，垂統萬世，在德耶？在寶耶？不待智者而知之矣。善夫唐梁肅之言曰：鼎之輕重，璽之去來，視德之高下，位之安危。然則人君承祖宗付畀，思以永膺斯寶，引而勿替，其非什襲固守之謂。謂夫日新厥德，居安慮危，凝受皇天大寶命，則德足重寶，而寶以愈重。璽玉自古無定數，今交泰殿所貯，歷年既久，紀載失真，且有重複者。爰加考正排次，定爲二十有五，以符天數。并著成譜而敍其大指如此。

又御製刻漏銘 粤昔重黎，分司地天。迎日揆景，舉分測辰。明時敬授，欽若昊乾。予承百王，省歲祈年。齊政協紀，命彼疇人。儆宫戒井，斟衡酌權。笵金規木，製兹漏蓮。玉注金筩，水火燥寒。協其高卑，別以方圓。九十六刻，成一日焉。視彼陽晷，明晦無愆。較自鳴鐘，淫巧徒傳。攝提有紀，孟陬用平。於以考時，寢興慎旃。於以熙績，勤民禮賢。業業兢兢，俯察仰觀。器與道偕，是驗是虔。作銘垂誡，貽百曾元。

交泰殿兩廡間左出者爲景和門，右出者爲隆福門，殿之後爲坤寧宫。國朝宫史

〔臣等謹按〕坤寧宫順治十二年建，殿廣九楹，殿之東暖閣恭懸皇上御書聯曰：天惟純佑命，俾爾戩穀，百禄是荷；民其勅懋和，綏以多福，萬國咸寧。閣上額曰福德相。聯曰：功德莊嚴輝寶月；薰聞安樂引祥風。閣下東室額曰紫垣。西室聯曰：斯干咏松竹；天保頌升恒。皆御書。

〔又按〕御製坤寧宫銘已恭載前卷乾清宫條内，兹不複綴。

乾隆十七年御製小除夕坤寧宫作　喜氣圕宫寮，迎除先去聲。頌椒。從來稱五祀，不覺到今宵。爆引雲車上，天臨絳節朝。誠祈詎私禱？六幕願均調。

〔臣等謹按〕坤寧宫御製詩，恭載首見之篇，餘不備録。

坤寧宫左爲東暖殿，右爲西暖殿。國朝宫史

〔臣等謹按〕東暖殿、西暖殿與昭仁、弘德二殿相對，俱康熙三十六年建。

東暖殿之東爲永祥門，稍北爲基化門，俱東出。西暖殿之西爲增瑞門，稍北爲端則門，俱西出。坤寧宫之後北向正中爲坤寧門。門外卽御花園，左曰瓊苑東門，右曰瓊苑西門。國朝宫史

〔臣等謹按〕御花園内珍石羅布，嘉木鬱葱，又有古柏藤蘿，皆數百年物。

乾隆九年御製仲春御花園作　穠春何處歸來早，堆秀山前絳雪軒。已許遊蜂依蕊簇，未教新燕傍枝翻。周阿玉樹斜臨榭，放溜金波曲抱源。渴望甘膏疏宴賞，休言樹背有叢萱。

乾隆十一年御製咏御花園藤蘿詩　禁松三百餘年久，女蘿施之因亦壽。每攜春色見薰風，似顧杏桃開笑口。或蒼或黝雖不倫，齊年恰比列仙真。窺户小兒髮已雪，雙成綽約猶嬌嬪。蜂衙蝶陣年年判，兔葵燕麥何須歎？清和沐雨影亦鮮，便入蝦鬚上龍案。晝長幾暇倚玫除，南畝初霑憂慮舒。却憶風人善體物，匪伊垂之帶有餘。

乾隆十四年御製御花園古柏行　摛藻堂邊一株柏，根盤厚地枝拏天。八千春秋僅傳説，厥壽少當四百年。御園松柏森森列，居然巨擘標蒼顔。粗皮硉兀心不死，倚壁如拍洪崖肩。左日右月爲兩目，春草秋花參四禪。仙人煉氣不煉肉，形若槁木神乃全。昔者公旦象六爻，是爲九二見在田。又如瑶池會王母，赤松子應領羣仙。韋偃直幹不可得，而今

誰者以神傳。洪宣承平此曾閲，甲申桑海無還丹。喬木頗與世臣類，作歌詎止斐鴻篇！

（臣等謹按）御花園御製詩，謹繹有關紀述事實者恭載卷内，餘不備録。

御花園正中爲天一門。國朝宮史

（臣等謹按）天一門前列金麟二。

天一門北南向爲欽安殿。國朝宮史

（臣等謹按）欽安殿祀元天上帝，殿内恭懸皇上御書額曰統握元樞。中頂安滲金寶瓶，殿前方亭二。

欽安殿東稍北，疊石爲崇山，山正中有石洞。國朝宮史

（臣等謹按）石洞門顔曰堆秀，左側恭鐫皇上御書雲根二字。

崇山巔有亭曰御景亭，山之東爲摛藻堂。國朝宮史

（臣等謹按）摛藻堂向爲藏弆秘籍之所，以經史子集四部分置。乾隆三十八年，命彙集四庫全書。復命擇其尤精者録爲薈要，計一萬二千册，於堂内東西增置書架庋弆，仍依四庫之序。恭懸御書額曰摛藻抒華。聯曰：庭饒芳毯鋪生意；座有芸編結古歡。西室門外聯曰：左右圖書，靜中涵道妙；春秋風月，佳處得天和。門内額曰宿鳳。聯曰：從來多古意；可以賦新詩。皆御書。

乾隆十四年御製摛藻堂詩　文軒搆瓊苑，仙柏蔭廣宇。題額縱自今，考蹟亦云古。御花園內殿宇率仍明舊。芸編貯萬卷，牙籤分四部。堂內所藏諸書，朕命以經史子集四部分置。淡泊以怡情，節儉斯貽祐。掞毫戒麗妍，守器懷神巨。卑茲力溝洫，無間惟稱禹。

乾隆四十三年御製題摛藻堂詩　全書收四庫，薈要粹其精。事自己巳兆，命詞臣校勘永樂大典，並蒐輯遺書，分別應刊、應鈔、應存目三種，彙爲四庫全書。復於應鈔之中擇其尤精者，録爲薈要。列架弆摛藻堂內，以備臨憇閲覽。此堂原爲御花園貯書之所，己巳秋即命以經史子集四部分置，並有詩，蓋已爲之兆矣。工今戊戌成。薈要録於癸巳夏，至今戊戌始藏工。於焉適枕葄，亦欲勵尊行。設曰資摛藻，猶非識重輕。

〔臣等謹按〕摛藻堂御製詩，謹繹有關紀述事實者恭載卷內，餘不備録。

摛藻堂東爲凝香亭，堂前有池，池上爲浮碧亭，亭之南爲萬春亭，再南嚮西者爲絳雪軒。國朝宮史

〔臣等謹按〕絳雪軒前多植海棠，軒內恭懸皇上御書額曰視履考祥。聯曰：東壁煥圖書，琳瑯滿目；西清瞻典册，經緯從心。右室聯曰：樹將暖旭輕籠牖；花與香風並入簾。內室聯曰：花初經雨紅猶淺；樹欲成陰緑漸稠。皆御書。

乾隆十五年御製絳雪軒海棠詩　丹沙煉就笑顏微，開處春巡恰乍歸。暇日高軒成小立，東風絳雪未酣霏。評香花國休嫌細，選色唐宮不礙肥。料量韶光思護惜，珠簾四面巧成圍。是日微雨。

乾隆三十二年御製絳雪軒詩　絳雪百年軒，五株峙禁園。軒倚御花園東壁，絳雪亦舊額。元霜寶爲伴，玉宇額猶存。豈必芳華對？常看逸韻騫。培根真是瑞，凡雪後必收培各樹根，率成例事。色澤那堪論？

乾隆三十五年御製絳雪軒即景詩　御花園賞萬幾閒，坤寧門後爲御花園，軒在東廂，庭前古海棠數本，以此得名。滕六飛祥意不慳。真瑞喜猶逢臘後，虚名何必取嵰山？鼎甌烹瀹韻誠愜，筐筥掃收事已閒。每雪後僕役掃收培樹，例有賞，故無不喜爲。松柏可培海棠否，性殊貞脆識其間。

〔臣等謹按〕絳雪軒御製詩，謹繹有關紀述事實者恭載卷内，餘不備録。

絳雪軒南即瓊苑東門。國朝宫史

〔臣等謹按〕瓊苑東門詳見前。

欽安殿西稍北爲延暉閣。國朝宫史

〔臣等謹按〕延暉閣上恭懸皇上御書額曰凝清室。東間聯曰：雪朗西山送寒色；花輝東壁發生馨。閣下聯曰：麗日和風春淡蕩；花香鳥語物昭蘇。又聯曰：錦座凝香，花敷春苑麗；晴窗挹翠，霞帶曉屏舒。皆御書。

乾隆二十六年御製延暉閣春望詩　禁林崇閣枕紅牆，暇日登臨喜載陽。北户景山秀堪揖，南墀古柏儼成行。宫庭基業期恒固，帝里樞機協大當。累洽百年誠富庶，持盈惟是敬爲防。

〔臣等謹按〕延暉閣御製詩，恭載首見之篇，餘不備録。

延暉閣相對爲四神祠，閣西爲位育齋，齋西爲毓翠亭。齋前有池，池上爲澄瑞亭，即亭爲斗壇，亭南爲千秋亭，又南爲養性齋。國朝宮史

〔臣等謹按〕養性齋東嚮者七楹，南北嚮，相接者各三楹，皆有樓。樓上正中恭懸聖祖御書額曰飛龍在天。左室聯曰：心蹟只今偏愛澹；詩情到此合添幽。又聯曰：一室虚生無限白；四時不改總常青。右室聯曰：自是林泉多藴藉；依然書史得周旋。又聯曰：日永亭臺爽且静；雨餘花木秀而鮮。皆聖祖御書。樓下正中恭懸皇上御書額曰居敬存誠。聯曰：體道鳶魚看活潑；消閒書史挹菁英。又聯曰：暇當綈几身聊憇；景入紗疏意與存。北樓下東嚮額曰悦心頤神。聯曰：古香研道秘；新藻發春妍。南樓下東嚮聯曰：四季風光無盡藏；百城古帙有餘馨。皆御書。

養性齋南即瓊苑西門。國朝宮史

〔臣等謹按〕瓊苑西門詳見前。

欽定日下舊聞考卷十五

國朝宮室

欽安殿後爲承光門，嚮，列金象二。左爲延和門，右爲集福門，東西嚮。正中爲順貞門。其北相對爲神武門，門外有下馬牌石，卽紫禁城北門也。國朝宮史

日精門東爲東一長街，南卽内左門，中爲近光左門，北爲長寧左門，稍北而西卽瓊苑東門。由近光左門而北，嚮西之門凡三，曰咸和左門，廣生左門，大成左門。咸和左門東相對爲景曜門，中間南嚮者曰景仁門，内爲景仁宮。同上

〔臣等謹按〕景仁宮順治十二年重建。前殿恭懸皇上御書額曰贊德宮闈。

廣生左門東相對爲履和門，中間南嚮者曰承乾門，門内爲承乾宮。國朝宮史

〔臣等謹按〕承乾宮順治十二年重建。前殿恭懸皇上御書額曰德成柔順。後殿聯曰：

三秀草呈雲彩煥；萬年枝茂露香凝。

大成左門東相對爲凝瑞門，中間南嚮者曰鍾粹門，門内爲鍾粹宮。國朝宮史

〔臣等謹按〕鍾粹宮順治十二年重建。前殿恭懸皇上御書額曰淑慎温和。聯曰：篆裊猊爐知日永；風清虬漏報春深。

鍾粹宮之東爲東二長街，南則麟趾門，北則千嬰門，街東與景曜門相對者曰凝祥門，再東爲昭華門，中間南嚮者曰延禧門，門内爲延禧宮。國朝宫史

〔臣等謹按〕延禧宮康熙二十五年重建。前殿恭懸皇上御書額曰慎贊徽音。

東二長街之東與履和門相對者曰德陽門，再東爲仁澤門，中間南嚮者曰永和門，門内爲永和宮。國朝宫史

〔臣等謹按〕永和宮康熙二十五年重建。前殿恭懸皇上御書額曰儀昭淑慎。

東二長街之東與凝瑞門相對者曰昌祺門，再東爲衍瑞門，中間南嚮者曰景陽門，門内爲景陽宮。國朝宫史

〔臣等謹按〕景陽宮康熙二十五年重建。前殿恭懸皇上御書額曰柔嘉肅敬。後殿聯曰：古香披拂圖書潤；元氣冲融物象和。東室聯曰：生機對物觀其妙；義府因心獲所寧。西室聯曰：屧牕日朗蘭噴霧；雞樹風輕玉靄春。又聯曰：書圃禮園無斁好；甌香研浄有餘欣。皆御書。其後殿因鑒定内府現藏之宋高宗所書毛詩及馬和之所繪圖卷合篋弆藏，御題額曰學詩堂，並御製學詩堂記。

御製學詩堂記　子曰：小子何莫學夫詩？於伯魚之過庭也，曰不學詩無以言。學詩尚矣。然學詩者豈以駢四儷六、叶聲韻、練詞藻爲能盡詩之道哉？必於可興、可觀、可羣、可怨、事父事君之大端，深入自得，然後藴諸内則心氣和平，發諸外則事理通達。於是言之文而行之遠。不讀關雎、麟趾，不能行周官法度。是則有天下國家者尤不可不學詩也。宋高宗命馬和之爲毛詩全圖，自書經以配之，間亦有孝宗書。豈和之始事於建炎而蕆功於乾道，阜陵補書以卒成之乎？歷年既遠，散失者多。其在内府，已登諸石渠寶笈書者凡九卷。書成之後，續得者又八卷。而以新證舊，乃知向所藏或失之精覈者凡五卷。夫真者既知其醇，則贋者宜去其疵。於是萃前後可信爲真者，都爲一笥，別藏於景陽宫後殿，而名之曰學詩堂。後或有所得，將以是證之而歸其笥焉。各卷並爲題識書之，以傳信永世。卷之甲乙以風雅頌爲次第，而不計書經者之前後，其已登石渠寶笈，今訂爲譌之五卷，則仍其舊，亦各爲識語書其後。夫高孝兩朝，偏安江介，無恢復之志，其有愧雅頌大旨多矣。則所謂繪圖書經，亦不過以翰墨娱情而已。豈真能學詩者乎？詩曰：高山仰止，景行行止。惜乎吾不能揖讓於清廟明堂之間也。

乾隆三十六年御製學詩堂詩有序　正月五日，重華宫茶宴，廷臣及内廷翰林等，適新題學詩堂，用以聯句，並成是什。東壁圖書貯景陽，後宫左右列十二，景陽在左末，向爲貯圖書之處。新顔後殿學詩堂。緣收趙宋君臣蹟，企想姬周禮樂場。真弆寧誇多乃富，贋祛無礙論從詳。內府原藏馬和之詩經圖，凡十七卷。詳加審定，去贋本五卷，存真蹟十二卷，或昔分今合，或昔合今分，其闕寫本詩者則爲補書，秩然就理，各爲跋以系之，彙貯堂中。相於有咏仍聯席，可識不爲猶面牆。初詔茶宴例重華，汲古敦今亦孔嘉。六義具存欣有繹，一言以蔽曰無邪。蚖膏鶴餤嫌頻俗，琅盌球盤頗近奢。商搉莫非風雅頌，左廂直擬鄭元家。每歲於重華宫延諸臣入，列坐左廂，賜三清茶及果飣合，詩成傳箋以進。

〔臣等謹按〕學詩堂御製詩，恭載首見之篇，餘不備録。

景陽宫之東，有小長街，街南嚮東直出者爲蒼震門，街東爲内庫房，其北嚮西者爲欽昊門，門中嚮南爲天穹門，門内爲天穹寶殿。國朝宫史

〔臣等謹按〕天穹寶殿祀昊天上帝，殿内恭懸皇上御書聯曰：無言妙化資元始；不已神功運穆清。

千嬰門之北有殿宇五所，所謂乾東五所也。國朝宫史

日精門長街之南向東爲仁祥門，再東相對爲陽曜門，正中爲齋宫。同上

〔臣等謹按〕雍正九年建立齋宫，凡南郊、北郊及祈穀、常雩大祀，皇帝致齋於此。前殿五楹，中設寶座，恭懸御書額曰敬天。聯曰：克踐厥猷，聰聽祖考之彝訓；無斁康事，先知稼穡之艱難。東暖閣聯二，一曰：天道欽崇永保命；萬幾敕毖屢省

成。一曰：一念純誠昭格本；萬緣清静旦明中。西暖閣聯曰：皓月空懸心鏡朗；妙雲擁護智珠圓。皆御書。後殿恭懸御書額曰孚顒殿，又額曰莊敬日强。聯曰：慎獨謹幾，旦明懷帝載；思艱圖易，宵旴念民依。東室聯曰：一編金鑑懷無逸；五夜銅籤警未央。西爲寢宫，恭懸御書額曰敬止。聯曰：午夜端居欽曰旦；寅衷昭事格維馨。又聯曰：洗心宥密欽羲傳；致德精明稟禮經。又聯曰：吉蠲致敬先三日；昭格維誠矢一心。皆御書。

世宗憲皇帝御製冬至齋宫詩晨曦炯炯潔齋宫，一縷爐烟散綺櫳。暖氣潛回葭管律，早梅先綻玉階風。中孚默契天人理，來復明彰造化功。漫道書雲成故事，精禋惟藉寸心通。凌寒松柏耐嚴冬，帶月寒霜度禁鐘。午夜無眠思戒凛，詰朝崇祀務齋恭。初陽鼓動開三殿，萬象昭回映九重。嘉節届臨生意始，虔祈上帝惠吾農。

乾隆三年御製冬至齋居偶閲舊稿誌懷　静聽迢迢宫漏長，齋居暫屏萬幾忙。那無詩句娱清景，恰有梅梢送冷香。案積陳編閒檢點，志期舊學重商量。灰飛子夜調元律，又喜天心復一陽。

乾隆七年御製齋宫詩六章章十四句　有侐齋宫，翼翼沈沈。穆穆皇考，心聖祖之心。丕冒萬宇，上帝是欽。維日南至，郊祀孔臨。遷坐變食，在懸無音。凝祉受釐，儼若帝歆。來戒來齋，用凜難諶。龍塞之山，儲有良材。乃浮於川，達帝京不遲。叶爰經爰營，載築載培。命彼大匠，繩尺是依。叶其柱維楠，其桷維柏。叶不文不鏤，海望所作。既底厥法，載觀其落。猗與煌與，天闕之宇。鬱嵂柧棱，貝箔珠户。枚枚巖巖，在乾清宫左。有丹其楹，有青其瑣。既深以嚴，亦安而妥。不敞不軒，周廬綿綿，曰維億年，利我後人。叶昔在聖祖，心齋肅肅。考建茲宫，匪誇華屋？致潔致誠，毋疏毋黷。律中黄鍾。一陽始復。將事大祀，心乎穆穆。爰卽而齋，爰薰而沐。瞻仰昊穹，以集厥福。自古建章，萬户千門。亦有大夏，擁崔成觀。叶彼何爲兮，此則可原。匪以富而侈，匪以飾而繁。制樸而渾，居茲敬存。有堂則明，有室則温。我後子孫，永保斯孔安。叶永言保之，戒彼崇臺。叶我宅是宇，心乎我思。我祖我考，廓此丕基。我曷承之？俾堂構是貽。天饗惟誠，民歸惟慈。惟慈惟誠，匪以僞爲。我後子孫，尚克念茲！

乾隆八年御製冬至齋宫疊舊韻　金翼南飛綫晷長，驂驔六御趁歸忙。詣盛京叩謁祖陵，以冬至將近，夙駕而歸。將陳寅祀虔心璧，又領齋居戒意香。小往大來堪體驗，民情物理入籌量。八年政教曾何補？負扆常懷媿答陽。

乾隆十一年御製祈穀齋居詩　黍谷氣昭蘇，鄒律春迴旋。中辛爲上日，是月十四日辛巳立春，始爲正月節。祈穀陳衷淵。國家有與立，所賴民之天。伊古重茲祭，承事敢弗虔？矧予德滋薄，調燮無神權。十歲稔鮮書，嘆澇或連緜。遑云政無玼，敢謂朝進賢。刑罰固已省，詎無盆底寃？比户縱蠲租，富庶何有焉？凡此恭默思，益覺增惕乾。齋宫清漏永，琴書静且妍。朝來布同雲，玉戺頻俄延。何當六出花，尺盈三輔田。（自去冬至今春，各省皆得雪澤，惟畿輔尚欠霑足。今日密布同雲，益切望蜀云。）

又御製夏至齋居詩　北至將臨祀，清齋此勑躬。景量銅望臬，暑避玉宸宫。浴德藏於密，祈年慎厥終。敢誇膏澤沛？（邇年以來，值此祭時，無不望雨者，惟今歲早霑膏澤云。）惕息曩時同。

乾隆十二年御製雩祭齋居詩　勤民重農功，稽典肇雩祭。（雩祭向未舉行，乾隆八年始議歲一舉行，逮今凡五年矣。）聖訓必躬親，頻年謹從事。北方春旱多，率似成常例。龍見未屆期，祈請先小祀。（叶龍見而雩，向年每以不能待時，先命禮部祈雨，於諸小祀，以次舉行。）南郊步禱時，（九年，以無雨於雩祭日自齋宫步禱。）忸怩責躬備。去歲蚤邀眷，首夏甘霖賜。麥無禾則有，已是叨明惠。今年乃更幸，膏澤春常暨。孟夏月之朔，優渥遠邇逮。撫時舉常雩，齋居切虔致。受寵宜若驚，此理無巨細。廣殿引薰風，罘罳晃新霽。慰懼兩相縈，要矣終年計。

乾隆十七年御製齋宫書事詩　致齋廣殿晝沈沈，緑潤庭槐布影深。明旦曰臨欽勑命，雨暘時若祝關心。敢忘渴望經疇昔？（常歲於雩祭時率多望雨，今歲屢霑膏澤，慶慰之餘，益切冰兢。）益切冰兢繼自今。芳草窻前宜静寄，晚來又喜作輕陰。

乾隆十九年御製常雩齋居詩　旬餘逢八齋，（自三月二十三日因祭先農齋戒，至是十二日凡八齋。）端居得静便。静便心應適，而轉愁緒繁。緒繁云緣何？望澤意殷然。往來郭門外，不麥芊芊。及時施甘膏，乃可期餅饘。絮雲亦屢作，率被狂風牽。齋無不用敬，明禋況祈年。望柱占礎潤，遑問春闌珊！

乾隆二十年御製雩祭齋居詩　齋宮路寢左，大祀乃遷居。一歲率三度，南至上辛雩祭凡三，大祀齋此。此心弗改初。春霖霑綠野，和旭静丹除。天貺今年疊，持盈益畏予。

乾隆二十二年御製齋居詩　鶉首星臨次，羲車日最長。辨方慎水火，協紀驗柔剛。雞漏報遲箭，龍舟罷遠塘。遄臻緣毖祀，詎爲度端陽？是日正值端陽節也。

乾隆二十四年御製雩祭齋居疊去歲韻　又逢齋宿一回思，今日多慚是昔時。豈似春膏霑去歲？正當雨澤嘆愆期。綢繆預計穀其湧，劑酌先商政所宜。時發京倉於五城分糶，命司事者不拘穀數，不限時日，俟價甚平乃已。又先期籌運豫東麥十二萬石至京併糶，且勅運河水次不得以預備剝漕封禁商舶，俾裕民食。儻得微誠通帝鑒，早施恩霈沐甘滋。

又御製北郊齋戒進宮詩　以我迫愁旱，慈懷亦不紓。右壇祈霖罷，返蹕咨興居。遲日北至臨，大祀躬承諸。預期致虔齋，復此歸彤廬。細雨雖畧霑，廿五日微雨。霈渥何有乎？憶昔承恩命，代祭數歲餘。雍正九年以後，北郊大祀，每承命恭代，然無歲不禱雨，雨壇亦命代拈香，迴思昔況，益切今愁。北方例多旱，望澤無歲無。爾時廑分憂，詎今憂萃予！計窮乃返本，嗟哉懷始初。

乾隆二十六年御製祈穀齋居即事詩　祈穀此致齋，偏欣值穀日。晴和叶嘉占，遷坐孚顒謐。殿名，大齋乃居之。鴛瓦積雪鋪，雞樹韶光櫛。寶勝扶綺疏，不問知元吉。新正簡幾務，省躬益精密。聖狂一念間，應違千里疾。重熙固此時，保泰如虞失。昊貺信有徵，心存祗無逸。

乾隆二十八年御製齋居卽事詩　低田甫得種，高田已出秧。麥有結穗者，有纔三寸强。望雨雖未迫，愁乃倍徬徨。灾沴洊臻後，亟待接青黃。雩祭舉龍見，希霈甘膏霶。然非至太甚，不敢禮異常。每當雩祭望雨甚時，或徹大駕不御輦。舊歲霖潦之餘地實潤，得數寸雨即佳，不致旱甚，故一切禮儀如常。心雖愁望，亦不矯情爲過甚之舉。心則慙甚焉，惠寧籲昊蒼。

乾隆三十二年御製祈穀齋居詩上歲雖占三日晴，吴諺以正旦三日連晴爲三朝紅，占年大有。吾方盼雪意殷縈。情知春月長纔數，上聲。眼望冬朝過已驚。澤欲早霑自我始，恩宜下逮驗民生。簾原徹欒櫊懸炬，紫禁清宵未解怦。

乾隆三十三年御製辛祭齋居詩　民以食爲天，祈穀重民事。幸園奉慈豫，還宮凛大祭。齋居肅遷坐，政簡澄心意。庶務可暫屏，軍郵卽批示。時正值我軍征緬甸蠻結，連破其砦，直抵宋賽，已近阿瓦城，日望捷音之至。丙夜亦夙興，渴望捷音至。

乾隆三十五年御製夏至齋居詩　兩朝連兩夜，時霽復時陰。總未霑尺澤，越教愁寸心。景還因憶昔，北方常年逢夏至齋，仍望雨者多。候實迫於今。翹望勞雙目，豐隆曷惠霖？

乾隆三十六年御製祈穀齋居詩　齋必坐居遷，仍於左个焉。（齋宮在乾清宮左。）新正政方簡，首祭意彌虔。冬澤雖云被，春膏亟欲連。同雲時聚散，顒望又殷然。

乾隆三十七年御製齋居對雪詩（冬至月廿五日。）　昨日同雲徹夜濃，侵晨密雪灑銅龍。乍疑春絮飛宮柳，疊見冬花冒禁松。霏喜萬年介釐祝，（廿五日爲慈壽正節，雖以齋居，不獲進祝，而恰值祥霙送喜，慶洽璇闈，尤深額抃。）致齋一意篤乎顒。稠繁天惠何修沐，戒滿撝謙滋勵恭。

乾隆三十八年御製齋宮對雪詩　夜雪欣聞爲（去聲）夙興，密飄徐灑午猶仍。正當齋日慰顒念，況值穀辰慶美徵。飛處鳳樓渾欲隱，積餘雞樹已知增。算來三白真如數，（昨歲孟冬仲冬及此凡三霑渥。）天眷欽承意倍兢。

乾隆三十九年御製四月朔日齋居詩　三春倏已過，孟夏又來臨。所幸霑膏雨，無能惜寸陰。遷居有常例，（大齋於宮內齋宮居信宿，預日詣壇。）變食爲清心。政簡雖餘暇，仍勞盼捷音。（我師臨賊巢甚近，益切望捷音之至。）

又御製齋宮夜雪六韻（十一月十七日。）　午雲蔽金烏，夜雪灑銅龍。渥澤迎長至，殷希慰半冬。（入冬已月半，雖曾微雪，不似此優渥。）隔窗想浩浩，積閣願重重。不寐消清漏，忘言聽遠鐘。寢衣身敢適，側席意彌顒。難説麥根固，艱哉憶在農。（雪培冬麥，此恒理也。聞畿南河間一帶秋旱，鮮種冬麥。惟望雪澤優渥，地潤或可早種春麥耳。）

乾隆四十年御製宿齋宮卽事詩　星惟辰見月惟陽，宮漏聲遲日正長。仍似昨年斯望捷，（昨歲雩祭齋居，時阿桂正當深入，擬派兵六路分攻，急盼捷音之至。齋居詩曾及之。今歲宿齋宮，阿桂奏至，現與明亮訂期會勦，三四日内卽可進兵，冀速集事。阿桂距賊巢咫尺，轉瞬擣穴擒渠，且與明亮夾攻尤爲事半功倍。茲以集勳在邇，盼望捷音更切。敢云春雨已占祥。每因閒暇釐無逸，曰奉居諸運有常。孰謂值齋方事簡，書呈四庫勘猶忙。

乾隆四十一年御製祈穀齋居詩　遷坐居左个，大齋異燕去聲。時。戒辛清口味，簡政謐神思。户換宜春字，屏多望捷詩。去歲齋居有題壁率多盼捷句，幾迴清咏不勝慙之句。幸哉圍賊穴，仍急盼紅旗。阿桂奏已統兵直擣噶喇依，圍其四面，卽日便當掃穴擒渠，紅旗迅至。

乾隆四十二年御製祈穀齋居疊去歲舊韻　去歲捷希候，去歲此時正當阿桂等攻圍噶喇依，將得，是以盼捷尤切。今年功蕆時。無非賴天助，益覺凛予思。紫閣戰圖畫，彤墀齋宿詩。事平惟望稔，祥正肅青旗。

又御製齋居詩　北至應齋居，日長蘊炎暑。優霖已過旬，是月初三日雨。晴曦熾軒宇。廣厦尚鬱蒸，小民怨如覩。曰豫驗咎徵，踟躕不遑處。大田亦需澤，又復望甘雨。

又御製冬至齋居詩　嬗代無刻停，窮陰陽欲復。大祀莫大兹，齋居致虔肅。明衣例卽吉，二十七月内常服純素，遇齋戒則服色從吉，視祝版及詣壇則仍服龍衮，所以昭誠敬也。所爲祈天福。詎緣一己邀，實釐萬民篤。江南及秦西，六霙報深沐。齊豫晉畿内，偏被未優渥。上下兩江均於十一月初五日得雪三四五六寸不等，已據高晉奏報。是日畢沅亦奏陝西各屬於十一月初四五日密雪優霑，至山東、河南、山西、直隸，雖亦報得雪，而未能普遍。京城則月初僅飄微霰，目下雖非急盼之時，亦祈佑沛祥霙以徵農慶云。以此益顯恩，敢謂候非促。凡事豫則立，氾勝心殷卜。

乾隆四十三年御製祈穀齋居詩　首祭重祈辛，遷居左個寅。農占晴叶穀，春復昨成人。

初七日立春。常服易其素，齋居不應服素，因從向例易常服。新禧爲此民。皇州真富庶，爆竹達楓宸。

又御製齋居卽事詩　去歲遭大故，三月三逢雨。稍釋憫民愁，實切思親苦。今年正二月，雪澤頗優覩。暮春之四日，三寸猶霑土。其後清明風，果應四十五。今歲清明日有風，而農諺云：清明風刮土，連綿四十五。故望雨日益殷切。卽今望雨切，日甚一日數。信我憂勞人，意合恒悽楚。

乾隆四十四年御製祈穀齋居詩　新正哉生魄，六日得辛，初三日卽致齋。遷坐居齋宮。本是徹懸久，而值易服恭。二十七月之內，常時仍素服，遇大齋則易吉服，所以致敬也。爲民祈農祥，守禮敢從躬？自我望雪來，忽忽過三冬。昨知晉豫霑，屢霈復山東。奈何畿輔間，曾未時霙逢？茲當祈年殿，大祀對昊穹。事簡益幾勅，恩籲增心顒。晚宇佈春雲，曷惠六花濃！

〔臣等謹按〕齋宮御製詩謹繹有關紀述祀典者恭載卷內，餘不備録。

齋宮之東爲毓慶宮，前爲祥旭門，再南爲前星門，入門爲敦本殿。國朝宮史

〔臣等謹按〕敦本殿後卽毓慶宮正殿，今爲諸皇子所居。

月華門之西爲西一長街，南卽內右門，中爲近光右門，北爲長寧右門，轉東卽瓊苑西門也。由近光右門而北，向東之門凡三，曰咸和右門，廣生右門，大成右門。咸和右門之西相對爲純佑門，中間南向者曰永壽門，門內爲永壽宮。國朝宮史

〔臣等謹按〕順治十二年重建永壽宮，前殿恭懸皇上御書額曰令儀淑德。

廣生右門之西相對爲崇禧門，中間南向者曰翊坤門，門内爲翊坤宫。國朝宫史

〔臣等謹按〕順治十二年重建翊坤宫，前殿恭懸皇上御書額曰懿恭婉順。後殿額曰懋端壼教。聯曰：德茂椒塗綿福履；教敷蘭掖集嘉祥。皆御書。

大成右門之西相對爲長泰門，中間南向者曰儲秀門，門内爲儲秀宫。國朝宫史

〔臣等謹按〕順治十二年重建儲秀宫，前殿恭懸皇上御書額曰茂修内治。

儲秀宫之西爲西二長街，南則螽斯門，北則百子門也。街西與純佑門相對者曰嘉祉門，再西爲啓祥門，中間南向者亦曰啓祥門，内爲啓祥宫。國朝宫史

〔臣等謹按〕康熙二十二年重建啓祥宫，前殿恭懸皇上御書額曰勤襄内政。

崇禧門相對者曰敷華門，再西爲綏祉門，中間南向者曰長春門，門内爲長春宫。國朝宫史

〔臣等謹按〕康熙二十二年重建長春宫，前殿恭懸皇上御書額曰敬修内則，後殿額曰德協坤元，西室額曰德洽六宫。皆御書。

長春門相對者曰咸寧門，再西爲永慶門，中間南向者曰咸福門，門内爲咸福宫。國朝宫史

〔臣等謹按〕康熙二十二年重建咸福宫。前殿恭懸皇上御書額曰内職欽承，聯曰：敬順褆躬吉；温恭受福宜。後殿額曰滋德含嘉。聯曰：天倪超萬象；神氣領三無。東室額曰琴德簃，西室額曰畫禪室，皆御書。

欽定日下舊聞考卷十六

國朝宮室

百子門之北向爲乾西五所，近東者今爲重華宮，皇上龍潛時舊邸也。宮之前曰重華門，門内爲崇敬殿。國朝宮史

〔臣等謹按〕殿内恭懸御書額曰樂善堂。

御製樂善堂記　昔樂善堂集中有所謂樂善堂記者，蓋用此堂之名以名圓明園賜居桃花塢之堂，而記亦記彼處之勝，與宮中此堂無涉也。然彼時之樂善，祇數典漢東平王以爲亟，今斯堂則爲重華宮之前殿，不可以桃花塢堂之記槩之。因思東平之樂善，原數典於大舜，所爲樂取於人以爲善也。兹適爲重華宮之前殿，則今之樂善祇宜景仰大舜之爲，而不必更囿於東平之跡矣。夫大舜之取諸耕稼陶漁之善，世遠固不可徵，而詢岳咨牧，載在虞書者，彰彰可考；無非舍己從人，與人爲善。而地平天成，庶績咸熙，胥於是乎基之。是乃千古帝王之法則，而非藩服屏翰者所可相提並論。其事體大而責任重也。昔

之效東平爲甚易，今之企大舜爲綦難。是不可無記，以朝夕體之心而措諸政也。然而其志在是，其慚亦在是矣。

〔臣等謹按〕樂善堂之東西暖閣俱供佛像。東暖閣内恭懸聖祖仁皇帝御書額曰意蘂心香。聯曰：蓮花貝葉因心見；忍草禪枝到處生。西暖閣内恭懸皇上御書額曰吉雲持地。聯曰：滿字一如心得月；梵言半偈舌生蓮。

樂善堂之後爲重華宮。國朝宮史

〔臣等謹按〕重華宮東室額曰芝蘭室。恭懸世宗憲皇帝御書聯曰：芰荷香繞垂鞭袖；楊柳風微弄笛船。西室恭懸皇上御書聯曰：篆裊金爐，入座和風初送暖；花迎玉佩，映階芳草自生榮。

乾隆八年御製題重華宮舊書室　何曾寂寞仲舒帷？依舊明窗受暖曦。閒却七絃調雁柱，汲來六一煑銀絲。三餘樂有陳編伴，幾暇權無奏牘披。彷佛當年吟破臘，掞牋搦管恰移時。

乾隆十一年御製春正與諸王及内廷大學士翰林等小宴重華宮聯句是日復得詩三首　蘭殿辛盤迓早春，展親更復洽臣鄰。從來盛事成佳話，數年以來，新正幾暇，輒與内廷諸臣聯句宴會於此，率成故事。況是宗藩與吉人。金荔色酣朱乍點，玉梅香度粉初皴。説之燈夕詩如繪，花萼樓前雨露新。報道東來風是條，鴻龍運斗已旋杓。柍桭煥彩春方麗，鳷鵲堆銀雪未消。五色書雲光燦爛，雙葩結燄影招摇。慶霄半壁懸西宇，景物迎人正復饒。初韶應律正光昌，亶矣春和聚一堂。殷鼎調梅惟傅相，漢臺賡句有梁王。樂調太簇鳴虞磬，節紀浮圓勝楚餭。同任股肱民社寄，勗哉無或負明良。

乾隆十二年御製新春與大學士並内廷翰林等重華宫聯句小宴復成近體　興慶宫中翰墨筵，每教令日紀韶年。（年來每於新正令日舉行，率成故事。）情關一德聯堂陛，樂叶八音調管絃。體物漫稱詩禁雪，抽思應許興奔泉。天街爆竹聲砰磕，（是日以爆竹爲題。）却喜陽和萬里宣。

乾隆十三年御製新春奉皇太后重華宫小宴詩　紛來鸞鳳數無央，玉扆金輿擁百祥。西望瑶池降王母，（慈寧宫正在乾清宫之西，故用杜句。）東迎蒼駕莅青皇。（是日立春。）魚龍曼衍頻陳瑞，火樹蘢葱待熻光。七種預挑人日菜，（在人日前一日。）萬年先進上元觴。

乾隆十五年御製新正重華宫侍皇太后宴詩　獻春行慶始天家，王母斑龍降葆車。風到五朝初有驗，（年前二十八日立春。）人當七日半非賒。華燈光引團圞月，椒酒香留泛瀲霞。邀得慈顔歡顧處，上林猶積玉爲花。

乾隆十七年御製重華宫小宴大學士及内廷翰林諸臣詩　重華文宴集羣仙，瑞映瓊樓霽景鮮。民瘼心關既均此，天恩額慶合同然。閒拈吟管聊酬節，笑指春拌又隔年。（去年南巡未舉是宴。）

賀監金門重應制，致予逸興益飛遄。沈德潛尚未南歸，亦命預坐。蓂開十葉應昌辰，和會衣冠燕愷申。生面齊看戲毬獻，別裁奚藉捉刀人。毋相容易一堂樂，尚共疇咨四海春。嘉夜傳柑遲五日，冰輪如待再賡頻。

乾隆十九年御製新春重華宮侍皇太后宴詩 西望瑶池近，羣迎王母臨。歡同萬方養，春始九重深。屏綴延年篆，笙調太簇音。六鼇蘭作燄，百寶霧成陰。入畫元朝慶，每寫歲朝圖稱慶。徵詩吉字吟。瑞霙飄喜氣，天意即人心。是日微雪。

乾隆二十一年御製立春日雪與大學士及內廷翰林聯句重華宮是日復得詩二首 條風今日是新春，吉色華光靄柍桭。茗果雅堪酬盛節，杯盤何必亟兹辰？悦心甘澤霑三白，堅齒生香試五辛。同有燮時祈歲責，即看京兆出耕人。青韶入律喜陽和，瑞雪端因兆麥禾。散漫煙輕微露日，紛敷花發不論科。席珍會處那辭屢？墨搨鐫成無乃多。數年以來，每值新春燕賞，無不聯句，或命書之以勒於石。不異股肱交儆意，載賡庸作豈妨歌？

乾隆二十四年御製重華宮曲宴于闐回長漠咱帊爾詩 朝天兼值預朝正，曲宴宜教沐寵榮。爾父誠爲識時務，漠咱帊爾之父霍集斯伯克，先以縛獻達瓦齊得邀獎賚。比大兵討回部，復自烏什赴阿克蘇投將軍兆惠軍營，隨征自効，而遣其子入覲。王臣詎有限裨瀛。是日御前行走蒙古青海諸王公皆在坐。舊宮小會輕齊史，新域來賓願武成。入律東風方湊達，春臺樂與物咸亨。

乾隆二十五年御製重華宮曲宴御前藩王大臣侍衛及內廷翰苑諸臣即席得句　曲宴重華隔許年，（自丙子新正賜宴侍臣，於今已五年矣。）旰宵惟是廑籌邊。却欣汜勝占三白，況值武成拓八埏。嘉與賢藩酬綺節，便宣翰苑賦瑶篇。尚懷奏凱歸來者，風雪長途正著鞭。

乾隆三十年御製重華宮曲宴內廷大學士翰林等雪象聯句並成二律　上元後日例燈筵，今歲涓良啓翠旂。曲宴重華堪數典，聯吟雪象重（去聲。）題箋。誠敦君鑒復臣鑒，豐祝中年繼酉年。小部梨園非水調，細聽原是徵招絃。布茵東壁共歌賡，愷樂韶年百福迎。何必鸞觴浮六醴？仍教鳬鼎瀹三清。（茶名。重華宮曲宴用盒果杯茗，不賜酒，率成例事。）圖觀寶笈旋因賜，（是日陳石渠寶笈觀之，遂分賜諸臣。）果飣蘭珍侑以行。穀日晴和占歲美，殷殷同此籲農情。

乾隆三十一年御製重華宮小宴廷臣及內廷翰林等玉盂聯句並成二律時新正二日　元會簪裾應翼旦，重華翰墨亦頻年。不妨並舉省儀節，頗勝三巡徒管絃。聯詠玉盂看列几，賡吟綵筆共題箋。時和歲美誠堪慶，祇覺惕然饒暢然。黃屋雪餘三白色，青宮日上萬年枝。是予舊學商量處，又此初春愷樂時。北漠西瀛新雁序，（年例來覲之葉爾羌沙雅爾各回部伯克，令與內廷行走之蒙古王公等並入與曲宴。）南榮東壁昔鸞陂。揆毫深意胥知否，乃在箴辭非頌辭。

又御製重華宮對雨詩　太室修禴候，恰欣雨少間。明廷敭士餘，（是日引見各省入選舉人。）復見烟絲渙。爲澤已慶幸，知時更繾綣。重華予青宮，憇息值清宴。簷處玉聲琤，簾際珠光燦。有喜共三農，昔惟賞書案。

乾隆三十三年御製重華宮集廷臣及内廷翰林等三清茶聯句復得詩二首 外藩華譙紫光迴，堂陛重宣翰席開。詎是言歡太平數？入聲。適因餘暇共追陪。畧存禁體倡生面，弗許雕文騁頌才。雪護麥田茶泛露，掞牋得句自蠲埃。活水還勝活火烹，三清甌滿啜三清。向以三清名茶，因製甆甌，書詠其上，每於雪後烹茶用之。爰聯翰苑賡新作，所喜朝廷多老成。時預會之大學士尹繼善、劉統勳、陳宏謀，尚書董邦達，左都御史張泰開，閩浙總督蘇昌，皆年逾七十，而未預之尚書陸宗楷、楊廷璋、託庸亦皆年逾七十或至八十。雪象欲融金帊澤，曦烏向暖玉樓晴。應怡情處偏縈念，渴望滇南報捷旌。

乾隆三十五年御製新正重華宮侍皇太后宴卽景成什誌慶 家宴重華例有常，承歡首歲肇千祥。條風東陸暄初布，爰日南陔晝漸長。恩謂六旬寬禮數，奉慈諭，一切跪拜之儀皆令從簡。誠惟萬壽祝康强。瓦鴛積玉山鼇暎，慈顧應知喜倍慶。

又御製正月六日重華宮茶宴廷臣及内廷翰林等詠玉甕聯句並成是什 天寶物華出有時，巨璆成甕適逢斯。訝來西極今傳珏，元時玉甕以歲久淪落，乾隆乙丑命以千金易置承光殿中，俾毋失所。今得是甕，材製巨麗，實爲過之。莫遣東方古擅詞。綵勝迎人雙燕頡，銀牋照几七言摛。鳳樓玉積誠同慶，應以敬承敢以嬉！一巡三爵古常稱，茶宴清班聞幾曾？抽秘不忘箴則可，探奇迺覺器相應。尺盤升椀奚堪匹？筆室墨壺恰得朋。莫詡頻緐方物貢，較於堯擲愧尤增。

乾隆三十六年御製正月二日重華宮恭侍皇太后宴喜成長句 月寅年卯日逢辰，是日甲辰，合以歲支月建，皆東方發生之氣。壽域宏開茂以新。晉書天文志，十二次度數壽星在辰。史記，卯爲茂；漢書，辛爲新。大德之徵四胥得，洪疇曰福一先輪。重增綺甲普增歲，命欽天監於時憲書紀年下增注六十一歲至百二十歲，自今歲辛卯始。共慶禧冬預慶春。入夕眉蟾雖未上，迎階雪象朗如銀。

乾隆三十八年御製新正重華宮侍皇太后宴卽事成近體 上正令節迓初韶，田家五行以正月初三日爲上正三節。曰上者，尊歲首；曰三節者，謂夏建寅正，或又稱夏正三也。家宴重華繼頌椒。六十開三子皇帝，八旬有二母東朝。遍翻古史曾誰比？實沐天休用是昭。不許外人知小矣，萬方同樂始宮寮。

乾隆三十九年御製正月二日重華宮侍皇太后宴詩 開年日吉復時良，明炳還同月德昌。月丙寅，是日丙辰，漢書，明炳於丙。西闈瑚輿迎繹繹，青宮華衮侍煌煌。椒蕃歲實扶屏麗，梅放春花合殿香。聖壽益增心益慕，膝前虔祝共天長。

又御製重華宮茶宴廷臣及內廷翰林用四庫全書聯句復得詩二首 四庫輯書煥東壁，七言聯句聚西清。台衡乙乙都抽思，檢校彬彬亦署名。四庫全書總裁既令槩與吟宴，并其總校之翰林三人亦令至重華宮入宴和韻。日穀恰欣逢任養，是日壬戌，任養於壬，更符八穀祥占。月干更適建文明。正月建丙寅，明炳於丙，文明之象也。漫言嘉會斯和樂，心在金川願洗兵。瑯嬛秘籍歷增多，從事讕言覺太過。瑯嬛記載張華嘗爲建安從事，遊於洞宮，遇一人於途，問華曰：君讀書幾何？華曰：華之未讀者二十年內書蓋有之，若二十年外固已盡讀之矣。因共至一處。大石中忽有門，引入一室，陳書滿架。其人曰：此歷代史也。又一室，曰萬國志也。惟一室封識甚嚴，有二犬守之。曰：此玉京諸秘籍。二犬，龍也。華歷觀諸室書，皆漢以前事，多所未聞者。華欲賃住數十日。其人曰：此瑯嬛福地，豈可賃耶云云。古今書籍卽在人間者豈能讀遍？華所言未免過誇，不必石室秘藏始足證其妄也。史乘書倉屛忌諱初下採訪遺書之旨，應者寥寥。意必督撫中疑有忌諱干礙字面，預存寧畧毋濫之見，以致觀望不前。因復諭各省，以既下詔訪求遺籍，豈有尋摘瑕疵罪及收藏家之理？令各明切曉諭，釋其疑畏，於是天下之書皆踴躍呈獻。稗官雜識槧蒐羅。要拈摛藻先謄繕，御花園摛藻堂中本就大內所有書籍分四庫貯之，曾有詩云：芸篇貯萬卷，牙籤分四部云云。茲命于敏中、王際華於全書中擇其尤精者，別爲薈要，與全書一體繕録，仍按四庫陳弆堂中。典數上聲。開元廣勘磨。著作酬他業勤肄，施行愧我政如何。

乾隆四十年御製正月二日重華宮侍皇太后宴喜而成什　青宮家宴啓開年，喜領曾元繞座前。母子壽登百五十，古今瑞越世三千。狰獰雪象迎春踞，璀璨銀花入夕燃。扶輦長街壽康返，壽康宮聖母所恒燕寢之處也。明朝問寢倍欣然。

又御製重華宮茶宴廷臣及內廷翰林等用天禄琳瑯聯句是日復成二律　甲子琳瑯輯天禄，辨訂舊版書爲天禄琳瑯，自甲子年始。因之內殿庋昭仁。三旬閱歲編維舊，四庫于今書薈新。體固參差置應別，品資檢校得求真。笑咨邇日抽增者，舊所辨宋版中，頗有未確，今經訂正改撤者；亦有原辨疏漏，今爲考定增入者。豈乏當時預選人？交泰聯情聚翰寮，重華喜值小年朝。見月令輯要、杭州府志。聊因應節設芳茗，畧異開筵詠蓼蕭。爲學立言當顧行，勑幾食旰與衣宵。崇文詎曰崇虛飾？復旦卿雲莫謾謡。

乾隆四十二年御製正月二日重華宮侍皇太后宴詩　瑶池西望降鸞軒，慈旨恭迎百子門。向年恭迎皇太后，例於啓祥門。邇歲蒙聖母憐予遠步，命迎於百子門，不數武卽重華宮也。翼旦開筵循例著，萬年侍膝祝心存。萱幃奕奕延禧永，蓀砌振振衍慶繁。歷數古來誰似此，益欣益敬籲天恩。

又御製紫光閣錫宴聯句召大學士并成功將佐及內廷翰林等至重華宮茶宴得詩二首　春醼今年事倍豪，今年紫光閣筵宴外藩，命輪班朝覲之土司等咸與，且卽以此命題聯句，較常年倍盛。重華循例引詞曹。蕆功自是資提戟，聯句何妨有捉刀。平定兩金川戰勝成功，實賴師武臣之力。至宴間聯句，不妨人代爲之。且邇年新正聯句皆預擬御製句成，其餘則命內廷翰林以次擬就，臨時填名，卽外廷詞臣亦非其卽席自作也。駛已從而筰已定，樂斯淑以禮斯陶。莫教容易看嘉會，去歲攻圍正爾勞。昨歲此時阿桂等正督兵攻圍噶喇依。

聯情賀祚有前聞，豈是無端宴樂勤？衹以茶行弗用酒，亦如武偃必修文。松撐雪幹連冬喜，梅放春葩迎午芬。咨爾規應過于頌，體予懼實勝乎欣。

〔臣等謹按〕重華宮御製詩，謹繹有關紀述事實者恭載卷內，餘不備録。

重華宮東廡爲葆中殿，西廡爲浴德殿，重華宮後爲翠雲館。國朝宮史

〔臣等謹按〕葆中殿內額曰古香齋。聯曰：四壁圖書饒古色；重簾烟篆挹清芬。浴德殿內額曰抑齋。聯曰：賞心於此遇；卽事多所欣。翠雲館內聯曰：古訓手披勤，每競寸陰求日益；民依心默運，常先萬姓祝年豐。東室額曰養雲。聯曰：白雪有古調；青山無俗緣。東次室額曰長春書屋，西室額曰墨池。聯曰：屏展烟鬟，雲鶴閒看心共遠；座凝香篆，風松靜去韻偏清。西次室額曰澄心觀道妙。

乾隆三十二年御製長春書屋詩　書屋長春到處如，長春之義可言諸。元爲善長上聲。功生物，人以仁名語啓予。潛毓當年悅有素，曩時蒙恩賞讀書於此，卽長春之號亦係賜予者，故各處書屋率以此名之。起行今日懼違初。陽和

漸覺迴寰宇，嘉與吾民共愷舒。

〔臣等謹按〕重華宫内長春書屋御製詩，謹繹有關紀述事實者恭載卷内，餘不備録。

重華宫之東爲漱芳齋。國朝宫史

〔臣等謹按〕漱芳齋内額曰正誼明道。東室額二，一曰莊敬日强，一曰高雲情。聯二，一曰：清燕凝神，天和閒處養；從容守正，元化静中涵。一曰：花香鳥語羣生樂；月霽風清造物心。

乾隆三十九年御製室中聯有花香鳥語羣生樂月霽風清造物心之句因各成題六韻有序 掖垣通右个，地屬西清；朶殿啓重華，門臨東上。欣爾日帖披快雪，偶乘批答幾閒；溯當年牓揭高雲，長撫琴書意遠。乃有一聯分署，兼函樂趣於羣生；七字重摛，直印心原於造物。花無情而解笑，鳥奚事以能言？月了了其入懷，風泠泠兮翻帙。此萬景所以少盡藏之秘，而一區斯焉便攜取之資也。顧言志元從早歲，在推尋顔孔之真；而尊聞不隔異時，豈浮慕羲皇以上？爰因耦句，更罄臚吟。寓物不留意，澄觀可會心。昔時惟志樂，此日切君臨。暎砌花香遞，隔窗鳥語吟。巧簧度逸態，清麝護流音。宛轉含旖旎，悠揚效静深。春臺方詄蕩，熙性願林林。右賦得花香鳥語 寶月方當霽，惠風復湊清。吹雲無點翳，度籟有騰晶。習習如含朗，明明似應聲。一輪正梢上，十日不條鳴。李闢文非擬，程逢

道自生。流光入窗際，憶昔此經横。（右賦得月霽風清）

〔臣等謹按〕以上二詩爲御製漱芳齋東室聯語之什，今恭録卷内。

漱芳齋東次室曰静憩軒，後爲金昭玉粹，東室曰隨安室。（國朝宫史）

〔臣等謹按〕静憩軒門上聯曰：由舊典時式，其永無愆；思庶政惟和，不敢自逸。西室聯二，一曰：寫誠敬之心，禮章樂亮；繪恬熙之象，日麗風和。一曰：緑綺琴彈白雪引；烏絲絹寫黄庭經。殿後穿堂額曰稽古右文。聯曰：恭己奉三無；澄心待萬幾。堂後東向額曰金昭玉粹。聯曰：瑞景瓊樓開錦繡；歡聲珠閣奏雲韶。

乾隆七年御製戲題静憩軒（舊時讀書舍也。）舍是讀書舍，人非静憩人。禽鳴如話舊，花舞解懷新。藝圃有餘樂，琴齋無點塵。拈題清興永，欲去重逡巡。

〔臣等謹按〕静憩軒御製詩，恭載首見之篇，餘不備録。

啓祥宫之西南向爲延慶門，門内爲延慶殿，殿後爲廣德門，門内爲撫辰殿。（國朝宫史）

〔臣等謹按〕撫辰殿内額曰斂福宜民。聯曰：生機對物觀其妙；義府因心獲所寧。

撫辰殿後爲建福宫。（國朝宫史）

〔臣等謹按〕建福宫乾隆五年建。恭懸御書額曰不爲物先。東室聯曰：交泰三陽肇羲象；斂時五福協箕疇。西室聯曰：香藹綺疏，蕙圃敷榮滋湛露；風清釦砌，芝房擢秀映長春。皆御書。

御製建福宮賦　居寰中以御物，凜天命兮難諶。懼大業之弗勝，恒乾惕兮小心。戒峻宇與雕牆，鑒酒池兮肉林。愧饑渴其未解，遑安逸兮是尋？乃者新宮落初，玉戺金鋪。創名建福，義何居乎？蓋是地也，圍於宮牆而弗加擴，卑於路寢而弗增華。畏炎歊之相偪，乃託興乎清嘉。儉不至陋，幽而匪遐。況在重華之右，比之興慶之宮。未費司農之帑，何勞庶民之攻？經之營之，募千夫而齊力；如松如竹，閲數月而成功。於是殿方駁娑，宮比駘盪。長春長樂，披青篇而空傳；太和保和，凭采欄而相望。千門萬户兮，笑漢制之太奢；茅茨土階兮，欽堯儉之堪尚。軒號靜怡兮，期成性之常存；齋名敬勝兮，恐舉念之或妄。亭顏惠風兮，欲膏澤之旁敷；閣扁延春兮，與羣生而咸暢。觸目警心兮，守此志而始終；居安思危兮，常厪懷而籌量。爾其文石矗立，嘉木叢生。羅芝田兮蕙畹，來燕賀兮鶯鳴。披薰風兮思解慍，對時雨兮樂向榮。觀太宇兮調元化，育萬物兮驗農耕。又何必焚隋廷之甲煎，樹漢苑之金莖，歌陳宮之玉樹，聽唐曲之新聲，而始稱悦情也哉？於時而春，覽生意而欣欣；於時而夏，遠煩暑而灑灑。乃其秋也，偉西成之可慶；乃其冬也，體貞元之凝命。載色載笑，奉慈闈而承歡；來游來歌，與良臣而交儆。於以承先厪，肯構而勿忘；於以示後庶，斯言之是聽。重曰：洪範有言，斂時五福。敷錫庶民，與時茂育。予宅是居，心乎肅肅。受天之祜，匪藉田燭。建民之極，匪侈華屋。繼繩光烈，對越於穆。進賢納諫，懲惡旌淑。志苟懷安，是謂不穀。尚慎旃哉，永膺天禄。

乾隆八年御製建福宫新春詩　禁城景物報和韶，初轉寅方玉斗杓。漏洩春光梅破蕾，招摇風信柳拖條。池心鏡面冰將解，牆角銀根雪欲消。振撥詩腸量多少，新年覺比舊年饒。含陽苔色兆根荄，勝裹宫花鬬早梅。堂構萬年緜福履，黄黎九有上春臺。蘭苕翡翠相容與，鳳閣枌橑各實枚。試看新蟾眉様細，分明報道上元來。照壁熊丸燦九華，祥烟濃作赤城霞。土牛新看牽春至，綵燕初飛掠曉斜。臘雪猶然戀鴛瓦，東風全不發綾花。願將建福宫中福，錫與寰區萬姓家。

乾隆十四年御製建福宫紅梨花詩　不計香風幾度頻，嬌紅嫩緑各争新。最憐雨後偏饒韻，底事春來易愴神。葉態花姿剛相入聲。稱，蜂衙蝶陣豈無因？一枝佛鉢堪清供，便欲因之悟六塵。

乾隆十七年御製建福宫對雨詩　朝隮復棼絲，冥濛勢傍午。朝罷此宴息，耕犂方待舉。前墀羅春花，潤含花下土。芳菲襲翰思，綽約延清覩。喜豈喻近臣？慰惟共農父。有秋期尚遥，無逸以爲所。

乾隆四十四年御製建福宮題句

初葺建福宮，乃在壬戌歲，循名及責實，其義賦中備。有建福宮賦。亦有引未發，則別具深意。憶當元二年，廿七月守制。宮居未園居，夏月度兩次。庶可炎熱弗可當，少壯禁之易。慈闈祝萬齡，然終必有事。圖茲境清涼，結宇頗幽邃。逭煩暑，以爲日後備。前歲遭大故，暢春虔奉置。因循乃園居，昔皇考大事，常居養心殿，二十七月後始居御園，宮内凡經兩夏。彼時年力正壯，雖煩暑不甚覺也。後葺建福宮，以其地較養心殿稍覺清涼，搆爲邃宇，以備慈壽萬年之後居此守制，然亦不忍宣之於口。前歲聖母大事，於暢春園九經三事殿安奉，本欲以無逸齋爲倚廬。而王大臣敦請，以居御園之九州清晏，與養心殿無異，不得已而從之。予亦自揣春秋望七，實不能如初元之耐熱，即欲居建福宮之初意亦未得遂，每爲抱歉。向意惜未遂。慈寧南花園，實復同斯例。於慈寧宮南花園葺治樸宇數間，本亦如葺建福宮之意，且以備慈躬或不豫，爲日夜侍奉湯藥之所。丁酉正月，即以爲苫次。後因王大臣固請，遂亦移居養心殿。長上聲。年孰弗願，筋力難從志。缺禮實已多，永言志吾愧。

〔臣等謹按〕建福宮御製詩，謹繹有關紀述事實者恭載卷内，餘不備録。

欽定日下舊聞考卷十七

國朝宮室

建福宮後爲惠風亭，又北爲静怡軒。〔國朝宮史〕

〔臣等謹按〕静怡軒内額曰與物皆春。聯曰：雨潤湘簾，苑外青巒飛秀；風披錦幙，階前紅葯翻香。静怡軒西室額曰四美具。其屏間爲御書視聽言動思五箴。室後聯曰：墨壺琴薦相先後；舊詠新裁自品評。又聯曰：蘭殿藹晴暉，爐烟結翠；芝宮呈秀采，砌草舒芳。

乾隆七年御製静怡軒晚對雨詩　不辨鳳城漏，如聞金戺琴。楣欄滌暑氣，花木沃芳心。延爽試風袂，迷歸亂晚禽。詞臣已退食，玫陛獨清吟。

乾隆三十一年御製静怡軒詩　插架有書函，與稽夙所耽。心怡非外騖，神静得深探。元化化無跡，熙春春未酣。棚梅不攻火，〔庭前梅樹二株，不事薰𤎼，祇以旃棚護之，已蓓蕾而未花。〕發却後江南。

又御製静怡軒梅花詩　暮春已過望，墀梅開始盛。試披羣芳譜，奚詮花月令？設曰南北戒，喧寒候殊應。審然此更北，當無紅紫競。況茲桃杏謝，節氣非不正。我爲思其故，冬月盆椿靚。留此鬬韶妍，欲擅江鄉勝。

乾隆三十三年御製靜怡軒摘梅詩　盆梅開太盛，摘使樹頭稀。已喜香盈嗅，兼資色綻肥。花太盛則枝頭含苞者色轉蔫，間摘去之，新開之朵益肥潤。文殊淨文榻，天女滿天衣。户外飄飄者，疑從手裏飛。

乾隆四十四年御製題靜怡軒　意靜則身怡，文軒並得之。一時茲避暑，兩歲未言詩。丁酉、戊戌兩年，此間皆未題詠。紗牖風輕送，石階旭漸移。當年結構意，孤矣不堪思。靜怡軒，建福宮後之寢室也。未能遂予葺構初意，迴思悵然。詳見建福宮詩註。

〔臣等謹按〕靜怡軒御製詩，謹繹有關紀述事實者恭載卷內，餘不備録。

靜怡軒後爲慧曜樓，樓西爲吉雲樓。國朝宮史

〔臣等謹按〕吉雲樓内聯曰：吉雲垂大地；慈鏡照諸天。樓下額曰如是室。聯曰：華海澄明，性源離色相；法鈴朗徹，覺地了聲聞。

吉雲樓西爲敬勝齋。國朝宮史

〔臣等謹按〕敬勝齋閣上額曰旰食宵衣。聯曰：看花生意蕊；聽雨發言泉。閣下西室額曰性存。聯曰：致虚涵白室；式古凜丹書。敬勝齋閣之西額曰德日新。聯曰：牙籤披古鑒；香篆引澄懷。其庭中垣門上東向恭鐫御書額曰朝日暉。其東山石上恭勒

御題曰飛帛。

乾隆二十五年御製敬勝齋詩　君道典謨備，始終惟一欽。丹書爰取義，白室此爲箴。常有圖書伴，如承師保臨。凛乎朽索喻，逸豫敢萌心？

〔臣等謹按〕敬勝齋御製詩，恭載首見之篇，餘不備録。

敬勝齋垣西爲碧琳館。國朝宫史

〔臣等謹按〕碧琳館東向樓上額曰静中趣。聯曰：參得王蒙皴法；寫將杜甫詩情。又聯曰：與物皆春，花木四時呈麗景；抗心希古，圖書萬軸引清機。又左聯曰：軒墀繞秀潤；書史足吟哦。右聯曰：味道研精義；隨時愛景光。樓下聯曰：素心悦澹泊；勝托惟静虚。又曰：窗意包涵畫；天容醖釀春。

乾隆十七年御製碧琳館三首　疊石爲假山，植檜稱温樹。咫尺蘭阯間，縹緲蓬壺趣。雕繪詎足尚？澹泊素所慕。可以貯琴書，遐心期古遇。户外響輕風，琅玕奏韶濩。佳景足一窗，新名恰當可。奚事建章宫，門户千萬夥。漏報出花鐘，篆裊沉檀火。後樂惟同民，先憂益厪我。永言惸獨哀，豈啻富人哿？殷懷周海寓，深居敢宴盤？寸陰信不假，萬幾焉有閒？輕裘念鶉結，玉食軫糲餐。聖狂别罔克，朝夕凛惕乾。肯堂勵方來，保此磐石安。

乾隆三十二年御製碧琳館詠竹詩 幾个雲窗外，家自有家。風敲鳴鳳管，雪燦鏤瓊華。寫色偏宜淡，論情好在遐。晦翁精理學，餐吐也稱嘉。朱子步虚詞有餐吐碧琳華之句。

〔臣等謹按〕碧琳館御製詩，謹繹有關紀述事實者恭載卷内，餘不備録。

碧琳館南爲妙蓮華室。國朝宫史

〔臣等謹按〕妙蓮華室内聯曰：青蓮法界本清淨；白毫相光常滿圓。又聯曰：轉諦在語言而外；悟機得真實之中。

妙蓮華室南爲凝暉堂。國朝宫史

〔臣等謹按〕凝暉堂聯曰：十二靈文傳寶炬；三千淨土蔭慈雲。其南室額曰三友軒。

乾隆十二年御製題三友軒 三友之名始宣尼，直諒多聞益德資。香山取譬琴詩酒，放達緊非予所師。獨有玉局稱正見，直號植物松竹梅。叶名稱義元隱未發，我將觸類引伸之。蒼松自具直之性，梅傳春信諒也宜。撚金敲玉時多聞，妙喻舍竹其復誰？奚待結契霜雪裏，天然同德聲應隨。寓意於物有奇遇，名蹟歷歷琳琅披。十八公的雲西筆，海粟長賦留雄辭。君子林稱真定論，國子博士小篆題。更愛梅事合元宋，小清秘物傳今斯。揀金集狐有如是，自天合也非人爲。嘗鼎一臠足味道，況斟雉膏道可知。篋藏書室識寶重，窗外延客霜其眉。千株一穗翩左右，二語用蘇詩。是一是二誰然疑？因蘇溯孔志未逮，高山景仰深長思。

乾隆三十三年御製三友軒詩　喬松恒落落，新筍已亭亭。雖是梅子候，無妨通體馨。允宜詩著句，況有畫傳形。軒中弆曹知白十八公圖、元人君子林圖、宋元梅花合卷，因以命名。而窗外亦植松竹梅三種。即景思三益，堪爲砥錫型。

〔臣等謹按〕三友軒御製詩，謹繹有關紀述事實者恭載卷内，餘不備録。

凝暉堂之前爲延春閣，北與敬勝齋相對。國朝宮史

〔臣等謹按〕延春閣内南面額曰惠如春。聯曰：瑶階鶴繞三株樹；玉宇鸞鳴九子鈴。又聯曰：玉砌風清，五色祥光連棟宇；銅籤晝静，四時佳氣集蓬壺。東室門上額曰清華，西室門上額曰朗潤。東次室聯曰：四序調和懷育物；萬幾清暇愛攤書。東面室内額曰潔素履。聯曰：山水之間發清響；古今以上多同人。右室聯曰：拂檻露濃晴樹濕；捲簾風細落花香。西面額曰静觀自得。聯曰：閒爲水竹雲山主；静得風花雪月權。又聯曰：燕賀鶯遷，樂意相關禽對語；蘭芽桂蕊，生香不斷樹交花。左室額曰芝田，右室額曰蘭畹。二層樓上額曰澄懷神自適。聯三，一曰：吟情遠寄青瑶障；悟境微參寳篆香。一曰：春藹簾櫳，氤氲觀物妙；香浮几案，瀟灑暢天和。一曰：緑水亭前羅帶繞；碧山窗外畫屏開。最上樓額曰俯暢羣生。延春閣之西門上御

題石刻，南向者曰含象，北向者曰懷芬。閣前疊石爲山，上結亭曰積翠，山左右有奇石，西曰飛來，東曰玉玲瓏。山之西穿石洞而南，洞口恭勒御題曰鷲峯。南有静室東向，額曰玉壺冰，又額曰鑑古。聯曰：湘管摛新會；芸編發古香。折而南有聯曰：地學蓬壺心自遠；身依泉石興偏幽。又聯曰：奇石盡含千古秀；好花長占四時春。其上有樓供大士像，聯曰：智珠不斷恒河界；明鏡長懸兜率邊。又聯曰：流水如有意；高雲共此心。

乾隆七年御製延春閣對雪詩 天衣靉靆罩寒原，詰旦瓊霙集瓦鴛。望去玉龍猶夭矯，舞來銀鳳正聯騫。含毫裁句端溪潤，引火烹茶古鼎温。卜麥樂餘憂更繼，誰家茅屋凍鴟蹲？

乾隆三十年御製正月十一日延春閣恭奉皇太后觀燈卽事詩 年年御苑賞花釭，兹近南巡啓蹕幢。節卜齋前迎鳳馭，以明日始值祈穀大齋云。月先望夕麗天杠。蘭珍百品羅瓊几，華燭千行照綺窗。高閣延春春信遞，駢供慈豫㙾祺龐。

乾隆三十一年御製延春閣牡丹詩 雨中牡丹對，春過恰延春。得意有多態，通身無點塵。高松宜作伴，羣卉那堪倫。自愛清香遞，何須睡鴨陳。

〔臣等謹按〕延春閣御製詩，謹繹有關紀述事實者恭載卷内，餘不備録。

乾隆二十三年御製賦得玉壺冰　玉壺愔愔嘉夜長，華鐙蘭錟冰爲光。箕風畢雨此清暇，潑墨摛毫復静忙。申申緩箭渴烏水，銅瓶芳遞梅花蕊。輕裘温室不知寒，無昜由言吾過矣。

乾隆三十四年御製賦得玉壺冰　精廬玉壺似，内外映空澄。豈必買其酒，用司空圖詩品意。真如在以冰。瓊葩紛纈瓣，瑶岫迥添層。漫慮餘寒峭，㞒窗正可憑。

〔臣等謹按〕玉壺冰御製詩，謹繹有關紀述事實者恭載卷内，餘不備録。

月華門之西相對者爲遵義門，門西向南者爲養心門，中爲養心殿。國朝宫史

〔臣等謹按〕養心殿爲皇上宵旰寢興之所，凡辦理庶政召對引見，視乾清宫。殿内恭懸世宗憲皇帝御書額曰中正仁和。寶座屏上皇上御書聯曰：保泰常欽若；調元益懋哉。東暖閣内御書聖祖仁皇帝聖訓曰：天下之治亂休咎，皆係於人主之一身一心。政令之設，必當遠慮深謀以防後悔，周詳籌度，計及久長，不可爲近名邀利之舉，不可用一己偏執之見。採羣言以廣益，合衆志以成城，始爲無偏無黨之道。孝者百行之原，不孝之人斷不可用。義者萬事之本，不義之事必不可爲。孝以立身，義以制事，無是二者雖君臣父子不能保也。又御書世宗憲皇帝聖訓曰：敬天法祖，勤政親賢。愛民擇吏，除暴安良。勿過寬柔，勿過嚴猛。同氣至親，實爲一體。誠心友

愛，休戚相關。時聞正言，日行正事。勿爲小人所誘，勿爲邪説所惑。祖宗所遺之宗室宜親，國家所用之賢良宜保。自然和氣致祥，綿宗社萬年之慶。東暖閣下聯曰：憂其所可恃；懼其所可矜。後室門上額曰寄所託。聯曰：汲古得修綆；守道無異營。又聯曰：書圃禮園無斁好；甌香研淨有餘清。東室爲寢宮，西室額曰隨安室。聯曰：無不可過去之事；有自然相知之人。西南室曰明窗。西暖閣内恭懸世宗憲皇帝御書額曰勤政親賢。聯曰：惟以一人治天下；豈爲天下奉一人？

御製養心殿銘　人心惟危，在閑其邪。道心惟微，在培其芽。其閑其培，皆所爲養。操存舍亡，毋須臾放。有如時雨，沃此寸田。大公順應，動直静專。動匪憧憧，静匪寂寂。矧其爲君，更宜乾惕。一念之善，百禩蒙庥。一念之惡，萬姓貽憂。養之之方，存誠主敬。克己復禮，外王内聖。孰本孰末，外由内施。任重道遠，責萃君師。朶殿崇崇，顧名思義。作此銘辭，永訓後世。

御製養心殿四箴有序　我皇考聖訓曰：敬天法祖，勤政親賢，事止四端，義該萬理。自古帝王莫不守此以治，違此以亂。予小子踐阼以來，平旦莊誦，惟日孜孜。畏與年長，會隨時觸。爰集經書成句，衍義綴辭，各得十六韻。入目警心，既因自勵，亦以昭示來茲。皇矣上帝，詩 鑒觀四方。詩 昭假於下，詩 赫赫明明。詩 惟聖時憲，書 承天而時行。

易終日乾乾夕惕若，易無怠無荒。書畏天之威，詩勅天之命。書不顯亦臨，詩俾爾彌爾性。禮記詩惟予一人，書曷其奈何弗敬。書敬勝怠者吉，義勝欲者從。國語日日新，又日新，禮記清明在躬。禮記無然畔援，無然欣羨。詩昭升於上，書在止於至善。禮記先天而天勿違，後天而奉天時，易我不敢知。書我其夙夜，詩念茲在茲。書怵惕惟厲，書安而不忘危。易於緝熙，詩永言配命，詩弼我丕丕基。書右敬天箴

明明我祖，書既受帝祉。詩我來自東，詩永清四海。書之綱之紀，詩惟民所止。詩無忝皇祖，詩奉先思孝。書作樂崇德，易肅肅在廟。詩春禘秋嘗，禮記思其所樂。禮記聖有明訓，書如日月之照臨。書式如玉，式如金。左傳布在方策，禮記罔有不欽。書峻命不易，詩遺大投艱於朕身。書如親聽命，禮記罔不惟德之勤。書曰仁與義，易迭用柔剛。易一張一弛，禮記不愆不忘。詩民可近不可下，書無教逸欲有邦。書夙興夜寐，詩其爾典常。書啓佑我後人，書俾爾熾而昌。詩右法祖箴

天行健，易聖人則之。易克綏厥猷惟后，書一日二日萬幾。書罔遊於逸，書庶績咸熙。書曰予一人，禮記昧爽丕顯。左傳與公卿大夫，共飭國典。禮記考禮正刑一德，禮記無敢不善。書夙夜匪懈，詩敷政優優。詩惟幾惟康，書斯謀斯猷。書執事有恪，詩亦又何求。詩百工熙哉，書我獨不敢休。詩綱紀四方，詩維皇作極。書先之勞之，論語不遑暇食。書念之哉，書業廣惟勤。書勤則不匱，左傳時乃日新。書承天之道，禮記純亦不已。禮記政貴有恒，書慎終如

始。書右勤政銘　粤若稽古，書明四目，達四聰。書論道經邦，書謂之三公。周禮三事大夫，詩百辟卿士。詩宣力四方，書以佐天子。詩惟后非賢不乂，書其惟吉士。書寤寐求之，詩任賢勿貳。書靖共爾位，詩期予於治。書自朝至於日中昃，書晝日三接。易若涉淵水，書用汝作舟楫。書臣哉鄰哉，書尚克相予。書予其敷心腹腎腸，書出入自爾師虞。書假以溢我，詩我應受之。詩用勱相我國家，書邇可遠在兹。書人亦有言，詩惟治亂在庶官，書所寶惟賢。書惟一德一心，書欲至於萬年。書右親賢箴

乾隆四年御製養心殿古幹梅詩　爲報陽和到九重，一枝紅綻暗香濃。亞盆漫憶辭東嶠，作友何須倩老松？鼻觀參來諳斷續，心機忘處對春容。林椿妙筆林逋句，却喜今朝次第逢。

乾隆十年御製養心殿碧桃樹詩　芳姿拈詠感無端，露井依依艷未殘。九十韶華都過也，尚攜春色待人看。

乾隆三十一年御製養心殿齋居詩　已過立夏節，孟夏倏將臨。曦影下階去，紗紋上牖深。宫殿於立夏後紙窗内上紗槅，俗名替窗。晝長餘有暇，古史繹堪尋。好樂真無射，惟斯足養心。

乾隆三十四年御製新正養心殿詩　内殿兹宵旰，寸陰復分陰。流年值理紀，韶祉迓來臨。庶績願咸熙，益慎疊酌斟。三白幸已逢，農諺：正月見三白，田公笑嚇嚇。六花兆其諶。祈年昔猶昔，

勤政今斯今。敢云此爲勞，此卽是養心。

又御製養心殿卽事詩　膏雨頻霑灑，首夏誠清和。日照弗炎騰，風送致爽過。彤殿豈閒居？魁卷閱如何？讀卷官以擬定殿試前列十卷進呈，細爲披閱，原擬第一卷頌語過多，不及第二卷之切實，因對易之。其原擬第三卷意稍薄弱，抑之第四，而擢原擬之第八爲第三。就所見評騭先定甲乙，然後拆名引見，此新定例也。藻績非所尚，敷陳在所羅。就此獲者搜，慮彼失者多。籲俊期真材，吾寧取揣摩？

乾隆三十六年御製養心殿對雨作五月初七日。　曉晴卓午忽生雲，隱隱雷聲自遠磤。纔覺微涼幾點落，遂催急陣亂絲棼。甎鋪平礙潦易積，瓦滑琉璃瀑早聞。宮中庭院皆鋪甎，上承石砌，卽小雨亦難滲易積。而屋瓦琉璃質性滑澤，雨輒垂溜。是日霑甫二寸，已覺簷牙注流，地面浮水，非若御園之土階素瓦，必待急霔優膏方成雨象也。曾未逾時勢消散，衹爲嗟惜那爲欣。

乾隆三十八年御製仲春養心殿詩　祈春典學兩俱應，爲是還宮禮敬承。依例彤扉弆仙木，宮門門神春聯例於二月初三日收庫。更當青瑣徹華燈。鬧將半月翻欣靜，閒勑萬幾敢忘兢？正值金川攻要寨，問郵中夜每頻興。

又御製夏日養心殿齋居詩　祭重躬親每勗予，深沉彤殿暑全袪。雖然長夏渾忘夏，縱不遷居亦肅居。夏至致齋雖不御齋宮，而儼恪之忱則與有事南郊之齋肅無異也。風帶涼知雨所致，他應霑愧此仍虛。早間微雨後，風來頗涼，知他處必有渥霑甘霔者，而此地僅濡霡霂，爲之恧然。萬幾云暇忙猶在，點勘新增四庫書。時詞臣勘校永樂大典，擇其可以刊行者，按四庫先繕十數種以進，足供幾餘檢閱。

又御製養心殿對雨詩　明始御齋宮，茲仍居內殿。凡大齋前二日宿宮內齋宮，前一日詣壇內齋宮駐宿。勑政亦云畢，憩躬值清晏。未末申之初，西北升雲片。轟砉乍鼓雷，煜霅欻飛電。倏忽黯天中，急霔落銀箭。鴛瓦易爲溜，簷齒喧鳴徧。須臾過雨陣，朗霄夕陽絢。於澤豈辭多？農況適親見。虔虔祝時和，粥粥承天眷。

乾隆三十九年御製養心殿對雨詩　傍申西北又雲生，倏晦遥聞雷鼓聲。未甚鳴微鳴以雨，其來速去速而晴。琉璃滑霤垂泉響，平磩堅墀積水明。宫中琉璃瓦最滑，故簷溜易垂。而甎墀堅厚，尤易積水，不足爲優霈之徵也。分寸弗成定何益，不能爲慰祇爲怦。

乾隆四十二年御製養心殿晚坐對細雨詩　逾月晴既久，傍晚雨方細。夏雲時聚散，總未滂沱致。往來道途間，安行荷天賜。然實望慮并，前月恭奉聖母梓宫至泰東陵，其時農田雖漸望澤，又慮途中遇雨，舁奉稍稽，兩難爲情。仰賴上蒼賜佑，啓程後連日晴和，遄行安吉。及山陵告備，祗奉神牌回京，亦因道路晴乾，畧無阻滯。今則升祔禮成，惟一意盼雨矣。方寸兩難置。大禮今已成，一意廑農事。待澤亟斯時，優霈庶其遂。

乾隆四十三年御製夏日養心殿詩　視朝雖常例，有如愛禮羊。避熱而弗行，是卽怠之方。怠則吾豈敢？長上聲。年益自蕿。都城烟火多，紫禁圍紅牆。固皆足致炎，未若園居良。園居且爲愧，暫熱庸何傷？薰風來殿閣，亦自生微凉。近政撫蘭亭，卽景玩詞芳。近復臨董其昌所倣柳公權書蘭亭詩卷，命工摹勒上石，因殿閣微凉有會公權聯句詩意。

乾隆四十四年御製養心殿晚坐詩　又當冬季還宫候，迴憶往時意惘然。旬日問安從此罷，向年九月杪還宫後，每閲旬餘必詣暢春園問安一次，駐御園數日而回。直至仲冬月萬壽前十餘日，恭奉慈駕回宫，遂不復往御園。迴憶曩事，惟增感悵。三年如幻忽其遷。登秋暘雨多逢若，今歲各省雨暘時若，西成均獲豐稔，而畿輔及近京諸省秋收後透雨頻霑，於宿麥尤爲有益。出治剛柔敢用偏。廑念豫工尚稽就，黄流虔祝順歸川。阿桂等昨奏引河開放後，流勢極暢。廿二三日爲西北風所阻，畧覺緩滯，風息仍然暢行，深處尚有水一丈餘尺。連日趕緊進埽，今順黄壩南北相距口門僅十餘丈，若無風阻，可冀速蕆要工。以此盼望合龍，喜信尤切。

〔臣等謹按〕養心殿御製詩，謹繹有關紀述事實者恭載卷内，餘不備録。

乾隆二十九年御製隨安室八韻在養心殿東暖閣内。隨遇得居安，養心左序端。檢身若不及，容膝已爲寬。志與青年異。此予在青宫時即以名室，蓋取隨所遇而安之義，今則異曩日之志矣。題斯觸處觀。御園及行宫書室率題此額，猶弗忘昔之意也。敢求一己逸？實覺萬民難。爲是勤宵旰，因之叶燠寒。祈年無間意，望雨或忘餐。驕否有韻。泰艱致，今非昔所歡。循名如責實，艴爾祇三歎。

乾隆八年御製明窗詩　冬日誠衰日，三餘樂歲餘。晏温浮碧綱，遲麗度朱疏。把卷忘言處，含毫得句初。太康古有戒，俯仰惜居諸。

〔臣等謹按〕養心殿内隨安室明窗御製詩，皆恭載首見之篇，餘不備録。

養心殿西室爲三希堂。國朝宫史

〔臣等謹按〕三希堂額爲御題，有御製三希堂記。聯曰：懷抱觀古今；深心託毫素。并御書。

御製三希堂記　内府秘笈王羲之快雪帖、王獻之中秋帖，近又得王珣伯遠帖，皆希世之珍也。因就養心殿温室易其名曰三希堂以藏之。夫人生千載之下而考古論世於千載之上，嘉言善行之觸於目而會於心者，未嘗不慨然增慕，思與其人揖讓進退於其間。羲之清風峻節，故足尚；即獻之亦右軍之令子也。而王珣史稱其整頽振靡，以廉恥自許。彼三人者，同族同時，爲江左風流冠冕。今其墨跡經數千百年治亂興衰存亡離合之餘，適然會萃於一堂。雖豐城之劍，合浦之珠，無以踰此。子墨有靈，能不暢然蹈忭而愉快也耶！然吾之以三希名堂者，亦非僅爲藏帖也。昔聞之蔡先生名其堂曰二希。其言曰：士希賢，賢希聖，聖希天。或者謂予不敢希天。予之意非若是也，嘗慕希文、希元之爲人，故曰二希，予嘗爲之記矣。但先生所云非不敢希天之意，則引而未發。予惟周子所云固一貫之道，夫人之所當勉者也。若必士且希賢，既賢而後希聖，已聖而後希天，則是教人自晝，終無可至聖賢之時也。孟子曰：盡其心者知其性也，知其性則知天矣。人人有盡心知性之責，則人人有希聖希天之道。此或先生所云非不敢希天之意乎！希希文希元而命之曰二希，古人託興名物以誌弗忘之意也。則吾今日之名此堂，謂之爲希賢希聖希天之意可，慕聞之先生之二希而欲希聞之之希亦可，即謂之王氏之帖誠三希也亦可。若夫王氏之書法，吾又何能贊一辭哉！

西暖閣後北接後軒三楹，東爲無倦齋，爲長春書屋。國朝宮史

〔臣等謹按〕西暖閣夾道門額曰自强不息。長春書屋聯曰：閒尋綺思千花麗；静想高岑六義清。内室聯曰：景深孚甲含胎際；春在人心物性間。又聯曰：麗日和風春淡蕩；花香鳥語物昭蘇。

養心殿後爲穿堂，爲二層殿。國朝宮史

〔臣等謹按〕養心殿後穿堂屏門東西各有額，曰雲流，曰風振，俱南向。向北額曰蘭戺涵春。二層殿上北向額曰與物皆春。聯曰：心天之心而宵衣旰食；樂民之樂以和性怡情。殿之東暖閣門額曰樂天閣。内室門聯曰：仲尼不爲已甚者；惟帝若是其難之。室内額曰攸芋齋。聯曰：情將物外適；道與古人期。

養心殿之前爲御膳房。國朝宮史

〔臣等謹按〕御膳房恭懸聖祖御書額曰膳房。

欽定日下舊聞考卷十八

國朝宮室

景運門之東相對爲肅誠門，入門南向爲奉先殿。（國朝宮史）

〔臣等謹按〕順治十四年世祖章皇帝以太廟時享，孝思未申，命稽往制，建立奉先殿。前殿七楹，後殿如之。凡朔望薦新，歲時展禮，及册封諸大典禮，先期告祭，俱內務府掌儀司領其事。

乾隆四十三年御製七月朔日躬祭奉先殿禮成述事詩　年節雖恒叩後殿，（每於元旦及皇祖、皇考聖誕、忌辰，必躬詣後殿，拈香瞻禮。）未曾前殿祭斯陳。況經升祔四時閱，應似秋嘗昨典循。（昨歲孟秋，以聖母升祔後初值時享太廟，是以親詣行禮，而奉先殿則自聖母升祔以來，未經特祭。因於孟秋之朔敬修祀事，至太廟時享，仍如例遣親藩恭代。）恭代親藩詣太室，必躬家廟舉精禋。（禮　奉先殿蓋如天子之家廟也。）因義起施殊處，祇覺悲傷勝敬寅。

〔臣等謹按〕奉先殿御製詩，謹繹有關紀述事實者恭載卷內，餘不備録。

奉先殿東爲夾道，即蒼震門前直街也。街東爲寧壽宮。（國朝宮史）

〔臣等謹按〕寧壽宮建自康熙年間，乾隆三十六年皇上命重加增葺。宮垣南北一百二十七丈有奇，東西三十六丈有奇。門六正中南向者，恭懸御書額曰皇極門。東出者曰斂禧門，西出者曰錫慶門，又西嚮者曰履順門、曰蹈和門，東嚮者曰保泰門。皇極門之内曰寧壽門，門内爲皇極殿，殿廡東出者爲凝祺門，西出者爲昌澤門。皇極殿後爲寧壽宮。宮内東暖閣御書聯曰：周雅慶攸寧，長宜茀禄；箕疇徵曰壽，遞演京垓。

聖祖仁皇帝御製寧壽宮頌　天開壽域，地會瑶池。南極添算，北辰降慈。螽斯衍慶，白鶴來儀。躬勞著訓，福祉永綏。恭獻長壽，敬託腐詞。

皇上御製寧壽宮銘　寧咸萬國，壽先五福。宮用題額，文叶義淑。於赫皇祖，奉養慈闈。孝惠爰居，愛日延暉。小子踐阼，兹歷世年。設復廿載，八旬五臻。敬思仁皇，卜號康熙。六十一載，今古誠稀。同以爲艱，敢期過益？況值耄耋，歸政理得。適新是宮，以待天庥。企予望之，願可如不！授終奉懿，其禮自殊。斟酌損益，匪曰侈圖。殿稱皇極，重簷建前。宮仍其舊，爲後室焉。我朝規制，寧壽宮、慈寧宮爲奉養東朝之所，是以前殿卽以宮名，並皆不施重簷，有深意也。恭遇聖母八旬萬壽，朕始於慈寧宮增加前殿重簷，以崇尊養。兹新葺寧壽宮，待予歸政後居處則爲太上皇臨御之所，宜有前殿受賀。因題額曰皇極殿，制用重簷。而寧壽宮之榜則移於後殿云。執承敬神，我朝舊制。巽曰遷居，禮弗敢廢。清寧坤寧，祖宗所奉。盛京大政殿後曰清寧宮，祖宗時祀神之所。祭畢，召王公大臣進内食祭肉，國初定鼎燕京，則於乾清宮後殿坤寧宮行祀神禮，一如清寧宮之制。至今遵循舊章。余將來歸政時，自當移坤寧宮所奉之神位神竿於寧壽宮，仍依現在祀神之禮。朔吉修祀，寧壽斯踵。雖謝萬幾，寧期九幾。始予一人，壽同黔黎。告我子孫，毋逾敬勝。是繼是承，永膺福慶。

乾隆四十一年御製新葺寧壽宮落成於新正二日恭侍皇太后宴敬紀八韻 元旦率羣辟，東朝典禮循。翼辰呈曲醼，首祚笑言親。寧壽慶成落，禎祥邀錫申。妃嬪陪肅肅，孫子集振振。鳩杖全無藉，皇太后步履康健，雖製玉鳩杖恭進，仍不藉扶持也。兕觥奉有倫。高年健太極，行樂信天真。此日旰宵志，他時宴息身。期仍斯侍膝，永祝萬千春。

又御製經筵罷因至寧壽宮詩 講學勤茲日，引年待異時。文臣胥讌見，經筵畢，命講官及聽講之部院諸大臣隨至文淵閣賜茶，俾觀閣中規制。蓋旅扈追隨。御前大臣侍衛等，凡所臨幸，無不扈從。步輦乘暇耳，耆宮遂幸之。舊名襲寧壽，致政冀期頤。居此應無事，而今尚有爲。籌民及律己，衍義示忱辭。是日進講論語百姓足君孰與不足句，書經君子所其無逸句，並製御論以闡其義，宣示講筵。

又御製蒙聖母賜膳於寧壽宮喜而成什一韻二首 西筰蕆勳績，東朝豫懿懷。膳頒八珍列，樂奏六英諧。調鼎鹽梅共，采薇將士偕。皇太后幸寧壽宮，既賜余膳，並於階下賜將軍阿桂、豐昇額暨成功將領之功績最著者掄二十三人及軍機大臣六人，飯食賚物有差。古來多凱宴，幾見賜思齋。母子情牽處，憂勞略釋懷。砌花都色喜，簷鳥亦音諧。暘雨幸時若，孫曾繞膝偕。還期就閒此，仍復侍萱齋。

乾隆四十三年御製寧壽宮遺懷詩 葺治寧壽宮，戒奢固非儉。以俟歸政時，老景消荏苒。屈指十七年，萬幾仍勤攬。余素志俟八十五歲卽擬歸政，茲距其期尚十七年，仍勵精勤政，不敢預存懈忽之心也。即今望雨切，深愧誠無感。寧遜詠周雅，真遜吾何敢。常笑宋孝宗，圖逸非佳範。宋孝宗在位廿八年，未滿高宗大祥之期，卽托固疾不能行孝，禪位於光宗。是蓋圖自逸而不以國事爲念耳。無論人君之孝與常人異，卽人君所行，胥當垂法子孫，以爲萬世恒守。若如孝宗之孝，則凡繼世之君皆當甫卽位卽禪位以盡其子職，有是理乎？孝宗之事，余每非薄之，余則必待臨御六十年始爲倦勤之退，實異於彼所爲也。

乾隆四十四年御製寧壽宮詩　齋居有暇夏方長，步輦看工亦趁涼。率已成之先十五，葺治寧壽宮擬爲歸政時所居，所司以明年爲七旬萬壽，率卽告成，已先十五年矣。如斯茂矣據中央。前爲皇極殿，後卽養性殿。圖臨他日頤而養，敢懈今時敬不遑。一節憫然於意者，嫌他鋪設爲去聲。端陽。宮中每遇佳節，宮殿例有陳設，茲以端午陳設節物，閲之轉覺不愜。

〔臣等謹按〕寧壽宮御製詩，謹繹有關紀述事實者恭載卷内，餘不備録。

寧壽宮後亘以横街，其東即保泰門，西即蹈和門，正中爲養性門，門内爲養性殿。殿之東暖閣御書聯曰：太和道共養；純嘏性彌敦。其南牖額曰明窗。聯曰：蜃窗日暖蘭噴霧；雞樹風輕玉靄春。西暖閣之北爲仙樓。聯曰：泰符占歲美；頤志叶春和。又聯曰：圖書探秘藴；鐘鼎玩清嘉。其西南室額曰長春書屋。聯曰：花鳥引機緒；詩書藴道荄。養性殿西宇額曰香雪堂，堂兩廡壁嵌置敬勝齋石刻。

乾隆四十一年御製養性殿詩　養心期有爲，養性保無欲。有爲法動直，無欲守靜淑。放彌與退藏，一起應一伏。伊予居養心，勤政恒自勗。久而弗肯懈，可以盟幽獨。設誠六十年，八旬有五足。允宜歸大政，餘日享清福。是用搆養性，一倣養心屋。引義爲長言，如願未敢卜。

又御製明窗詩　養性明窗異養心，養性殿東暖閣臨窗坐處顔曰明窗，固取窗紙通明，亦寓明目達聰之義。養性殿雖倣其制爲之，然係他日歸政後所居，僅取明窗本義，否亦借喻淡泊明志而已。惟應六一是知音。他年若得遂初願，淨几還欣帖背臨。歐陽修引蘇舜欽之言云：明窗净几，筆硯紙墨皆極精良，亦自是人生一樂。然能得此樂者甚稀，云云。余倦勤後果能坐此臨帖，豈非人生大樂乎！

〔臣等謹按〕養性殿明窗御製詩，皆恭載首見之篇，餘不備録。

養性殿後爲樂壽堂。額曰與和氣游。聯曰：座右圖書娱畫景；庭前松柏藹春風。寶座屏聯曰：樂同樂而壽同壽；智見智而仁見仁。楹間聯曰：土香階草繾蘇紐；風細盆梅欲放花。又聯曰：動静得其宜，取義異他德壽；性情隨所適，循名同我清漪。東暖閣聯曰：樂惟四時適；壽與萬方同。又聯曰：波含素影澄心鏡；魚躍清淵識道機。北室聯曰：景清神謐天常泰；水趣山情静可論。東宇聯曰：亭臺總是長生境；鶴鹿皆成不老仙。西暖閣南室聯曰：智者樂兼仁者壽；月真慶共雪真祥。西室聯曰：趣爲永哉暢非俗；樂惟仁者寄於山。又聯二，一曰：夏鼎商彝共左右，墨華筆露永鮮新。一曰：閒披芸簡窗前朗；静聽松風户外敲。後廈聯曰：籠庭水樹宜涼影；匝砌烟花带露姿。閣之上聯四，一曰：鳥吟花笑有餘樂；月白風清無盡藏。一曰：智水仁山從體道；奇花瑞草總含芬。一曰：成陰喬木天然爽；過雨閒花自在香。一曰：智仁適會動還静；枕葄無非史與書。西北閣上聯二，一曰：商鼎周彝自典重；檻花苑樹相芬芳。一曰：庭饒芳毯鋪生意；座有芸編結古懽。後廈閣上聯曰：心觸清機親翰墨；目遊潤景足精神。

乾隆四十一年御製樂壽堂詩　寄興由來在山水，向以萬壽山背山臨水，因名其堂曰樂壽，屢有詩。後得董其昌論古帖，知宋高宗内禪後有樂壽老人之稱，喜其不約而同。因以名寧壽宮書堂，以待倦勤後居之。紹興先我篆題銘。因名寶額待他日，冀叶貞符娛曼齡。憂則付人樂則壽，存吾順事没吾寧。用張子西銘語。廿年屈指居斯俟，恩許之乎賴昊靈。

〔臣等謹按〕樂壽堂御製詩，恭載首見之篇，餘不備録。

樂壽堂之西爲三友軒。楣間額曰：胸中常養十分春。樂壽堂後爲頤和軒。軒兩廡壁亦嵌置敬勝齋帖石刻。正中額曰太和充滿。聯曰：景欣孚甲含胎際；春在人心物性間。又聯曰：麗日和風春淡蕩；花香鳥語物昭蘇。東暖閣之南室額曰隨安室。聯曰：慶烟糺縵籠青瑣；淑景和閶麗紫宸。西暖閣之西室聯曰：隨時自適天倪協；即事多欣道味涵。北室聯曰：境是天然贏繪畫；趣含理要入精微。西暖閣外亭額曰如亭。後廈額曰導和養素。聯曰：静延佳日春常盎；茂對祥風景總宜。

乾隆四十一年御製頤和軒詩　即漸菟裘搆，居圖豫立那？此時仍盡瘁，他日擬頤和。奢頤誰能息？高年彼任磨。雖然期廿歲，駒隙度羲娥。

又御製隨安室詩　廿五前隨安，讀書樂羣誠多歡。廿五後隨安，勅幾切己爲君難。期八旬有五歸政，仍是室也心應寬。一日未息肩，萬幾敢憚煩！隨安隨地勵斯志，欲冀他年無事坐此恣盤桓。

〔臣等謹按〕頤和軒、隨安室御製詩，皆恭載首見之篇，餘不備録。

頤和軒後門額二，一曰引清風，一曰挹明月。門内爲景祺閣。閣東廳宇三楹，階前湖石上刊文峯二字，石洞口刊雲竇二字，山亭額曰翠鬟。皆御書。

乾隆四十一年御製文峯詩　昨於西山得玲峯，樹之文源閣，既爲之歌，兹以其副置於景福宫之門，名曰文峯而系以詩。物有一兮必有偶，伯兮叔兮相與友。玲峯既峙文源閣，文峯詎復藏巖藪！賁然肯來樹塞門，景福宫前鎮樞紐。是處擬爲歸政居，老謝遠遊邇斯守。皇山較此實卑之，却笑猶堪拜米叟。巨孔小穴難計數，詭稜奇砎自縈糾。西山去京無百里，車載非關不脛走。洞庭湖石最稱珍，博大似兹能致否。宋家花石昔號綱，殃民耗物鑑貽後。豈如畿内挺秀質，弗動聲色待近取。抑仍絜矩於人材，政恐失之目前咎。設因文以寓詞鋒，姑俟他年試吟手。

〔臣等謹按〕文峯御製詩，恭載首見之篇，餘不備録。

養性門至景祺閣，是爲寧壽宫之中一路。

保泰門北崇樓三重，上額曰暢音閣，中額曰導和怡泰，下額曰壺天宣豫。其北與暢音閣相對者爲閱是樓。樓下中宇聯曰：開窗魚鳥含天趣；欹案詩書味道腴。東室聯曰：芝篆薰晨鼎；蓮檠檢夜書。西室聯曰：插架牙籤照今古；開編芸氣吐芬芳。又聯曰：閒情空外寄；妙道箇中參。樓上中宇聯曰：日長蓮漏三階正；春到梅花合殿香。樓後東宇聯曰：澄懷觀物真超矣；得意忘言亦快哉。閣後殿宇前後共四所，前殿額曰尋沿書屋。

乾隆四十二年御製尋沿書屋詩 尋繹黄家語，沿迴學海瀾。用行説云斅，有術孟言觀。詎在工章句？要於審委端。待當謝機政，枕葄沃心安。

〔臣等謹按〕尋沿書屋御製詩，恭載首見之篇，餘不備録。

後殿之東曰景福門，正中南嚮者爲景福宫。殿東閣下聯曰：每聞善事先心喜；或見奇書輒手抄。皆御書。西壁恭懸御製五福頌。

聖祖御製景福宫頌 慈顔懿教，祇奉銘箴。福祉靈壽，遐齡喜深。松筠玉樹，繞砌清音。淑德純嘏，萱枝茂林。揮毫敬頌，永日葵心。

皇上御製景福宫五福頌有序 寧壽宫後曰景福宫，我皇祖奉孝惠皇太后所居也。余既豫葺寧壽宮爲歸政後燕憩之所，而景福宮則倣建福宮中静怡軒之制鼎新之。軒有屏，嘗撰五事箴揭之以代銘座。斯宮義取頤養，實惟五福爲宜。夫五福世所豔稱，顧昔人無闡之者。爰頌而列諸黼扆。第考洪範五福，傳疏或分詮，或遞釋，無所專主。余以爲壽、富、康寧及考終命皆受之於天，而好德則備之於人。玩五皇極之辭曰：予攸好德，汝則錫之福，與此互相發明。中庸言位禄名壽必推本於大德，足爲五福主德之證。而正蒙所云德者福之基，福者德之致，尤深切而著明。余故於攸好德之頌詳暢厥旨。然帝王之福乃天下之公而非一身一家之私。其徵自與常人異。誠如所期，信爲備福。余益惟敬修德以迓天庥而弗敢期其必。箕疇凡九，極建惟五。斂時五福，其目未譜。於九詳焉，壽爲初祜。華封所祝，麥邱所語。唐堯則辭，齊景則喜。叶聖弗聖兮，於斯可覘。景福之宮，肇我皇祖。竹苞松茂，以養聖母。叶歲久重葺，倦勤擬居。叶作此屏扆，五當其數。叶衍繹範言，頌是曼壽。叶詩引昌黎，敢怠永久。叶即用韓句。右壽

國君大夫，問富答殊。有天下者，奚問答諸。既艱問答，其富若無。然亦有焉，乃在民乎。宣尼正對，萬世帝模。省力薄賦，猶可勉圖。時若雨暘，屢豐難期。叶是用危懼，敢詡尊居。又若求材，常苦不足。叶艱致者多，詎曰金珠。菟裘豫營，勒此屏辭。叶設誠符望，肩卸心娱。右富

皇清開國，承運奉天。宅中建極，敷錫八埏。兹百餘載，將萬斯綿。三聖繼承，謨烈丕

宣。藐予小子，佛時仔肩。治國康寧，夕惕朝乾。愛民祈歲，察吏求賢。雖有梗化，弗致蔓延。九州安内，萬里拓邊。幸未隕越，敢爲覺言。八旬有五，擬兹引年。敬之一字，用作心傳。右康寧 福何由生？端在乎德。德復在好，人我胥棘。顧名思義，行道有得。然殊吉凶，原道言憶。吉則徵善，凶必召慝。應好其善，樂乃無射。五福之四，賅彼四則。皇極敷錫，無好必斥。作汝用咎，禄賢是篤。叶五九相應，訓君尤亟。勵以多年，子云敬式。垂老弗諼，蕲告方來。右攸好德 踐阼之初，炷香告天。設蒙洪庥，歷六十年。便當歸政，以授後人。豈圖逸豫？有願於中。叶於穆皇祖，幼齡居尊。六十一載，化被海壖。小子廿五，繼體乘乾。敢同祖歷？耆耋況臻。新兹景福，爰待郎閒。存吾順事，横渠銘焉。九疇所云，五福冀全。然未敢必，敬俟天恩。右考終命

乾隆四十一年御製題景福宮 式擬静怡室，是宮倣静怡軒之制爲之，名則仍景福之舊。題仍景福楣。琴書無俗韻，花木有仙姿。雨後潤生礎，新正屢雪，昨復微雨，地氣濕潤，大似江南。春來日下墀。綴辭成五頌，好德敢忘之。近製五福頌，揭之此處屏間，頌意以攸好德爲主，兼用自勉也。

〔臣等謹按〕景福宮御製詩，恭載首見之篇，餘不備録。

景福宫正殿後爲梵華樓，樓稍西爲佛日樓。樓下御書聯曰：鳥雀聽經皆宿慧；風旛説偈自高標。自保泰門至佛日樓是爲寧壽宮東一路。蹈和門内曰衍祺門，門内東宇

額曰抑齋。聯曰：心田淨洗全如水；鼻觀清芬詎必蓮。東南隅亭額曰擷芳亭，其北額曰矩亭。皆御書。抑齋後爲古華軒，軒西亭額曰禊賞亭，亭中恭刊御筆臨董其昌蘭亭記。亭北爲旭輝庭，聯曰：鼎篆蘭烟直；窗含旭景新。古華軒後爲遂初堂，額曰養素陶情。堂東室門聯曰：墨斗硯山足遺逸，琪花瑶草底須妍。室内聯曰：屏山鏡水皆真綷；蘿月松風合静觀。

乾隆四十一年御製遂初堂詩 周書稱初服，勤政要始終。楚騷稱初服，謝政適其躬。二語胥宜味，放卷用不同。書堂額遂初，遼待廿年中。設果如所願，樂哉叩蒼穹。

〔臣等謹按〕遂初堂御製詩，恭載首見之篇，餘不備録。

東配殿額曰愜志舒懷，堂後疊石屏門刊額曰承暉，曰挹爽。其西爲延趣樓，東嚮。樓上聯曰：軒亭喜淳樸；甌硯總清嘉。樓外亭額曰聳秀亭，北爲萃賞樓。樓下中宇聯曰：閒庭不改風還月；欹案依然易與詩。西室門額曰聚景。聯曰：四圍應接真無暇；一晌登臨屬有餘。又聯曰：金界樓臺思訓畫；碧城鸞鶴義山詩。東室聯曰：高居因見遠；貞復會旋元。樓上中宇之左額曰積芳，又額曰延緑。西室聯曰：素壁題詩還自檢；明窗披帙雅相親。再西佛室聯曰：便有香風吹左右；似聞了義示緣因。萃賞樓西連樓六楹爲雲光樓，樓内額曰養和精舍。樓下南室聯曰：四壁圖書鑑今古；一庭花木驗農桑。其東佛室門額曰西方極樂世界安養道場。聯曰：一龕古佛鐘魚寂；半榻天風衣袂寒。室内聯曰：春鳥有言率和樂；上林無樹不森沉。

乾隆四十二年御製養和精舍詩　和於氣爲春，和於理爲仁。夫人所宜養，最要者爲君。九寓及萬物，方寸懷應肫。有時或用義，由仁施乃純。潔治寧壽宫，聊以備倦勤。精舍號養和，擬議非不倫。乾惕勵此日，優游待他辰。苟誠得斯憩，餘年頤此身。仁尚可弗居，義更何足論？養和乃真養，圖稱無事人。

〔臣等謹按〕養和精舍御製詩，恭載首見之篇，餘不備録。

萃賞樓後圓亭額曰碧螺，其北相對南嚮者爲符望閣。閣下南門左額曰欣遇，右額曰得全。門内聯曰：居中攬外襟懷暢；擊轂摩肩職植殷。又聯曰：俯臨常似披圖畫；得契宛堪悦性靈。東門内聯曰：雲卧天闕無不可；風清月白致多佳。西門内聯曰：畫情八窗納；春意百花舒。北門内聯曰：緑樹巖前疏復密；白雲窗外卷還舒。閣上北室聯曰：清風明月含無盡；近景遐觀攬莫遺。

乾隆四十一年御製符望閣詩　層閣延春肖，是閣肖建福宫中延春閣式爲之。題楣意有存。耄期致勤倦，頤養謝塵喧。豫葺優游地，略慙恭儉門。其誠符我望，惟静候天恩。

〔臣等謹按〕符望閣御製詩，恭載首見之篇，餘不備録。

符望閣前垣門東額曰延虛，曰愜志，西額曰挹秀，曰澄懷。閣後爲倦勤齋。齋内閣上聯曰：信可超繪事；於焉悦性靈。閣下聯曰：春秋富佳日；松竹葆長年。閣西次室聯曰：動趣都涵澹；静機常覺寧。又西閣上聯曰：當春蓮漏永；坐久蕙烟微。閣下聯曰：經書趣有永；翰墨樂無窮。

乾隆四十一年御製倦勤齋詩　敬勝依前式，（此齋依建福宫中敬勝齋爲之。）倦勤卜後居。（將以八旬有五歸政後居之。）撫時斯異矣，題額故殊諸。娱老非關政，沃心那廢書。廿年期此願，未識可能如？

〔臣等謹按〕倦勤齋御製詩，恭載首見之篇，餘不備録。

倦勤齋西廊外門額曰暎寒碧，内爲竹香館。中宇聯曰：偶披風送爽；恰傍竹延虛。又聯曰：流水今日；明月前身。又聯曰：松雲清棟牖；書契洽嫏嬛。符望閣西門外爲玉粹軒，東嚮，其南室額曰得閒室。聯曰：甄性神明境；陶情翰墨筵。北爲佛室，聯曰：禽音仍唱迦陵偈；花色全標幻海禪。又北爲淨塵心室，聯曰：洗不期其箏笛耳；悦原契此淨明心。又聯曰：春物薫馨含慧業；名禽宛轉入聞思。室後門額曰超妙。皆御書。

乾隆四十一年御製得閒室詩　符望閣西接静室，紙窗棐几護松關。此時敢自忘無逸？他日於斯冀得閒。真樹生之待葱鬱，假山峙矣互迴環。豫成猶以廿年俟，亦豈遥哉彈指間。

又御製淨塵心室詩　六塵總因心，心淨塵斯淨。室云淨塵心，本末似相梗。然亦可得云，如身之有影。欲求影之無，應在身之屏。誰解能所忘，與入菩提境。

〔臣等謹按〕得閒室、淨塵心室御製詩，皆恭載首見之篇，餘不備録。景福宫之後爲兆祥所，今爲皇子所居。西爲花園，又西卽神武門也。國朝宫史

〔臣等謹按〕今新葺，規制兆祥所在寧壽宫垣之後，國朝宫史所稱乃舊制也。

欽定日下舊聞考卷十九

國朝宮室

隆宗門之西爲慈寧宮。國朝宮史

〔臣等謹按〕慈寧宮順治十年建，乾隆十六年重加修葺。東爲永康左門，西爲永康右門，正中南嚮爲慈寧門，前列金獅二。門内正殿恭懸皇上御書額曰寶籙駢禧，又額曰慶隆尊養。屏聯曰：蘭殿頤和尊備養；萱庭集慶壽延禧。楹間聯曰：愛日舒長，蘭殿春暉凝綵仗；慈雲環蔭，萱庭佳氣接蓬山。殿前東廡門曰徽音左門，西廡門曰徽音右門。後殿供佛像，恭懸聖祖仁皇帝御書額曰萬壽無疆。皇上御書聯曰：百八牟尼，現莊嚴寶相；三千薝蔔，聞清淨妙香。又聯曰：人天功德三摩地；龍象威神兩足尊。皆御書。殿後東廡佛室，聖祖御書額曰四星容華。

慈寧宮左殿宇二層，東有門曰慈祥門，與啓祥門遥對，慈寧門之南爲長信門。國朝宮史

〔臣等謹按〕長信門又南舊爲永安門，其左爲迎禧門，右爲覽勝門，今制惟正南有長

慶門。

聖祖御製慈寧宮問太皇太后安詩　定省深宮曙氣催，承恩獻壽捧霞杯。晨昏敬睹慈顏豫，不盡歡欣踴躍迴。

乾隆三十六年御製恭祝皇太后八袠壽頌　懿懿慈寧，乾清宮右。歷代敦崇，以奉文母。昔實單檐，今易重構。申無方養，祝無疆壽。三大朝禮，率羣辟公。覲瞻斯協，慶忭攸同。熊熊丸丸，實實隆隆。左平右堿，納陛惟中。歲在重光，月惟陽復。八袠爰開，萬年永卜。五世曾元，一堂雍肅。曷其有極，介祉景福。

乾隆三十七年御製皇太后聖壽節慈寧宮行禮是日雪卽事成什　值齋慶典例移前，（今年冬至在月之廿七日，聖壽節前一日卽應致齋，因預於廿二日行慶祝禮。）節步新叨恩諭宣。（向遇朝賀行禮，例於永康左門降輿步入。今恭奉懿旨，以朕年逾六旬，雖精力强健，亦宜隨時撙節。命嗣後元旦於慈寧門東階下降輿，萬壽節於西階下降輿，並就門旁預設便坐，以資小憩。）敬率羣公趨鳳闕，恰逢六出降瑤田。瓦溝積索連祥色，樹杪懸英引瑞烟。騈叠天庥何以荷？愛民勤政益乾乾。

乾隆四十二年御製二十五日爲聖母誕辰詣慈寧宮瞻拜感成長句誌痛　依舊慈寧清曉時，霑襟肅拜曷勝悲！龍輴已送元宮閉，鳳扆空瞻寶殿垂。神御羅陳遵昔典，（列后神御，惟遇元旦敬同列祖、列宗供奉壽皇殿瞻禮，餘日尊藏。遇誕辰亦不詣奉先殿、壽皇殿行禮。今聖母之事，雖哀莫能罄，而禮不敢踰，一切悉遵舊典。茲值誕辰，惟詣慈寧宮佛堂瞻拜，以申悲悃耳。）栝棬敬撫切今思。祝釐昨歲那堪憶，一變誰知忽若斯？

〔臣等謹按〕慈寧宮御製詩，謹繹有關紀述事實者恭載卷内，餘不備録。

慈寧宮花園中爲咸若館。國朝宮史

〔臣等謹按〕慈寧宮花園前宇爲咸若館，供佛。皇上御書額曰壽國香臺。聯曰：證最勝因，金界莊嚴歡喜地；讚無量壽，寶輪擁護吉祥雲。館之左爲寶相樓，右爲吉雲樓。寶相樓南爲含清齋，吉雲樓南爲延壽堂。池上爲臨溪亭。咸若館後樓宇御書額曰慈蔭樓。

慈寧宮之西爲壽康門，門内爲壽康宮。國朝宮史

〔臣等謹按〕壽康宮又南爲慈寧右門。壽康宮内恭懸皇上御書額曰慈壽凝禧。聯曰：玉琯應陽春，祥開南極；璇宮呈麗景，慶洽西池。中殿聯曰：慶叶瑶圖，融和開壽域；祥呈閬苑，熙皞樂康衢。東暖閣聯曰：福集璇圖天永錫；祥開綺甲日重光。又聯曰：光華呈愛日；仁壽遍和風。後殿聯曰：四海爲家欽養志；萬年介祉永承歡。又聯曰：鳳集桐花來絳闕；鶴啣桃實自丹山。西室聯曰：金盤露滿瑶華麗；丹粟祥凝鶴算綿。又聯曰：歡心依日永，樂志願春和。皆御書。

乾隆四十四年御製正月十四日作　壽康神御敢重張？壽康宮雖向年尊奉慈闈之所，但其地宜留爲萬萬年奉養東朝，不宜安奉聖母御容、神位。惟恭遇聖誕令節及上元前一日，敬詣壽康宮佛前展禮，並瞻仰寶座叩謁，以申哀慕。今年仍循昨歲例行，詳見戊戌正月十四日詩註。却有先時禮佛堂。此日拜瞻聊寫痛，

前春景象益增傷。上元誰復問佳節？兩歲忽驚近大祥。翟扆繡茵依舊設，音容難覓恨茫茫。

〔臣等謹按〕壽康宫御製詩，謹繹有關紀述事實者恭載卷内，餘不備録。

壽康宫之後爲壽安宫。國朝宫史

〔臣等謹按〕壽安宫本咸安宫舊址，乾隆十六年改建，在壽康宫後。東西爲長街，街西爲長庚門，門内正中南嚮者爲壽安門，内爲春禧殿，殿後爲壽安宫。正殿恭懸皇上御書額曰長樂春暉，又額曰瑶樞純嘏。聯四，一曰：百福屏開，慶叶九如宏壽域；五雲景麗，恩敷萬象入春臺。一曰：壽國樂舒長，韶成九奏；安輿承悦豫，舞效三呼。一曰：洪範演疇徵備福；黄鍾肇律叶長生。一曰：香扆引祥風，序符清晏；仙壺承愛日，景叶升恒。東暖閣額曰景暉，曰熙春。聯曰：紅梅翠竹天然畫；妙理清機不盡吟。又聯曰：松牖樂春熙，既安且吉；蘭陔宜晝永，曰壽而昌。東樓下額曰集慶，曰宣豫。聯曰：芝楝雲霞麗；蘭陔日月長。又聯曰：宜春苑滿恒春樹；介壽筵開益壽花。西暖閣額曰慈釐積慶。聯曰：慶霄輝壽曜；仙圃麗春光。又聯曰：鈞庭延淑景；璇陀藹祥風。西樓額曰華蔭，曰金蘤。聯曰：静裏遠懷千古事；意中常滿十分春。殿前延樓左右相屬，中爲崇臺三層。上層額曰慶霄韶濩。聯曰：鳳翥輝呈阿閣瑞；珠聯景繪泰階符。中層額曰曾城廣樂。聯曰：圖疇遞演京垓積；律吕環生上下和。下層額曰崑閬恒春。聯曰：鳴豫叶雲韶，頌集九如開壽域；祝釐陳綵舞，歡聯萬象譜春臺。殿後庭中疊石爲山，東曰福宜齋，齋内聯曰：西池增寶籙；南極耀珠躔。西曰萱壽堂，堂内聯曰：寶篆長生籙；瑶屏集瑞圖。皆

御書。

乾隆二十六年御製壽安宫銘　辛未題額，匪創伊修。慈寧六袠，行慶延厤。愛日循環，千甲載週。金穰辛建，物盛已逑。七袠爰開，萬壽惟悠。合天下養，舉太古侔。瓊宫枚枚，有桷有桴。蘭陔叶什，梅席稱觴。鴻儀重舉，以十爲籌。則百斯千，始而復周。

慈寧宫之東北卽啓祥門外夾道，其北南嚮爲凝華門，門内爲雨華閣。國朝宫史

〔臣等謹按〕雨華閣三層俱供佛。上層恭懸皇上御題閣額，中層額曰普明圓覺。聯曰：青蓮法界普清淨；白毫相光離色空。又聯曰：三身具足根塵外；萬法齊歸願海中。下層額曰智珠心印。聯曰：般若慈源，遠通華海滙；菩提覺路，妙轉法輪圓。又聯曰：花布妙香霏四種；金塗傑閣現諸天。又聯曰：妙果圓成，華海同歸無盡藏；靈因静證，珠宫常雨四時花。又聯曰：寶界現莊嚴，雲凝華鬘；香臺開般若，雨散曼陀。閣内聯曰：具神通力；生歡喜心。又聯曰：善果皆歡喜；香雲普吉祥。

又聯曰：靈鷲風香傳妙偈；澄潭月皎印真如。其西爲梵宗樓。樓上聯曰：妙會梵香三界上；實參宗印四天中。樓下聯曰：七寶共莊嚴，金光高暎，四花紛擁衛，香雨濃霏。皆御書。

雨華閣後爲昭福門，門内爲寶華殿，殿後爲香雲亭，其北爲中正殿。國朝宮史

〔臣等謹按〕中正殿恭懸御書額曰然無盡燈。聯曰：妙諦六如超衆有；善根三藐福羣生。

壽安宮之北爲英華門，門内爲英華殿。國朝宮史

〔臣等謹按〕英華殿庭内方亭恭勒皇上御製詩碑。

乾隆七年御製英華殿菩提樹詩　何年畢鉢羅，菩提樹一名畢鉢羅，見酉陽雜俎。植兹清虚境。徑尋有旁枝，蟠拏芝幢影。翩翩集佳鳥，團團覆金井。靈根天所遺，嘉蔭越以静。我聞菩提種，物物皆具領。此樹獨擅名，無乃非平等。舉一堪例諸，樹以無知省。

乾隆二十六年御製英華殿菩提樹歌　我聞法華調御丈夫成道處，乃於伽耶城中菩提樹。又聞華嚴海會諸如來，一佛一樹乃至恒沙數。一亦非合，恒沙數非離。是佛是樹皆菩提。娑羅貝多閻扶誰則見，惟有菩提之樹鬱葱蔚郁，常依佛日生光輝。英華之殿聳層甍，勝國莫考，國初曾以居慈寧。思齋太任篤奉佛，爰供法像，延禧篤祜貽雲仍。時來瞻禮意肅

穆，莊嚴寶軸相好合梵經。或云卽是北斗之七星，貝帙一一名可徵。菩提七樹森列庭，是誠不可思議標祥禎。枝枝葉葉數無萬，如斯無萬數，繩繩繼繼永世綿皇清。

又御製英華殿菩提子數珠詩　七樹恒沙結子多，菩提樹七株森列殿墀，事見前歌。數珠拈百八云何？欲因悠久卜皇祚，詎是尋常佞佛陀？顆顆圓融開意蕊，纍纍聯綴振禪柯。蓮池淨業吾無暇，蓮池蓋守中峯清規念佛者。靜置如聞鳴法螺。

〔臣等謹按〕英華殿御製詩，謹繹有關紀述事實者恭載卷内，餘不備録。

英華殿之西北有城隍廟。國朝宮史

〔臣等謹按〕英華殿西北之城隍廟，雍正四年勅建，其祀典則内務府掌儀司司之。

城隍廟東爲祀馬神之所，又東爲神武門。國朝宮史

神武門之北過橋爲景山，山前爲北上門，東門曰山左裏門，西門曰山右裏門，門内爲景山門。入門爲綺望樓，樓後卽景山，有峯五。同上

〔臣等謹按〕北上門左右嚮北長廡各五十楹，其西爲教習内務府子弟讀書處。景山五峯上各有亭，中峯亭曰萬春，左曰觀妙，又左曰周賞，右曰輯芳，又右曰富覽，俱乾隆十六年建。

景山後爲壽皇殿。國朝宮史

〔臣等謹按〕壽皇殿舊在景山東北，乾隆十四年上命移建。南臨景山中峯，殿門外正中南嚮寶坊一，前額曰顯承無斁，後曰昭假惟馨。左右寶坊各一，左之前額曰紹聞祇遹，後曰繼序其皇，右之前額曰世德作求，後曰舊典時式。北爲甎城門三，門前石獅二，門内戟門五楹。大殿九室，規制仿太廟，左右山殿各三楹，東西配殿各五楹，碑亭、井亭各二，神廚、神庫各五。殿内敬奉聖祖仁皇帝、世宗憲皇帝御容，皇上歲時瞻禮於此。並自體仁閣恭迎太祖高皇帝、太宗文皇帝、世祖章皇帝暨列后聖容敬謹尊藏殿内，歲朝則展奉合祀，肅將祼獻，以昭誠慤云。

皇上御製重建壽皇殿碑文　予小子既敬循壽皇殿之例，建安佑宮於圓明園，以奉皇祖、皇考神御。重垣廣墀，戟門九室，規模畧備。而歲時朔望來禮壽皇，聿瞻殿宇，歲久丹雘弗焕，且爲室僅三，較安佑翻遜巨麗，予心歉焉。蓋壽皇在景山東北，本明季遊幸之地，皇祖常視射較士於此。我皇考因以奉神御，初未擇山向之正偏，合閟宫之法度也。蓋乃命奉宸發内帑，鳩工庀材，中峯正午，磚城戟門，明堂九室，一仿太廟而約之。蓋安佑視壽皇之義，壽皇視安佑之制。於是宫中苑中皆有獻新追永之地，可以抒忱，可以觀德。傳不云乎！歌於斯，哭於斯。則壽皇實近法宫，律安佑爲尤重。若夫敬奉神御之義，則見於安佑宮碑記，兹不複述。惟述重建本意及興工始末歲月，蓋經營於己巳孟春，而落成於季冬上澣之吉日云。敬作頌曰：惟堯巍巍，惟舜重華，祖考則之。不競不絿，叶仁漸義摩，祖考式之。宏仁皇仁，明憲帝憲，小子職之。是繼是繩，叶曰明曰旦，小子恧之。天遊雲殂，春露秋霜，予心惻之。考奉祖御，於是壽皇，予仍卽之。製廣向正，叶爰經爰營，工弗亟之。陟降依憑，居歆攸寧，羹牆得之。佑我后嗣，繇禩於萬，匪萬億之。觀德於茲，無然畔援，永欽識之。

乾隆十五年御製重修壽皇殿竣是日奉安神御禮成述事六韻有序 是殿向奉皇祖、皇考神御，爲室僅三楹，又方向不合規度。乃命鳩工庀材，量加修建，中峯正午，及門楹堂室，一視安佑宮之制，較舊加鉅麗焉。工既落成，謹蠲仲夏之望重安神御於是，歲時薦新永展孝思云。壽皇聖祖興居久，先帝思親展孝弘。神御妥靈宋遺制，衣冠原廟漢諸陵。欽承有繼馨香薦，追遠長懷陟降憑。子午向山期必正，規模合度量爲增。僾聞愾見千秋永，景福鴻禧百世凝。觀德皇皇惟是凛，肯堂切切詎斯能？

乾隆二十三年御製清明日拜謁壽皇殿詩 紫殿彤闈神御憑，清明肅拜典相仍。雍正年間逢清明節，常隨皇考行禮於此。羹牆有慕何嗟及？堂構非遥此敬承。舊禮漫傳粳粥薦，新烟還看柳絲凝。那堪子厚書重展，指日吾將謁二陵。

〔臣等謹按〕壽皇殿御製詩，謹繹有關紀述事實者恭載卷内，餘不備録。

壽皇殿後東北曰集祥閣，西北曰興慶閣，殿東爲永思門，門内爲永思殿。國朝宫史

〔臣等謹按〕永思殿西暖閣恭懸皇上御書聯曰：一氣感通昭陟降；萬年嗣服式儀型。東暖閣樓上聯曰：視聽思無遠；天心格有孚。皆御書。

永思殿又東爲觀德殿。國朝宫史

〔臣等謹按〕觀德殿恭懸聖祖御書額曰正大光明。聯曰：琴韻聲清，松窗滴露依蟲響；書帷夜永，蘿壁含風動月華。

觀德殿東爲護國忠義廟。國朝宫史

〔臣等謹按〕護國忠義廟范關聖立馬像，恭懸聖祖御書額曰忠義。

欽定日下舊聞考卷二十

國朝宮室 雍和宮

雍和宮在皇城東北，世宗憲皇帝藩邸也。登極後命名曰雍和宮。宮前寶坊二，正中石坊一，自是而内，甬道綿亘，爲昭泰門。門東西列碑亭。中爲雍和門，門内爲天王殿，左右環以迴廊。正中爲雍和宮。國朝宮史

〔臣等謹按〕宮之前左右寶坊各一，左之前榜曰慈隆寶葉，後曰四衢淨闢，右之前榜曰福衍金沙，後曰十地圓通。正中石坊一，南向額曰寰海尊親，後曰羣生仁壽。天王殿内額曰現妙明心。聯曰：法鏡交光，六根成慧日；牟尼真淨，十地起祥雲。宮内聯曰：接引羣生，揚三千大化；圓通自在，住不二法門。又曰：法界示能仁，福資萬有；淨因臻廣慧，妙證三摩。

宮後爲永佑殿。國朝宮史

〔臣等謹按〕永佑殿聯曰：般若慈源，覺海原無異派水；菩提元路，德山相見別

峯雲。

永佑殿後爲法輪殿，左右山殿各三間。國朝宫史

〔臣等謹按〕法輪殿左右山殿，西爲戒壇，乾隆四十四年命照熱河廣安寺戒壇之式改建。方壇三層，每層各圍以石欄，用列佛像。東爲藥師壇。是年並改建重樓上下各五楹，與戒壇相配。四十五年八月落成。法輪殿額曰恒河筏喻。聯曰：是色是空，蓮海慈航遊六度；不生不滅，香臺慧鏡啓三明。又曰：鬘雲采護祥輪，錦軸光明輝萬象；龍沼慶貽寶地，玉毫圓足聚三花。戒壇内額曰律持定慧。聯曰：法會啓無邊，共守真如願力；律宗超最上，總持實相因緣。東樓上額曰能仁普度。聯曰：寶地徧沾功德潤；香臺恒擁吉祥花。樓下額曰慈雲應念。聯曰：廣一切善緣，現莊嚴相；普如是功德，發歡喜心。

法輪殿後爲萬福閣，東爲永康閣，西爲延寧閣，閣後爲綏成殿。國朝宫史

〔臣等謹按〕萬福永康延寧三閣並峙，上有閣道相通，東向西向則別爲配殿也。萬福閣内額曰緣覺妙諦，又曰放大光明。南向聯曰：以不可思議説微妙法；具無量由句作清淨身。北向聯曰：説法萬恒沙，金輪妙轉；觀心一止水，華海常涵。西向聯曰：丈六顯金身，非空非色；大千歸寶所，卽境卽心。東向聯曰：合大地成形，非

有爲法；與衆生同體，作如是觀。中層簷前額曰淨域慧因，下層簷前額曰圓觀並應。聯曰：慧日麗璇霄，光明萬象；決雲垂玉宇，安隱諸方。永康閣聯曰：慧日朗諸天，圓輝寶相；吉雲垂大地，淨掃塵根。延寧閣聯曰：獅座寶花，拈來參妙諦；檀林法乳，觸處領真香。

御製雍和宫碑文 我皇考世宗憲皇帝肇封於雍邸，在京師艮維，與太學左右相望。迨紹纘大統，正位宸極，爰命舊第曰雍和宫，設官置守。甍宇堊飾，無增於昔，示弗忘也。越歲乙卯，弗弔昊天，龍馭上賓，攀髯莫逮。維時喪儀具展，禮當奉移。念斯地爲皇考藩潛所御，攸躋攸寧幾三十年。神爽憑依，倘眷顧是，迺卽殿宇而飭新之，以奉梓宫。易覆黄瓦，式廓門屏，欞星綽楔，規制畧備。洎山陵禮成，於此敬安神御，歲時展禮，至於今十稔。予小子紹庭陟降之恍，朝夕罔釋。深惟龍池肇迹之區，既非我子孫析圭列邸者所當䙝處，若曠而置之，日久蕭寞，更不足以宏衍慶澤，垂壽於無疆。曩我皇考孝敬昭事我皇祖，凡臨御燕處之適且久者，多尊爲佛地。曰福佑寺，則冲齡育德之所也。曰恩佑寺，則鼎成陟方之次也。永懷成憲，厥有舊章。而稽之往古，修真本唐高龍躍之宫，慈慶乃渭水慶善之宅。宋則祥符錫慶，祠號景靈。咸因在潛之居，實曰神明之隩。後先一揆，今昔同符。是用寫境祇林，莊嚴法相。香幢寶網，夕唄晨鐘。選高行梵僧居焉。以示蠲明，至潔也；以昭崇奉，至嚴也；以介福釐，至厚也。我皇考向究宗乘，涅槃三昧，成無上正等正覺，施洽萬有，澤流塵刼。帝釋能仁，現真實相。羣生托命，於是焉在。豈特表範睟容爲章淨域已哉？予小子瞻仰之餘，間一留止，緬憶過庭，怵惕興慕。敬勒石以紀，系以頌曰：於皇皇考，禔福無疆。奕奕朱邸，積慶流長。乘六以御，兹焉發祥。時雍協和，聖謨孔彰。其一 鼎成於湖，神御攸奠。陟降在天，聖靈式眷。愾乎斯聞，僾乎斯見。超宋景靈，邁唐慶善。其二 懿彼淨覺，廣樹良因。澄圓性海，般若通津。慧燈普照，法寶常新。敷華玉地，轉曜金輪。其三 矧是丹宮，藩封拜賜。載寢載興，凝禧集瑞。人世香臺，梵天忉利。擁吉祥雲，開歡喜地。其四 標新福界，冥契慈緣。雁堂集侶，鹿苑棲禪。香華迎雨，珠葉霏烟。雲車風馬，歆顧珠筵。其五 仰惟聖德，昊天罔極。以妙明心，運大願力。孰爲權應，孰爲真實？無去無住，歷化千億。其六 慈雲廣蔭，甘霔長濡。入涅槃海，繫如意珠。恒沙大千，共味醍醐。不可思議，浹髓淪膚。其七 灼灼靈儀，巍巍瑞相。言瞻言依，徘徊惝愴。十地四天，鴻恩融暢。盡未來際，永資慈貺。其八

乾隆二年御製八月二十三日皇考二週諱辰以禾稼盈疇勉從諸王大臣請未得躬謁泰陵謹於雍和宮行禮中懷耿耿孺慕莫伸灑淚述哀敬成一律 淒淒涼露兩沾裳，每憶音容痛斷腸。

寢殿秋深冠劍肅，鼎湖雲隔路途長。未酬高厚懷終古，豈意星霜歷大祥？去歲几筵猶在望，迴看雍邸助悲傷。

乾隆九年御製謁雍和宮作　僾聞愾見，仰聖日於光天；瑤宇琳宮，表躍龍於兹地。宛爾疇昔，悽然賦詩。翠華來舊地，寶相寫新蓮。興慶當年邸，無生曩日禪。詎資獅象力？如是色空詮。結構棲真宇，徘徊浴日淵。春音驚電閃，芝字尚星懸。東壁圖書府，（邸東爲太和齋，皇考舊日書室也。）虛庭霜露邊。秋風空拂席，春鳥不調弦。眼底明如幻，窗前影復遷。式觀增惕息，欲去重留連。獨憶趨庭日，瞻雲意惘然。

乾隆二十九年御製雍和宮瞻禮詩　龍池慶邸鹿王筵，福佑三千與大千。新歲自天霏玉葉，延禧特地禮金田。無遷便是法雲住，每至常瞻聖日懸。綵勝華鐙依舊綴，黯然爲（去聲）憶卅年前。

乾隆三十五年御製詣雍和宮禮佛作　興慶當年選佛場，初春幾暇禮空王。六街三市皆珠玉，利物宜人大吉祥。東壁圖書原靜好，（東書院即在宮左側，齋曰太和。）昔時歲月黯神傷。六旬兄弟相隨逐，（時和親王以領宮務相隨。）話到髫年電火光。

又御製入安定門至雍和宮瞻禮詩　邸第吾生長，（上聲）今年忽六旬。昔年景頻憶，先節敬應申。（八月間慶賀禮繁，乘暇先至此瞻拜。）砌下花新錦，庭前松老鱗。緬懷趨訓日，黯爾獨傷神。

又御製詣雍和宮禮佛疊今歲新正詩韻　趨庭每憶少年場，邸闕因之叩鹿王。法化報身畫裏相，去來今世鏡中祥。誰知新歲塤篪喜，幻作斯時存没傷。新正來謁時，和親王以領宮務在列，因有六旬兄弟相隨逐之句。今再過已邈然不可復得，曷勝軫惻！了識無生還有恨，惟應慚愧仰威光。

〔臣等謹按〕雍和宮御製詩，謹繹有關紀述事實者恭載卷内，餘不備録。

宮之東爲書院，門三間，入門爲平安居，後有堂，堂後爲如意室，室後正中南向爲書院正室。國朝宮史

〔臣等謹按〕平安居額世宗憲皇帝御書。殿内皇上御書額曰因寄所托。如意室額世宗御書。又額曰與天游，皇上御書。東室爲佛堂，聯曰：於澹泊中尋理趣；不空色際忘言詮。西室内恭懸聖祖仁皇帝御書額曰爲善最樂。御書聯曰：情將物外適；道與古人期。書院正室恭懸世宗御書額曰太和齋，又額曰爲善最樂。聯曰：種德在寬仁，俾昌爾後；立身惟忠孝，永建乃家。皆聖祖御書。東寢宮恭懸御書額曰窗含遠色，西屋門上前曰勤農，後曰課織。屏間繪耕織圖。南有山亭，恭懸世宗御書額曰翼然亭。後殿二重，其前恭懸御書額曰静挹化源。

太和齋之東，其南爲畫舫，南向正室曰五福堂。國朝宮史

〔臣等謹按〕齋東畫舫後左右迴廊相接。五福堂額聖祖御書。堂内恭懸御書額曰悦目

賞心。聯曰：大德曰生，到處和風甘雨；與民偕樂，隨時擊壤歌衢。堂後書室數楹，額曰幽偏自怡。聯曰：健行乾不息；遜志益無疆。皆御書。

太和齋之西爲海棠院，北有長房，更後延樓一所，西爲斗壇。國朝宮史

〔臣等謹按〕院内額曰香紅雨，院後書室額曰清暉娱人。聯曰：雲山觀動静；花木驗農桑。又後室額曰高雲情。皆御書。院西循廊而北，有長房一帶，後有延樓，斗壇上恭懸聖祖御書額曰祝齡壇。壇東爲佛樓，樓前有平臺，其東佛堂三楹。宫西後爲關帝廟，前爲觀音殿，殿内恭懸御書額曰香林寶月。